Historia Clínica 2

Dr. Daniel López Rosetti

Historia Clínica 2

*Para conocer a los grandes
personajes de la Historia*

López Rosetti, Daniel
   Historia clínica 2 : para conocer a los grandes personajes de la
historia . - 2a ed. - Ciudad Autónoma de Buenos Aires : Planeta, 2014.
   344 p. ; 23x15 cm.

   ISBN 978-950-49-3941-2

   1. Historia Argentina. I. Título
   CDD 982

© 2014, Daniel López Rosetti

Diseño de cubierta:
Departamento de Arte de Grupo Editorial Planeta S.A.I.C.

Todos los derechos reservados

© 2014, Grupo Editorial Planeta S.A.I.C.
Publicado bajo el sello Planeta®
Independencia 1682 (1100) C.A.B.A.
www.editorialplaneta.com.ar

2ª edición: octubre de 2014
4.000 ejemplares

ISBN 978-950-49-3941-2

Impreso en Tivana S.A.,
Pavón 3441, Ciudad Autónoma de Buenos Aires,
en el mes de octubre de 2014

Hecho el depósito que prevé la ley 11.723
Impreso en la Argentina

A MI MADRE

...que una vez, cuando era estudiante de medicina,
me preguntó sobre una enfermedad. Contesté en
forma corrida y con terminología científica durante
largos e interminables minutos... Mi madre guardó
silencio y cuando concluí, sentenció:
—*Hijo, si hablás así de difícil nunca vas a curar a nadie.*

Ese día mi madre me enseñó, entre otras cosas,
Medicina...

Para formular una historia clínica es necesario conocer bien al paciente. No solamente en sus dolencias físicas, sino más bien, en el plano psicológico y emocional. Sus necesidades, sus motivaciones, sus deseos, sus dudas, sus miedos. Explorar el porqué de sus acciones y el alcance de su voluntad. Implica conocer a la persona de un modo abarcativo, físico, emocional y espiritual. En este trabajo la medicina es un mero pretexto para acercarnos a estos personajes de la Historia desde un lugar diferente, desde la intimidad de una consulta médica que permita entrever más allá de lo explícito de una biografía. Buscar el porqué de las acciones, la intimidad del mundo del paciente y cómo los condicionamientos físicos y emocionales determinan las acciones del personaje. No se trata de una biografía sobre los hechos sino más bien de la raíz motivacional que los generaron. No se trata de la fortaleza de estos personajes sino más bien de las debilidades que debieron superar para alcanzar esa condición. Aquí, la *Historia Clínica* no es más que una excusa para conocer la intimidad de estos personajes de la Historia.

DANIEL LÓPEZ ROSETTI

Prólogo
FELIPE PIGNA

Cuando tuve el honor de escribir el prólogo del tomo uno de *Historia Clínica*, estaba convencido de que se trataba de un gran libro y que tendría una enorme aceptación entre los lectores. Afortunadamente así fue: el texto de Daniel fue un suceso editorial y además se convirtió en un ciclo televisivo también exitoso que ya ha obtenido importantes distinciones, entre ellas un Martín Fierro, el Premio Argentores y, lo más importante, el favor de la gente que pudo verlo a través de las pantallas de Telefé, América TV y Canal 9 de Mendoza.

Todos estos estímulos, más la insistencia de muchos amigos entre los que me cuento, impulsaron al querido «Doc» López Rosetti a continuar deleitándonos con su particular estilo ampliando el espectro de personajes en este segundo tomo que no dudo correrá la misma suerte que el primero.

Se observa en este trabajo una profundización de la indagación en los aspectos psicológicos de los personajes y su natural incidencia médica. Seres que cambiaron el mundo como el impresionante Beethoven, el genial Leonardo o el imprescindible Sigmund Freud son vistos desde esta triple perspectiva biográfica, médica y psicológica acercándonos a estos protagonistas de la Historia desde un lugar no muy transitado por la historiografía clásica y la medicina tradicional, esa que olvida las emociones, las pulsiones y las pasiones y arma historias clínicas puramente fisiológicas.

¿Cómo ha influido en estos seres esta condición tan humana de padecer enfermedades? ¿Qué aspectos de su vida fueron absolutamente condicionados, sino determinados, por sus historias clínicas? ¿Qué rol cumplieron en el desarrollo de sus enfermedades sus pasiones, sus emociones y sus dolores, esos que algunos llaman espirituales? Son algunas de las preguntas que son respondidas con absoluta solvencia a lo largo de estas páginas.

La galería de personajes, muy bien elegida, permite un recorrido por diversas patologías y analiza la incidencia de los factores mencionados. Además nos propone un interesantísimo viaje por la Historia a partir de uno de los aspectos menos conocidos de sus humanidades.

Cronológicamente el libro comienza con el célebre faraón Tutankamón, mucho más importante por el hallazgo de su tumba —una de las pocas que se encontró intacta y que no había sufrido el saqueo de los ladrones a lo largo de milenios— que por su breve y poco trascendente reinado. Hijo de Akenatón, el único faraón que quiso implantar el monoteísmo en Egipto a través del culto de Atón, Tutankamón padeció múltiples enfermedades en su corta vida y se han tejido leyendas sobre su posible (y poco probable) asesinato.

Continúa el viaje en el tiempo con el genial Leonardo da Vinci por quien nuestro querido autor no hace el menor esfuerzo en ocultar su profunda y compartida admiración. Una perlita de este capítulo es la consulta imaginaria entre el médico y el paciente Da Vinci, recurso que se repite en otros capítulos como el de Darwin y Discépolo.

Un caso muy interesante es el de un tal Alonso Quijano, más conocido como Don Quijote de la Mancha, hijo dilecto del talento del genial Miguel de Cervantes. Se trata, claro está, de un personaje de ficción, pero Daniel, basándose en los datos médicos que brinda el autor, va armando esta interesantísima historia clínica que comienza con el debate de la supuesta locura de don Quijano según los parámetros de la época y los actuales.

Nuestro querido Manuel Belgrano ocupa un lugar preponderante en este recorrido. Además de recordarnos de que «hijo de la patria», como le gustaba que lo llamaran, padecía diversas enfermedades, entre ellas la sífilis y la enfermedad cardíaca, Daniel pone el acento en el dolor y la amargura que derivaron en una depresión importante, cuando se entera de quiénes serán sus compañeros en el Consulado: «aquellos partidarios de sí mismos» «que sólo saben comprar por cuatro para vender por ocho», esa tremenda sensación de frustración que debió ser tremenda para aquel hombre adelantado a su tiempo que soñaba en plena colonia con un futuro país industrial, con la riqueza equitativamente distribuida y la educación pública y gratuita para todos, incluyendo y sobre todo para las mujeres.

Hubo un contemporáneo de Belgrano al que la humanidad le debe parte de la mejor música que podemos escuchar. Por esas injusticias de la vida padeció la sordera entre decenas de enfermedades. Se llamaba Ludwig van Beethoven. Daniel rastrea en aquella terrible infancia marcada por la sombra del pequeño prodigio Mozart, el hilo conductor de una vida tremendamente complicada, con pocos destellos de felicidad y muchos padecimientos. Leyendo este intenso capítulo uno no puede dejar de conmoverse empáticamente por aquella injusta alquimia entre la sordera y una mente plena de musicalidad de sonidos que luchaban por encontrar expresión pero también por ser escuchados por su genial creador.

El caso de Sarmiento es muy interesante. Uno intuye que aquel «cuyano alborotador» como lo llamaban sus enemigos, aquel «padre del aula» como lo nombraban sus amigos, que se llevaba el mundo por delante, no la tendría tan fácil a nivel salud. Como bien explica Daniel, la mala sangre es médicamente tóxica y tiene sus efectos. En este caso problemas coronarios y una creciente sordera que le impidió, por ejemplo, enterarse de que intentaron matarlo a trabucazos en una esquina de Buenos Aires porque no escuchó absolutamente nada. Sordera que también usó para mofarse de sus adversarios cuando le preguntaron cómo iba a hacer para cumplir sus funciones de legislador en el Congreso y respondió fiel a su estilo: «Yo no vengo a escuchar, vengo a que me escuchen».

Mucho se sabe sobre uno de los hombres clave de la historia de la ciencia contemporánea, Charles Darwin, el creador de la teoría de la evolución de las especies que empezó a pergeñar en nuestro suelo y la terminó de vivenciar en las Islas Galápagos en aquel increíble viaje alrededor del mundo a bordo del *Beagle*. Lo que muchos no saben es que Darwin se llevó algo más que una importante colección de fósiles y animales de nuestro país, también llevó consigo inoculado sin saberlo el trypanosoma cruzi, es decir la infección del Mal de Chagas, que terminaría siendo fatal muchos años después.

Es muy interesante el capítulo dedicado a Sigmund Freud en el que Daniel nos va guiando por los caminos que llevaron a este genial médico austríaco a convertirse en el padre del psicoanálisis. Su paso por distintas técnicas como la hipnosis, la formación en París, la seguridad sobre su capacidad profesional y, claro está, su historia clínica, su relación con la cocaína, su hábito de fumar cigarros casi compulsivamente, y esos terribles últimos años exiliado por el nazismo padeciendo operaciones dolorosas y aparatos ortopédicos invasivos.

Finalmente nos encontramos con dos entrañables artistas que tenían en común, además de sus simpatías por el peronismo, un diploma de graduados con las máximas calificaciones en la Universidad de la Calle y a la vez una exquisita sensibilidad, un saber dolerse con el padecimiento ajeno, condolerse. Estoy hablando de Enrique Santos Discépolo y Tita Merello, dos de los máximos representantes del tango argentino. Enrique, un hombre múltiple, fue compositor, poeta, autor y director de teatro y de cine. Vivió, como alguien dijo, a carne viva, tratando de reparar injusticias con sus tangos y sus palabras, denunciando al poder y a la corrupción de los años 30, de aquella década infame a la que retrató como nadie en *Yira, yira* y en *Cambalache*. Se comprometió con sus ideas con su célebre Mordisquito y su corazón pagó los platos rotos por otros. Murió de tristeza, de no poder creer que podía engendrarse tanto odio e incomprensión.

En cuanto a Tita, con una infancia tremenda, porque como ella decía, la infancia de los pobres es cortita y porque perdió a su padre a los pocos meses de vida y a su madre a los pocos años. Se ganó la vida como pudo. No pudo como las señoras que la criticaban «cuidar su moral». Peleó como pudo contra la adversidad y dedicó gran parte de su vida a alertar a sus congéneres sobre los peligros del cáncer de útero, un recuerdo trágico de su amada Evita tal vez.

Ahora sí, a disfrutar de estas nuevas Historias Clínicas.

Agradecimientos

Mí agradecimiento al historiador Felipe Pigna, quien siempre me ha asesorado en el desarrollo de este trabajo donde la Historia es materia prima esencial y también por el acompañamiento constante que me ha conferido para la realización de este libro.

Al presidente del Consejo Directivo del Instituto Nacional Belgraniano, Lic. Manuel Belgrano, estudioso conocedor de la historia y chozno de Manuel Belgrano, hombre de características inigualables. Al Lic. y Prof. de Historia Matías Dib del Instituto Belgraniano por sus aportes documentales que ayudaron a formular la historia clínica del paciente.

A la Dra. Leticia Glocer de Fiorini, presidenta de la Asociación Psicoanalítica Argentina (A.P.A.), al Dr. Jorge E. Canteros, secretario científico de dicha sociedad, con ellos pude intercambiar ideas y nociones sobre un personaje fundacional en la psicología, el Dr. Sigmund Freud, desde la perspectiva de distinguidos profesionales en la especialidad.

Al Sr. Eduardo Dosisto, amigo incondicional y protector de los intereses de Tita Merello, quien supo cuidarla como pocos hasta los últimos días de la actriz y en resguardo de su memoria. A la actriz Mercedes Carreras, con quien mantuve una valiosísima entrevista donde sus aportes sobre la vida de Tita Merello resultaron de invalorable interés. A la Sra. Rosa Cristina Tejerina, Rosita, quien fuera su acompañante fiel hasta el final de sus días de internación en la Fundación Favaloro. Al Dr. Raúl Eduardo Merbilhaa y al Dr. Roberto Boughen, colegas que atendieron personalmente a Tita Merello en su condición de médicos de la Fundación Favaloro. También quiero extender mi agradecimiento a la Prof. Flavia Pitella por la corrección de estilo de los originales.

A todos ellos muchas gracias.

Belgrano
(1770-1820)

«Siendo preciso enarbolar bandera
y no teniéndola, la mandé hacer
blanca y celeste conforme los colores
de la escarapela nacional»

Muchos cambios, mucha enfermedad, corta vida. De abogado graduado con honores a general del ejército. Una vez, su amigo el Gral. Don José de San Martín, defendiéndolo ante el Triunvirato de Buenos Aires, dijo sobre él: *«No será Napoleón, pero es lo mejor que tenemos en estas tierras».* ¿Pero quién era el paciente? ¿Cómo influyeron las condiciones de salud en su persona? ¿Y cómo, en la historia argentina?

Manuel José Joaquín del Corazón Jesús Belgrano nació en Buenos Aires el 3 de junio de 1770 en la casa materna que hoy corresponde al 430 de la avenida que lleva su nombre. A metros del convento de Santo Domingo, donde hoy descansan sus restos. La madre, María Josefa González, era criolla y de familia procedente de Santiago del Estero. El padre, Domingo Belgrano Peri, luego castellanizado a Pérez, fue un próspero comerciante italiano oriundo de Oneglia, en Liguria. Manuel Belgrano era, por lo tanto, un joven rico que tuvo la oportunidad de estudiar en el Real Colegio San Carlos de la ciudad de Buenos Aires, antecedente del actual Nacional de Buenos Aires. Más tarde, su padre lo envió junto a su hermano Francisco a España a estudiar comercio. Sin embargo, Manuel se inclinó finalmente por la carrera de Derecho.

Estudió en las universidades de Salamanca y Valladolid. Se

graduó como abogado con honores a los 23 años. En mérito a sus calificaciones, solicitó permiso al Papa Pío VI para leer libros que en la época estaban prohibidos y reservados para pocos. Accedió así a escritos considerados heréticos y a autores censurados por la Iglesia. Aunque no se le permitieron libros obscenos ni de supersticiones, ni astrología. Belgrano leía textos en el idioma original, ya que dominaba el inglés, el francés y el italiano. Era la época de la Revolución Francesa, ideas que lo influyeron intensamente. Estudió a Rousseau, Voltaire, Adam Smith y al fisiócrata Quesnay. Belgrano integró las ideas liberales de Adam Smith con respecto a la importancia del trabajo del hombre como condición para la transformación de las materias primas y la generación de bienestar, y las ideas de Quesnay. Este fisiócrata enfatizaba, en cambio, la importancia de la tierra como «fuente de riqueza» y el uso racional que se hiciera de ella. Belgrano integró ambos principios económicos y productivos en un modelo que creía aplicable a una tierra en la que estaba todo por hacer, comenzando por la revolución. Con 24 años cumplidos, el paciente era un abogado exitoso que se había formado en Europa, de modales refinados, buen vestir y trato cordial. Hasta aquí, no hay elementos de interés en la historia clínica del paciente.

El Rey Carlos IV funda, en 1794, el Real Consulado de Buenos Aires, organismo colonial para fomento y desarrollo de la actividad comercial. Belgrano es nombrado por el Rey como secretario del Consulado y regresa así a Buenos Aires. A partir de entonces, con una excelente carrera profesional y sin haber disparado un arma en su vida, comienzan los cambios y las enfermedades. De ahí en más, será un enfermo crónico que sobrellevará diferentes dolencias. En los 26 años que le restaban de vida, realizaría una tarea intensa, innovadora y revolucionaria. Será así un economista con ideas propias[1], un ideólogo político, impulsor de la educación como motor del progreso,

---

1 Fue de hecho el primer economista. Fomentó el desarrollo técnico de la agricultura, la industria y la manufactura de bienes primarios.

periodista[2]; combatió los monopolios comerciales, fomentó la distribución equitativa de la riqueza y el desarrollo del mercado interno. Desde esta perspectiva, Belgrano compartió ideales, principios, proyectos y sueños con el Gral. San Martín. Era un intelectual que las circunstancias de la revolución llevarían al grado de general.

Conductor de pobres ejércitos improvisados de indios y gauchos, creó y enarboló la bandera en Rosario el 27 de febrero de 1812[3]. Triunfante en las batallas de Tucumán y Salta y derrotado en Tacuarí, Vilcapugio y Ayohuma, sobrellevó dolencias físicas durante todo el tiempo.

Es así que Belgrano, uno de los próceres más importantes de la Patria, pasó de ser un niño rico a un general del ejército que muere en la más absoluta pobreza, sin siquiera tener con qué pagar a su médico y amigo el Dr. Joseph Redhead, a quien a la hora de su muerte le pide acepte su reloj como único pago posible de sus honorarios. Éste es nuestro paciente en estudio. Desde que Belgrano regresa a Buenos Aires en 1794 hasta su muerte en 1820, se desarrolla toda su historia clínica, es por eso que su historia de vida es importante para comprender los alcances e influencias de sus enfermedades. En términos de formular una historia clínica del paciente, comencemos por su modo de ser, su personalidad, su familia.

Personalidad

Estamos, claro está, formulando una «historia clínica» de un paciente que no tenemos presente. Es un personaje de la Historia. No se encuentra en nuestro consultorio. A cambio, nos queda disponible frondosa información aportada por

---

2 Colabora en el *Telégrafo Mercantil*, primer periódico del Río de la Plata, luego clausurado por el virrey Del Pino por su contenido político.

3 Belgrano notifica la creación de la bandera al Triunvirato; su secretario, Bernardino Rivadavia, se opone ordenando continuar con el uso de la española.

contemporáneos que nos permiten delinear sus características físicas, su carácter, su temperamento, sus modos, sus costumbres. Los hechos de la historia, su propia biografía, sus intercambios epistolares y los retratos aportan la información suficiente para delinear un perfil de su personalidad. Una de las descripciones físicas y de estilo de comportamiento más preciso la hizo José Celedonio Balbín[4]. En 1860, escribió dos cartas al Gral. Mitre sobre los aspectos personales del paciente. De una de ellas, citamos el siguiente párrafo:

> ...«*El General Belgrano era de regular estatura, pelo rubio, cara y nariz fina, color muy blanco, algo rosado, sin barba, tenía una fístula[5] bajo un ojo que no lo desfiguraba porque era casi imperceptible; su cara era más bien de alemán que de porteño. No se le podía acompañar por la calle porque su andar era casi corriendo, no dormía más de tres o cuatro horas, montando a caballo a medianoche, que salía de ronda a observar el ejército...*»

Esta descripción física es coincidente con el retrato clásico de Belgrano realizado por el artista francés François Casimir Carbonnier[6]. En él vemos al paciente sentado con las piernas cruzadas, pantalón claro y botas, con la mano izquierda en descanso sobre el muslo derecho y el antebrazo derecho sobre el apoyabrazos del sillón y el rostro en escorzo derecho. Como detalle de color vale la pena citar que en la pintura, a la izquierda de su figura, puede verse a través de la ventana una imagen de la batalla de Salta que Belgrano mismo pidió al artista que agregara al retrato.

---

4 Comerciante proveedor del Ejército del Norte. Conoció muy bien a Belgrano, con quien estableció amistad. Belgrano se refería a él como «mi amigo». Balbín acompañó y asistió a Belgrano hasta el momento de su muerte.

5 Fístula: lesión residual del conducto lagrimal a consecuencia de una infección.

6 Esta pintura se encuentra expuesta en el Museo Histórico Municipal de Olavarría, Provincia de Buenos Aires, donada por sus familiares.

El cuadro fue pintado en Londres en 1815, cuando el paciente tenía 45 años, es decir cinco años antes de su fallecimiento. Por entonces, Belgrano se encontraba en Inglaterra en misión diplomática junto a Bernardino Rivadavia. Tenemos así una clara idea de su aspecto físico en virtud de un retrato original tomado en su vida adulta.

También es interesante detenerse un instante en el detalle que aporta Balbín sobre la velocidad a la que caminaba el paciente y las pocas horas de sueño que necesitaba. Desde el punto de vista médico, no es un dato menor. Resulta evidente que Belgrano fue una persona muy activa y eficiente en cuanto a su estudio, capacitación y trabajo. Alcanzó rápido desarrollo profesional e intelectual y superó numerosas barreras académicas en las universidades europeas.

En síntesis, podemos decir que se trataba de una personalidad con aplicación y disciplina al estudio y al trabajo. Pero ese detalle, el de caminar rápidamente y dormir pocas horas, confirmaría un dato particular: posiblemente se trataba de una persona con un estilo conductual proclive a la hiperactividad, esto es, un estilo de conducta de alto rendimiento productivo en el desarrollo de las tareas emprendidas. Otras referencias biográficas referentes a la constante y reiterativa supervisión de las tropas, los armamentos, la cocina, las provisiones, los servicios médicos y la disciplina también confirman este posible diagnóstico.

Sobre la rectitud y honestidad de la conducta de Belgrano con los bienes del Estado también da testimonio Celedonio Balbín:

«El general era muy honrado, desinteresado, recto, perseguía el juego y el robo en su ejército, no permitía que se le robase un solo peso al Estado, ni que se vendiese más caro que a los otros. Como yo le había hecho a él algunos servicios, y muy continuos al ejército, sin interés alguno, cuando necesitaba paños, lencería o alguna otra cosa para el ejército, me llamaba y me decía: «Amigo Balbín, necesito tal cantidad de efectos, tráigame las muestras y el último precio, en la

inteligencia de que, a igual precio e igual calidad usted es el preferido de todos, pero a igual calidad y un centavo menos, cualquier otro».

Esta descripción también es coincidente con muchas otras que enfatizan ese aspecto de su personalidad, donde la rectitud y la honradez resultan rasgos salientes.

Por otra parte, los escritos de Belgrano en economía y economía política, así como también los informes anuales producidos en el Consulado de Comercio hacen pensar en una persona de carácter reflexivo y analítico.

Como es natural, esta modalidad de pensamiento se impone en todas las áreas del quehacer del paciente. Con respecto a ello, llama la atención una reseña que deja el Gral. José María Paz en sus *Memorias póstumas*, en la que ilustra esta capacidad analítica, reflexiva y abierta de Belgrano, aun en condiciones de estrés propias del combate:

...«*en lo más crítico del combate, su actitud era concentrada, silenciosa y parecieran suspensas sus facultades, escuchaba lo que le decían y seguía con facilidad las insinuaciones racionales que se le hacían; pero, cuando hablaba, era siempre en el sentido de avanzar sobre el enemigo, de perseguirlo o si él era el que avanzaba, de hacer alto y rechazarlo. Su valor era más bien, permítaseme la expresión, cívico que guerrero»*...

No debemos olvidar que Manuel Belgrano era ante todo y desde un principio un abogado que se inclinó por el estudio de temas económicos, y que sólo las circunstancias que se desprenden de la Revolución lo llevaron luego a participar activamente en la carrera militar y llegar en virtud del mérito al grado de general. Ésta es una situación diferente a la del Gral. San Martín, quien fue siempre militar ya que inició su carrera en la milicia a la edad de 11 años en España. Belgrano, cabe señalar, quería pero también admiraba al Gral. San Martín en su condición de estratega militar. Sus cartas escritas a éste comenzaban con un «A mi amado y estimado amigo». San Martín, asimismo, quería y respetaba a Belgrano, con quien compartía un proyecto en común. También hay que tener en cuenta el detalle, que por entonces no era menor, de que Belgrano era ocho años mayor que San Martín. Las crónicas indican que Belgrano estudiaba textos de táctica y estrategia de combate con la misma dedicación que en su momento dedicó a la economía. Su talento militar fue reconocido reiteradamente por el Gral. San Martín.

· Otro aspecto ineludible de la personalidad de Belgrano es su desinterés por los beneficios personales en pos de los públicos. En su autobiografía, el paciente cita que al ser nombrado coronel del Regimiento de Patricios ofreció la mitad del sueldo que le correspondía, «siéndome sensible no poder hacer demostración mayor pues mi facultades son ningunas y mi subsistencia pende de aquél, pero en todo evento sabré también reducirme a la ración de soldado». Lo mismo ocurrió cuando, en virtud del triunfo de la batalla de Salta, la Asamblea Constituyente votó a su favor un premio de 40.000 pesos en fincas del Estado. Enterado de esta decisión, Belgrano responde lo siguiente: «*He creído propio de mi honor y de los deseos que me inflaman por la prosperidad de mi patria destinar los expresados 40.000 pesos para la dotación de cuatro escuelas públicas de primeras letras en que se enseñe a leer y escribir la aritmética, la doctrina cristiana, los primeros rudimentos de los derechos y obligaciones del hombre en sociedad...*»

Otro aspecto de su personalidad fue la aplicación de una conducta exigente e inflexible para el cumplimiento de la tarea. En tal sentido, su subordinado, el Gral. Pico, refirió: «*Durante todo su generalato fue celosísimo e infatigable en formar y mantener a todas las categorías del ejército como fieles y escrupulosos observadores de las ordenanzas castigando inflexiblemente toda contravención, sin que jamás entibiasen su celo, ni la amistad, ni los secretos que debilitan la justicia*».

Un aspecto que merece comentarse es el rumor acerca de la posibilidad de que el paciente haya sido afeminado. Este hecho amerita un análisis, pues de la comprensión de tal especie se comprenden también perfiles de su personalidad y de su vida privada que importan en una historia clínica. La realidad es que el paciente frecuentó muchas mujeres en su vida y de hecho esta circunstancia se relaciona con aspectos de su historia clínica que veremos más adelante. Seguramente vivió activamente su vida personal de joven en Europa y llegado a Buenos Aires siempre frecuentó círculos femeninos de alta sociedad. Muy posiblemente, el origen de tal rumor surge del hecho de que el paciente se mostraba siempre puntillosamente vestido y aseado. Era de modales correctos, sensibles y delicados, propios de su formación. Además, no olvidemos que se trataba de un hombre de buen aspecto físico, piel blanca y ojos claros. Además, el tono de su voz, como sabemos, era claramente «aflautado». Es más, esta característica generó una enemistad con Manuel Dorrego, quien no perdía oportunidad en denostarlo por tal motivo. Es posible, asimismo, que su conducta profundamente católica, presente en la disciplina que imponía a las tropas al mando, haya abonado esta especie. Belgrano impedía los bailes y las mujeres en su ejército, controlando la conducta y disciplina de sus hombres.

No obstante, sí interesa conocer aspectos de su vida afectiva que le resultaron contradictorios y caros a la hora de intentar conjugarlos con las misiones y obligaciones militares que desempeñaba. Es el caso de su relación con María Josefa Ezcurra, hermana de Encarnación Ezcurra de Rosas, esposa del general. En 1812, al regresar del río Paraná donde había enarbolado la bandera, Belgrano se encuentra en Buenos Aires con María Josefa, que estaba casada con un primo de Navarra, Juan Esteban Ezcurra, quien a pesar del éxito económico alcanzado en estas tierras, regresa a España dejando a María Josefa en soledad. Manuel y María Josefa se enamoran. Ella lo acompaña en su campaña al norte por Salta, Tucumán y Jujuy. María Josefa queda embarazada sin estar casada con Belgrano, y contradiciendo las costumbres morales, da a luz a su hijo en Santa Fe, en casa de unos amigos. Pero los padres no reconocen al varón recién nacido y éste es entregado a la hermana de María Josefa, Encarnación Ezcurra, esposa del general Juan Manuel de Rosas.

El matrimonio adopta al niño a quien llaman Pedro Pablo Rosas y Belgrano.

Sin embargo, el amor más grande de Belgrano fue una joven de 15 años. Se trataba de María de los Dolores Helguero. Su amor fue correspondido hacia 1916, cuando ella cumplía los 19 años, y Belgrano tenía los 46. Se frecuentaron durante dos años y, claro está, fueron la comidilla de la sociedad. Belgrano se hubiera casado pero hacia finales de 1918 recibe órdenes para movilizarse al sur. En mayo de 1919 nace su hija, Manuela Mónica del Sagrado Corazón. Ante tal situación, los padres de Dolores la obligan a casarse con un catamarqueño de apellido Rivas. El marido de Dolores se encontraba de viaje por el Alto Perú y Manuel averiguaba con frecuencia si permanecía con vida, pues era su deseo casarse con Dolores, como se lo había prometido. Por entonces, Belgrano se encontraba en un estado de enfermedad avanzada y casi incapacitante. Es autorizado a dejar su cargo y viajar a Tucumán para atender su salud. Dolores se dirige con su hija a encontrarse con él. Pero pronto, el cuadro clínico empeoraría y Belgrano deberá viajar a Buenos Aires, donde finalmente acabarían sus días.

Pero volvamos atrás. Si entendemos a la personalidad como el conjunto estable y sostenido del modo de ser, actuar, sentir y pensar, hay un momento en la vida del paciente donde puede delinearse su perfil temperamental, el denominado «éxodo jujeño». Este hecho marca un punto de inflexión.

Belgrano decide enfrentar al enemigo en la batalla de Tucumán, y luego en la de Salta, las más importantes batallas de nuestra independencia. Estas victorias modifican el curso de la historia. El ejército realista al mando del brigadier Juan Pío Tristán avanzaba hacia el sur con un equipado ejército de 3.500 soldados. Belgrano, en Jujuy, entendió que no podría resistir su embate. La orden de Buenos Aires fue replegarse hasta Córdoba. Belgrano dirige así el éxodo en el que la población debió dejar sus tierras, llevando consigo todo lo que le fuera de utilidad y destruyendo e incendiando el resto. La ciudad debía quedar arrasada para que nada resultara de utilidad a Pío Tristán. Así, se llevaron vacas, caballos, ovejas, mulas, bienes, mercaderías, alimentos, e incendiaron los campos para que nada quedara de utilidad. El éxodo comenzó en la tarde del 23 de agosto de 1812. Belgrano fue el último en abandonar la ciudad. Agosto no es un mes cualquiera. Es el mes de la madre tierra, la Pachamama. En la cultura de los pueblos andinos, es cuando se agradece a la tierra los bienes producidos durante el año. El abandonarla en ese momento debió ser emocionalmente mucho más difícil. Por entonces, la población se dividía entre aquellos que seguían y apoyaban la Revolución y la liberación y los que permanecían leales a la autoridad del Virreynato.

El paciente aplicó aquí dos perfiles de su estructura de personalidad: el liderazgo, el carisma y el convencimiento por un lado, y la inflexible determinación de castigar con el fusilamiento a quienes traicionaran a la Patria y colaboraran con el enemigo.

El éxodo fue exitoso y llegó a Tucumán. Recordemos que la orden era dirigirse a Córdoba, pero Belgrano sabía que si continuaba hasta allí, podría permitir el avance realista hacia Buenos Aires. Motivado por los tucumanos, decide desobedecer y enfrentar al enemigo[7].

Luego de la victoria y del repliegue jujeño, avanzan hasta Salta donde vencen a los realistas al mando de Pío Tristán[8] impidiendo definitivamente el avance realista hacia el sur. Queda algo más por señalar sobre la personalidad del paciente. Terminada la batalla de Salta, Belgrano ordena enterrar a los caídos de ambos bandos en una fosa común, con una única cruz de madera con la leyenda «A los vencedores y vencidos en Salta, 20 de febrero de 1813». Es aquí donde puede observarse la amplitud del entendimiento de la reali-

---

7 Belgrano comunicó al Triunvirato su decisión de enfrentar al enemigo en Tucumán, pero no es autorizado por Rivadavia quien ordena dirigirse a Córdoba. La orden del Triunvirato llega cuando Belgrano ya había triunfado en Tucumán.

8 Belgrano conocía muy bien a Pío Tristán. Fueron compañeros de estudios de Salamanca y los unía una amistad. En la rendición, Belgrano no aceptó la entrega del sable del militar vencido.

dad vivenciada por el paciente, que cabalgaba entre la posición de un civil por formación, comprometido con la causa de la independencia, y la misión militar, que lo llevó al grado de general del ejército.

Depresión

Como ya mencionamos, el paciente estudió en Buenos Aires y luego viaja a Europa a completar sus estudios a los 19 años; en 1794, con 24 años de edad, regresa como secretario del Real Consulado de Buenos Aires. Hasta ese momento, no hay referencias de dolencias de salud, pero es aquí, al iniciar sus actividades en Buenos Aires, cuando la historia clínica comienza. El Gral. Mitre afirma ya en su biografía sobre Belgrano que era portador de una salud delicada, «sus padecimientos fueron de índole espiritual y orgánica». El mismo Belgrano confiesa que «su ánimo se abatió». Los episodios de abatimiento anímico se repitieron infinidad de veces[9]. En realidad, no se trataba de una depresión en sentido médico absoluto. Más bien era una reacción emocional a una realidad adversa y consolidada que no resultaría fácil cambiar. Las claves de su «abatimiento emocional» están contenidas en sus propias palabras cuando describe a los integrantes del Consulado:

> «No puedo decir bastante mi sorpresa cuando conocí a los hombres nombrados por el Rey para la Junta, quienes lejos de cumplir con la misión encomendada de propender a la felicidad de las provincias del virreinato de Buenos Aires, eran todos comerciantes españoles, exceptuando uno que otro, nada sabían más que su comercio monopolista a saber comprar por cuatro para vender a ocho...»
>
> GRAL. MANUEL BELGRANO

9   Mario S. Dreyer, H. Timparo y R. A. Laureano, *Belgrano, semblanza, enfermedades y obra*, Ed. Monte Grande, 1989, pág. 36.

Volvemos a afirmar, entonces, que no se trataba de un cuadro de orden depresivo desde el punto de vista médico sino de un estado emocional negativo reactivo a la realidad vivencial adversa a su entendimiento e ideología. Por lo tanto, no constituyó enfermedad.

Un diagnóstico médico

Casi coincidente con el inicio de la actividad del paciente en Buenos Aires, comenzaron a presentarse síntomas físicos diversos de malestar general, no bien consignados en las referencias históricas. Lo cierto es que la sintomatología progresa y aumenta durante los primeros dos años de la gestión en el Consulado.

Es por entonces, hacia 1796, que es atendido por los más destacados profesionales del Protomedicato[10] de Buenos Aires. Fue el Dr. Miguel O'Gorman[11], más tarde nombrado como primer catedrático de la escuela de Medicina de Buenos Aires, y los licenciados

Miguel García de Rojas y José Ignacio de Arocha los que hicieron y documentaron por escrito el diagnóstico: sífilis.

Los profesionales actuantes conocían muy bien la patología, pues se habían preparado en Europa donde la enfermedad estaba muy difundida. Expiden un documento diagnóstico sobre el paciente en noviembre de 1796:

«Que padecía varias dolencias contraídas por su vicio sifilítico y complicado por otras originales del país, cuya reunión ha sido causa de no poder conseguir alivio con el método más arreglado, por lo que solicitamos la necesidad de mudar de país a otro más adecuado y análogo a su naturaleza, en

---

10 El Protomedicato era la institución de Salud Pública, que ejercía control médico sanitario y tenía función docente. Fue instaurado por el rey de España para la atención en sus colonias.

11 Médico irlandés que estudió Medicina en Francia y revalidó su título en España.

cuya virtud nos consta que pasó al de Montevideo y Maldo-
nado, donde residió algún tiempo como igualmente en la
costa de San Isidro, sin lograr más beneficio que una mode-
rada mejoría del estado de nutrición.»[12]

Las consultas posteriores a la diagnóstica confirmaron la evolución de la enfermedad[13]. Por este motivo, Belgrano se vio obligado a solicitar licencias en numerosas oportunidades entre los años 1794 y 1809. Durante esas licencias, arbitró los medios para ser reemplazado en la función del Consulado por su primo, Juan José Castelli, en quien confiaba plenamente y compartía la misma ideología política.

La sífilis es una enfermedad de transmisión sexual provocada por una bacteria[14]. El origen de la enfermedad continúa siendo una discusión. Se han encontrado esqueletos muy antiguos, en Europa y Asia, con lesiones óseas compatibles con sífilis. Lo cierto es que hay evidencia clínica e histórica de que la enfermedad existía en el Viejo Continente antes del viaje de Colón a América. Ahora bien, ¿por qué decimos que desde 1794 hasta 1809 el paciente presentó síntomas, sin tener precisión sobre cuáles fueron los mismos? La respuesta está en la evolución propia de la enfermedad. Veamos. La sífilis es una enfermedad que evoluciona en tres períodos o fases diferenciadas.

La primera fase aparece a las pocas semanas de la infección en el sitio por donde ingresó la bacteria al cuerpo. Puede ser en el pene, la vagina, el ano o la boca. Es en ese sitio donde se forma una lesión similar a una llaga ulcerada, indolora y de color rojizo. Esta lesión se denomina «chancro» y contiene abun-

---

12 Aquí quizá se refieran a las afecciones frecuentes del Río de la Plata, relacionadas con el clima húmedo y las malas condiciones ambientales. A esta situación se la conocía como «influjos del país», que era condicionante de dolores y por eso la recomendación de viajar para curarse.

13   Jose Luis Molinari, «Manuel Belgrano, sus enfermedades y sus médicos», en Revista *Historia*, Tomo III, Año 5, N° 20, 1960.

14   Es probable que Belgrano ya presentara síntomas relativos a la sífilis en Europa, antes de su retorno a Buenos Aires y aquí se hubieran agravado.

dante cantidad de bacterias y es muy infecciosa. Esta lesión desaparece espontáneamente en 4 a 6 semanas. Sin embargo, el paciente no está curado, sino que luego de aproximadamente seis meses aparece la «segunda fase» de la enfermedad.

En este período de la infección, aparecen lesiones en piel y mucosas. Se trata de erupciones dérmicas de color rojizo que pueden aparecer en espalda, pecho, cara y palmas de manos y pies. Estas «ronchas» rojizas no pican. Sin embargo, algunos pacientes presentan otros síntomas agregados en esta fase de la enfermedad, tales como fiebre, dolores articulares, dolores de garganta, hepatitis, cefaleas, pérdida de peso, caída de pelo, complicaciones renales, etc. En medicina, se llama a la sífilis «la gran simuladora» porque presenta síntomas tan diversos y variables en los distintos pacientes que pueden confundirse con cualquier otra enfermedad. Hoy en día, el diagnóstico de certeza se obtiene con un simple análisis de sangre. Pero en 1794, ni siquiera se conocía qué causaba la enfermedad. Los colegas del Protomedicato del Río de la Plata debieron encontrar mucha sintomatología, muy diversa y sobre todo el antecedente o incluso la visualización directa de las lesiones en piel. Sin duda, tenían certeza los tres profesionales consultados como para hacer el diagnóstico de lo que por entonces se llamaba «vicio sifilítico».

Esta etapa de la enfermedad no sólo es variable en síntomas sino también en duración. Lo habitual es que dure algunos meses, hasta 6, y siempre con distintos síntomas. Sin embargo, algunas veces el paciente puede mejorar y luego recrudecer por «brotes» y durar años con síntomas muy variables. Fue el caso de Belgrano. Esta enfermedad crónica ha sido particularmente intensa en el paciente en estudio[15]. Cabe aclarar aquí que por entonces las enfermedades de transmisión sexual eran muy frecuentes, de hecho la padecía uno de cada 3 o 4 varones. Por entonces sólo existían profilácticos hechos con intestinos de carnero, que eran reutilizables.

15 Se consignan licencias médicas prolongadas entre los años 1794-1796, 1798-1800, 1803-1804 y 1807-1809.

Claro está, y es comprensible, casi no se usaban. Para complicar aún más la historia clínica en este período de sífilis, cabe señalar que Belgrano presentó en el año 1800 una importante infección en ambos ojos. La infección produjo abundante supuración y duró mucho tiempo[16]. Tal es así que el Rey de España, enterado de la frágil salud del paciente, lo invitó a tomar un año de licencia paga en Europa hasta que curara. Belgrano no aceptó. Esta segunda etapa de la infección sifilítica duró hasta 1810, momento en que aún enfermo la Junta envió a Belgrano a la expedición militar al Paraguay. Belgrano había ocultado la persistencia de los síntomas sifilíticos a la Junta con la intención de participar en esa expedición[17].

Pasado el período secundario de la sífilis, el paciente mejora y permanece asintomático, pero no curado. Entre el 15 y 30% de los casos evoluciona a una etapa terciaria que puede aparecer entre 5 y hasta 30 años más tarde, momento en que la enfermedad recrudece y puede afectar severamente el sistema nervioso, el corazón, la arteria aorta, los huesos, las articulaciones, el hígado, la piel, etc. Esto le ocurrió a Belgrano; este tercer período de la enfermedad aparecería al final de la historia clínica. El diagnóstico clínico realizado por los colegas del Protomedicato del Río de la Plata complicaría la historia clínica a largo plazo.

La batalla de Salta y más enfermedad

El éxodo jujeño en agosto de 1812 y la batalla de Tucumán en septiembre del mismo año, ejercieron una fuerte carga psíquica y física. Llega así el paciente a la batalla de Salta. Seguramente con sintomatología previa, no fácil de definir y sensación de malestar general en vísperas del combate. Aparece un

16 Esta afección, una pequeña fístula o cicatriz en uno de sus ojos, fue descripta por su amigo Celedonio Balbín y retratada en la pintura de Goulu.

17 La expedición fracasó militarmente pero fue un antecedente importante para la posterior formación del gobierno de Asunción.

síntoma alarmante: vómitos de sangre. Los vómitos sanguíneos fueron descriptos como «muy importantes» y «sostenidos», lo que hoy denominamos vómitos incoercibles. Este síntoma se denomina «hematemesis». ¿A qué puede deberse la aparición de vómitos de sangre? Pues bien, ante todo debemos repasar las principales causas que puedan dar origen a la pérdida sanguínea por la boca. Es acá donde deberíamos considerar una enfermedad común en la época, y lo sigue siendo aún hoy, la tuberculosis.

La tuberculosis puede producir tos, es decir, expectoración sanguinolenta y en consecuencia pérdida de sangre por la boca. Sin embargo, debemos descartar esta enfermedad como posible origen de la pérdida sanguínea por varias razones. Un cuadro clínico de tuberculosis debería ir acompañado de síntomas tales como tos, expectoración, pérdida de peso, pérdida de apetito, fiebre, etc. Estos síntomas no se presentaban en la historia clínica previos al episodio de hematemesis o vómitos de sangre. Asimismo, la evolución clínica posterior a los vómitos tampoco coincide con tuberculosis. Por lo tanto, se podría confirmar que realmente se trataba de vómitos de sangre, es decir, sangre de origen digestivo y no de la aparición de sangre por la boca de origen pulmonar, como debiera ser en la tuberculosis.

Ahora bien, ¿cuál sería el origen más probable de los vómitos sanguíneos? En este caso particular, los vómitos de sangre deberíamos interpretarlos como consecuencia del sangrado del estómago producido por estrés. El estrés es causa de sangrado de la mucosa gástrica, la que se lesiona en buena parte de su superficie con lesiones puntiformes y múltiples. Estas úlceras por estrés se denominan úlceras de Cushing y es la causa más probable del sangrado descripto en el paciente. No debemos olvidar las circunstancias previas: el éxodo jujeño, las órdenes de Buenos Aires de replegarse hasta Córdoba, la decisión de desobedecer y enfrentar al enemigo en Tucumán y luego avanzar y combatir en Salta; esto sumado a la salud delicada de Belgrano justifican sobradamente este diagnóstico. El paciente, ante la presencia de vómitos sanguíneos y seguramente de cierto grado de decaimiento y agotamiento físico condicionado por la anemia, mandó preparar un carruaje para dirigir la batalla desde allí, ya que evidentemente no podría montar a caballo. El Gral. Bartolomé Mitre y el Gral. José María Paz confirman estos datos. El carruaje de Belgrano se conserva en el Museo Histórico de Luján. Además, habida cuenta de que el transporte habitual de la época, sobre todo en combate, era el caballo, es momento de consignar como dato de interés en la historia clínica que el paciente padecía de hemorroides. Contamos con cartas entre el Gral. Belgrano y el Gral. San Martín donde compartían consejos de tratamiento de las por entonces denominadas «almorranas». San Martín padecía de la misma enfermedad. Finalmente, Belgrano mejoró parcialmente del cuadro de vómitos sanguíneos y triunfó en la batalla de Salta combatiendo a caballo. La evolución clínica del cuadro de vómitos sanguíneos fue buena, y si bien se repitieron en varias oportunidades más, la sintomatología finalmente cedió.

Vilcapugio y Ayohuma y más enfermedad

El paciente era un enfermo crónico, la historia clínica así lo confirma. Constantemente debió redoblar esfuerzos para sobreponerse a la frondosa sintomatología que lo había acompañado desde que asumió la secretaría del Consulado en 1794. Pero ahora se agregaría una enfermedad infecciosa severa.

Para ubicarnos en este momento de la historia y particularmente en la historia clínica, debemos considerar lo siguiente. Belgrano estaba pasando por un buen momento emocional, que contrarrestaba, en la medida de lo posible, sus padecimientos y desgaste físico. Acababan de suceder acontecimientos trascendentes de fuerte impacto psicofísico positivo en la historia clínica del paciente y para la historia argentina. Veamos. En febrero de 1812, había enarbolado la bandera en el río Paraná frente a las baterías de artillería Libertad e Independencia; luego, llegarían el éxodo jujeño, el triunfo de Tucumán, el avance hacia el Norte y el triunfo de Salta en febrero de 1813, donde por primera vez presidía la batalla la bandera celeste y blanca. Emocionalmente, se agregaba el acompañamiento afectivo de su pareja María Josefa Ezcurra. Todo en un año. Pero a poco más de dos meses del triunfo de Salta y con la orden de Buenos Aires de avanzar sobre el ejército realista dirigiendo sus tropas hacia Potosí, la historia clínica se entrelaza nuevamente con la historia, el paciente es atacado por un nuevo enemigo: el paludismo.

Belgrano escribe por entonces a Buenos Aires: «estoy atacado de fiebre terciana que me arruinó a términos de serme penoso aun el hablar» (3 de mayo de 1813). Por entonces se denominaba fiebre terciana al paludismo[18]. Ésta es una enfermedad infecciosa producida por un parásito, el *Plasmodium*[19]. El parásito es transportado por el mosquito *Anopheles* hembra que inyecta el parásito cuando pica al hombre. La enfermedad es severa y puede ser mortal. Los síntomas se caracterizan por fiebre muy alta, sudoración, escalofríos repetitivos y cíclicos. Es decir, el cuadro cede, el paciente mejora y a los dos o tres días reaparece con crudeza (de ahí fiebre «terciana»). Por entonces, a los pacientes con paludismo se los denominaba «chucheros», justamente por los escalofríos febriles o «chuchos de frío». La duración de la enfermedad puede extenderse por años, según el tipo de parásito infectante y la respuesta del paciente.

La enfermedad acompañó a Belgrano en la campaña del Altiplano, y combatió enfermo en las derrotas de Vilcapugio y Ayohuma. Hay que agregar aquí otra sintomatología que acompañó al paciente desde que llega a Buenos Aires en 1794: dolores reumáticos. Es difícil saber con precisión las características de esos dolores, pero lo cierto es que se citan con frecuencia en la evolución de la historia clínica. No podemos

18 Paludismo, también conocido con la vieja denominación de malaria, vocablo de origen italiano, «mal aire», con relación a la humedad de los pantanos que favorecen la reproducción de los mosquitos y así la transmisión de la enfermedad.

19 Distintas especies de Plasmodium producen la enfermedad, el Plasmodium falciparum, Vivax, Malaria y Ovale.

saber si se trataba de alguna afección reumática específica o eran dolores articulares cuyo origen era el cuadro de «vicio sifilítico» diagnosticado en el Protomedicato. El paludismo también justifica los dolores musculares y articulares, al menos en esta etapa de la historia clínica, la de paludismo, así como anteriormente lo justificaba la etapa secundaria de la sífilis o los ya conocidos «influjos del país» con que se hacía referencia al húmedo e insano clima del Buenos Aires del Río de la Plata. Lo cierto es que el cuadro infeccioso de paludismo permaneció activo en el paciente. Las tropas de Belgrano ya venían en muy malas condiciones por falta de provisiones, alimentos, ropa y armamento, y el paludismo ya afectaba al ejército mucho antes de que se infectara el paciente. Hacia marzo de 1812, Belgrano escribía al gobierno de Buenos Aires:

«la situación caótica de las tropas reclama auxilio, pues el estado de las mismas impedía volar como quisiera para aprovechar el tenor de los enemigos ... el chucho o fiebre intermitente había empezado a hacer estragos en el ejército...»[20]

En terrenos altos, como en Vilcapugio y Ayohuma, la epidemia no puede producirse pues por encima de los 200 metros sobre el nivel del mar ya no hay mosquitos. Pero, claro, una vez infectados, los pacientes continúan con la evolución de la enfermedad.

En cuanto al tratamiento médico, digamos que por entonces se realizaba con «quina». La administración de quina por vía oral era el único tratamiento medianamente efectivo para esta enfermedad. La provisión de quina era esencial para evitar que el paludismo diezmara los ejércitos[21]. A los dolores de «supuesto» origen reumático debemos agregar la «intolerancia digestiva» que nuestro paciente presentó en distintos períodos de la historia clínica. Los datos con que contamos dan cuenta

20 Mario S. Dreyer, H. Timparo y R. A. Laureano, *Belgrano, semblanza, enfermedades y obra* pág. 121, Museo Mitre, 4 de mayo de 1812

21 La quina se extrae de la corteza de un árbol americano, el quino o «cascarilla». Tiene efecto antitérmico, es antiséptico y combate parcialmente el paludismo.

de que hacia 1813 Belgrano padecía de problemas digestivos consignados como «padecimientos gástricos». En realidad, lo que presentaba era intolerancia a los alimentos con alto contenido graso. Se cita que, luego de la retirada de Vilcapugio, el paciente presentaba intolerancia a la carne de llama. En Tucumán estaría a dieta con caldos de verdura y tenemos referencia de que en Córdoba presentó intolerancia al caldo de perdiz. Estos síntomas tendrían luego su explicación en la autopsia que se le practicó al paciente.

Así, Belgrano, derrotado en el Altiplano y aún enfermo, regresa a Tucumán donde finalmente en muy malas condiciones de salud transfiere el mando al Gral. San Martín en la posta de Yatasto[22].

La enfermedad final

Luego de la entrega del mando del ejército, Belgrano pide la baja militar definitiva al gobierno de Buenos Aires, pero éste no aceptó y dispuso someterlo a proceso por las derrotas de Vilcapugio y Ayohuma. Por este motivo y con los síntomas del paludismo en plena manifestación, Belgrano emprende el viaje a Buenos Aires. En estas circunstancias, Belgrano cree que se inicia su alejamiento de la vida militar y pública y comienza a escribir su autobiografía. Tenía por entonces 44 años. Sin embargo, quedaría aún actividad por delante para desarrollar. Los realistas dominaban militarmente el Alto Perú. La caída de Napoleón en Europa hizo que Fernando VII recuperara el trono en España y habría la posibilidad cierta de mayor intervención militar al Río de la Plata. Mientras tanto, los portugueses en Brasil se acercaban hacia la política de España, lo que empeoraba aún más la situación.

Ante esta situación, el gobierno intenta un plan diplomático

---

22 La posta de Yatasto es una finca ubicada cerca de la localidad de San José de Metán, Salta, junto al río Yatasto. Algunos investigadores citan que en realidad Belgrano y San Martín se conocieron en la posta de Algarrobos, en las cercanías de Yatasto.

para que Inglaterra reconozca la independencia, y España se acerque de modo más conveniente a las provincias del Río de la Plata.

En este momento, Belgrano vuelve a intervenir, esta vez como diplomático, en su condición de abogado y egresado de las mejores universidades europeas. La misión diplomática estaría conformada también por Bernardino Rivadavia.

Curiosamente, fue Rivadavia quien había ordenado a Belgrano no usar la bandera por él creada y más tarde, replegarse hasta Córdoba luego del éxodo jujeño, orden que no fue aceptada por Belgrano, que combatió y triunfó en Tucumán. La vida los pondría entonces en un mismo barco, la corbeta *Zephir*, con destino a Río de Janeiro para negociar con el ministro inglés lord Strangford, y luego a Europa, donde Belgrano se dirige a Londres y Rivadavia a Madrid. Las negociaciones en busca de un reconocimiento diplomático fracasaron. Durante este período de la historia, hay un dato de importancia para la «historia clínica»: los síntomas febriles del paludismo desaparecen y el paciente se cura, ya que la enfermedad bien puede curar espontáneamente en un lapso de dos o tres años, y éste fue el caso.

Después de un tiempo, Belgrano regresa a Buenos Aires. La situación política y militar había empeorado y los seis años de luchas habían dejado a la población cansada de intereses divididos y control de gobierno disgregado. El Gral. Juan Martín de Pueyrredón y el Gral. San Martín proponen a Belgrano como jefe del ejército del Norte. Éste asume el mando de un ejército empobrecido y arruinado como resultado de la conducción militar de José Rondeau[23] y la derrota de Sipe- Sipe[24].

Al asumir, Belgrano solicitará permanente e infructuosamente al gobierno insumos para los soldados:

23 José Rondeau (1775-1844). Militar y Director Supremo de las Provincias del Río de la Plata.

24 La batalla de Sipe-Sipe (1815), o batalla de Viluma, fue una contienda entre los realistas y las fuerzas de las Provincias del Río de la Plata, al mando de José Rondeau. La derrota significó la pérdida del Alto Perú.

Belgrano se cansaba de mandar partes en los que describía el estado de sus soldados, los que le ponían el pecho a las balas en la última avanzada contra los godos:

«La desnudez no tiene límites: hay hombres que llevan sus fornituras sobre sus carnes y para la gloria de la Nación hemos visto desnudarse de un triste poncho a algunos que los cubría para resguardar sus armas del agua y sufrirla con el mayor gusto».

Por supuesto que los corruptos de Buenos Aires, que destinaban fondos millonarios para destruir a Artigas y que se repartían los beneficios del monopolio del puerto y de la Aduana, ni se dignaban contestarle.

Es por entonces cuando el Congreso de Tucumán aparece como recurso de unidad. Belgrano es escuchado en sesión secreta en el Congreso el 6 de julio de 1816; entre otras consideraciones, planteó la posibilidad de nombrar un rey inca como recurso de unidad.

En este período de la historia clínica, no tenemos noticias de que el paciente presentara síntomas. Es entonces cuando conoce a María Dolores Helguera, de quien se enamora perdidamente. Luego, durante 3 años, no se revelan síntomas de interés en la historia clínica. El cuadro clínico cambiaría dramáticamente hacia 1819. Belgrano deja por escrito sus primeros síntomas cuando el 7 de abril de 1819 envía una carta desde la Posta de la Candelaria a su sobrino político, el coronel Ignacio Álvarez Thomas:

«Nuestro Cruz viene bastante enfermo, agradece las atenciones de usted. Yo, las del compañero Viamonte, a quien leerá todo esto y le dirá que siento su mal de pulmón, que lo atienda con tiempo... también me resiento algo de él y el pecho y además del muslo y pierna derechos que me tienen que ayudar a desmontar».

El inicio de la sintomatología, con despreciable diferencia de fecha, también es citado por Belgrano en una carta enviada al gobernador de Buenos Aires, Manuel de Sarratea, el 13 de abril de 1820, en ella citaba que su enfermedad había comenzado aproximadamente un año atrás, el 23 de abril de 1819; es decir, la fecha de inicio es coincidente con la notificada a Álvarez Thomas, abril de 1819. Esto significa que el paciente identificó con precisión el comienzo de los síntomas, lo que demuestra que los mismos tuvieron un inicio agudo y no paulatino.

Hacia mayo de 1819, Belgrano vivía en Cruz Alta, Córdoba. La vivienda era prácticamente un rancho, paredes de barro, piso de tierra y techo de paja[25]. El Dr. Manuel Antonio de Castro, gobernador de Córdoba, fue a visitar a Belgrano y hace una descripción precisa sobre el aspecto y condición física del paciente: «pasaba la noche en 'pervigilio' y con la respiración anhelosa y difícil...» (mayo de 1819).

La situación clínica empeoraba y hacia la primavera el ejército se traslada a la Capilla del Pilar. El Dr. Francisco de Paula Rivero examina al paciente y hace el diagnóstico que por entonces se denominaba «hidropesía» y la describió como «hidropesía avanzada».

La hidropesía no es una enfermedad en sí, es un signo que puede producirse en distintas afecciones. Es un cuadro clínico de retención de líquidos que se acumulan en los tejidos de todo el cuerpo. Así se «hinchan» los pies, tobillos y piernas. A esta situación se la denomina edema. También se acumula líquido en el abdomen que se oberva «distendido». El paciente refiere dificultad para respirar y falta de aire. Si el colega describió «hidropesía avanzada», podría decirse que el cuadro clínico ya en mayo de 1819 era muy importante. El gobernador de Córdoba instó a Belgrano a trasladarse a la ciudad para recibir mejor atención, Belgrano contestó: «la conservación del ejército pende de mi presencia, sé que estoy en peligro de muerte, pero aquí hay una capilla donde se entierran los soldados y también pueden enterrar a un general».

---

25 Francisco Mario Fasano, *Manuel Belgrano, precursor y héroe de la argentinidad*, Ed. Emporia del Libro Americano, Buenos Aires, 1984, pág. 361.

La situación clínica empeoró y en septiembre el Gral. Belgrano entregó finalmente el mando del empobrecido ejército al Gral. Francisco Fernández de la Cruz para viajar a Tucumán. Mitre, en su biografía sobre Belgrano, cita que durante este período la letra del paciente era «irregular y confusa». Este detalle da la idea del compromiso de su salud a esta altura de la historia clínica.

Al pasar por Córdoba, Belgrano recibió el último reconocimiento en vida. Soldados de su escolta desmontaron de sus caballos y en formación militar frente a la carreta que transportaba a Belgrano le rindieron sus respetos. La frase que quedó en la historia fue: «Adiós, mi general, Dios nos lo devuelva con la salud y lo veamos pronto». Esto jamás sucedería.

Belgrano llega a Tucumán en grave estado. Aquí la historia complica aún más las cosas. El gobernador Feliciano de la Motta había sido derrocado. El jefe de la sublevación era el capitán Abraham González, quien ordenó arresto domiciliario para Belgrano. Innecesariamente, también ordenó que se colocaran grillos en sus tobillos para inmovilizarlo con cadenas. Su médico y amigo, el Dr. Joseph Redhead[26], intervino fuertemente impidiendo que esta acción se ejecute. Belgrano permaneció con arresto domiciliario hasta que, al asumir el gobierno, Bernabé Aráoz lo puso en libertad. Belgrano, muy enfermo, había pasado un pésimo momento emocional. Permaneció en Tucumán alrededor de 90 días. El paciente recibió muy mal trato en Tucumán y ante el empeoramiento de su estado de salud decide ir a Buenos Aires para morir ahí, cuando le dice a su amigo Balbín:

---

26   Joseph Thomas Redhead (1767-1847). Médico y naturalista inglés. Posiblemente nació en Escocia. Al llegar a Buenos Aires, negó su origen británico y dijo nacer en Connecticut (EE.UU.). Fue médico y amigo de Belgrano, lo acompañó en las batallas de Tucumán, Salta, Vilcapugio y Ayohuma. Lo asistió en el momento de su muerte. En combate, brindó asistencia a heridos de ambos bandos. Fue científico, naturalista, botánico, geólogo, estudioso del clima. Fue un profesional humanitario que dejó una máxima para ser observada por todos los médicos: «curar cuando se puede, aliviar a veces, pero consolar siempre».

«Amigo Balbín, yo quería a mi Tucumán como a mi propio país, pero han sido tan ingratos conmigo, que he determinado irme a Buenos Aires, pues mi enfermedad se agrava día a día».

El viaje a Buenos Aires fue muy dificultoso. La falta de aire, la fatiga, la sensación de ahogo, la transpiración, la pérdida de peso, la dificultad para dormir y alimentarse y los edemas generalizados hacían del traslado una verdadera penuria. Debía permanecer en posición sentado o semisentado ya que acostado en posición horizontal la acumulación de agua en sus pulmones hacía imposible la respiración. Cada vez que llegaban a una posta, debían bajarlo a cuestas y lo trasladaban a su cama. No podía movilizarse por sus propios medios. Ya en Buenos Aires, lo visita el Cnel. Gregorio Aráoz de Lamadrid, quien había combatido bajo sus órdenes en Tucumán, Salta, Vilcapugio y Ayohuma. Lamadrid queda impresionado por el deterioro físico de su general.

En los últimos días, Belgrano fue atendido por su médico personal durante los últimos siete años, el Dr. Redhead, y por el Dr. Juan Sullivan, médico irlandés. Un dato curioso merece mencionarse. El Dr. Redhead fue alumno del Dr. Jean Nicolas Corvisart, médico de Napoleón. Corvisart era muy buen médico y se ganó el respeto de Napoleón, quien dejó constancia de las virtudes de su médico cuando afirmó: «No tengo confianza en la medicina pero confío enteramente en Corvisart». Corvisart estudió y trabajó con otro médico francés famoso, el Dr. René Laënnec, inventor del estetoscopio, que se usa para auscultar (escuchar) los sonidos de los pulmones y el corazón.

Tanto Corvisart como Laënnec se orientaron a la cardiología y seguramente esta orientación fue transferida a sus alumnos, entre ellos Redhead. Esta situación podría explicar el acertado diagnóstico que Redhead formuló sobre Belgrano, confirmado luego en todos sus detalles con la autopsia.

Los últimos minutos.
La anarquía y los tres gobernadores

La situación política y social de Buenos Aires se hallaba enrarecida. El año 1820 fue un año de anarquía y desorden institucional en Buenos Aires. En pocos meses, desfilaron distintas autoridades elegidas por cabildos abiertos, impuestas por milicias o por elecciones indirectas. De hecho, el día del fallecimiento de Belgrano, 20 de junio de ese mismo año, fue conocido como el día de los tres gobernadores. Uno fue Miguel Estanislao Soler —apoyado por López—, el Cabildo e Ildefonso Ramos Mejía, que ese día renunciaba a su cargo.

En ese contexto, Belgrano transita su agonía en la casa paterna, donde 50 años atrás había nacido. La casona de la calle Pirán, hoy Av. Belgrano, sería su última estancia. El paciente estaba rodeado por algunos familiares, amigos íntimos, religiosos y su médico, el Dr. Redhead. Acompañaba también el Dr. Sullivan, que durante las tardes tocaba el clavicordio para tranquilizar a Belgrano. El paciente permanecía con el tórax en posición vertical, semisentado en la cama o bien en un sillón. Era la posición obligada para poder respirar. La falta de aire era una constante, la que era acompañada por taquicardia, fatiga, edemas en miembros inferiores, transpiración, pérdida de apetito, ascitis (distensión abdominal por retención de líquido), rostro enflaquecido y por momentos mareos y disminución del estado de la conciencia. El 25 de mayo el paciente redacta su testamento. En realidad, no había nada para repartir, excepto deudas a los amigos que lo ayudaron económicamente. Murió en la más absoluta pobreza. En el testamento pueden advertirse ciertas contradicciones que sólo se explican por cierto estado de confusión mental como consecuencia de la falta de oxigenación y adecuada circulación cerebral. Por su voluntad, sería enterrado con el hábito dominico en el atrio del convento de Santo Domingo e iglesia de Nuestra Señora del Rosario, a pocos metros de su casa natal. Su tumba tendría una sencilla lápida hecha con el mármol de una cómoda de su hermano. Sin dinero, le pidió a su médico, el Dr. Redhead, que aceptara su reloj de bolsillo, pues no tenía nada con qué pagarle. Sólo un periódico daría la noticia del fallecimiento, el *Despertador Teo Filantrópico* de Fray Francisco Castañeda. Sobre el final, se le escuchó decir: «pensaba en la eternidad donde voy y en la tierra querida que dejo. Espero que los buenos ciudadanos trabajarán para remediar sus desgracias». Sus últimas palabras fueron: «Ay, Patria mía».

A las 7 de la mañana del 20 de junio de 1820 muere el Gral. Manuel Belgrano.

¿De qué murió Belgrano?
El diagnóstico de Redhead

Belgrano falleció joven, a los 50 años. La enfermedad que terminó con su vida tiene comienzo en abril de 1819, según lo relata el propio paciente. Es decir que desde el comienzo de los síntomas hasta el fallecimiento transcurrieron 14 meses. Durante ese período, la sintomatología fue progresivamente en aumento. Por la descripción del cuadro clínico hecha por el mismo paciente y por terceros, algunos de ellos médicos, uno podría realizar un diagnóstico presuntivo. Pero además, en este caso en particular, tenemos a disposición dos elementos de interés que nos ayudarán a formular un diagnóstico más preciso. El primero de ellos, la autopsia, realizada el mismo día del fallecimiento en el convento de Santo Domingo por el Dr. Sullivan. El segundo, un ateneo clínico que realizamos en el Instituto de Cardiología del Hospital Italiano de Buenos Aires en el 2012.

Comencemos por la autopsia. Hace doscientos años, los únicos recursos diagnósticos con que contaban los médicos eran el cuadro clínico (los síntomas y el examen físico) y la autopsia. No existían análisis de sangre, radiografías, tomografías, resonancias magnéticas, ecografías, ni electrocardiogramas, nada del arsenal moderno. Los médicos debían agudizar su capacidad de observación y examen físico del paciente y sólo quedaba la autopsia para comprobar la certeza del diagnóstico. ¿Por qué se realizaban autopsias? Justamente para certificar los diagnósticos clínicos presuntivos y así aprender y perfeccionar la práctica médica. En realidad, era el método de aprendizaje por excelencia en medicina. Hoy día, sigue siendo muy importante en muchas situaciones.

En el caso que nos ocupa, la autopsia confirma el diagnóstico clínico del Dr. Redhead. Sullivan, luego de realizarla, le escribe un informe detallado al médico de cabecera donde expresa su admiración por la precisión de su diagnóstico. Como en aquel entonces era esencial practicar autopsias, todos los médicos estaban capacitados e interesados en realizarlas; sin embargo, Redhead no realizó la autopsia ni siquiera estuvo presente en ella. ¿Por qué? Porque Redhead compartió los últimos siete años de su vida con Belgrano, porque combatieron juntos en Tucumán, Salta, Vilcapugio y Ayohuma. Porque compartían ideales. Porque era su médico y se había convertido en su amigo. Redhead no hubiera soportado hacer ni presenciar la autopsia.

Redhead tenía un diagnóstico y el diagnóstico era correcto, pero quien había muerto ya no era su paciente, era Manuel Belgrano, su amigo.

La autopsia

Transcribimos aquí la autopsia realizada por el Dr. Sullivan en el convento de Santo Domingo. Es sin duda un elemento de mucho interés sobre el final de la historia clínica del paciente. Cabe aclarar que se utiliza terminología técnica y obviamente diferente a la que usamos actualmente. Con la intención de facilitar la lectura y comprensión señalamos en «negrita» los elementos de mayor interés y simples de entender, dejando el resto de la descripción para aquellos lectores especializados en temas de salud. Es decir que con lo señalado en «negrita» es suficiente. Veamos:

Autopsia – 20 de junio de 1820
Convento de Santo Domingo
Paciente: Gral. Manuel Belgrano
Edad: 50 años

La descripción de la autopsia comienza con la carta que el
doctor Juan Sullivan dirigió al doctor Joseph Redhead.

Señor: Cumpliendo con mi promesa, presento a Ud. una
descripción de lo que apareció en la inspección anatómica
del cadáver de su finado amigo lamentado General Belgrano cuya muerte en el día se mira como la de un simple
particular, pero cuya memoria en los siglos venideros de la
Grandeza Americana, se revenciará como un ramo robusto
de aquel árbol que sus servicios plantaron en el seno de
su Patria.

**Después de haber sacado una cantidad considerable de
agua de abdomen** con un trocar, reconocí distintamente
con el tacto un tumor duro y penetrante en la región del
epigastrio derecho. Esta dureza estaba tan señaladamente
definida, que hizo suponer a un caballero de la Facultad
que estaba presente, que era el espinazo. Al abrir la cavidad, reconocí al momento que procedía de una tumefac-
ción considerable y proyección del lóbulo pequeño del
hígado.

**El estado del hígado en general era el aumento de volu-
men y dureza.** Sus ligamentos se presentaron alargados
por su enorme peso, sus conductos poco distinguibles y
con adhesiones fuertes a la cápsula de Glisson.

**El vexaguillo de la hiel tan pequeño que apenas podía
contener una cucharada común,** y sus túnicas tan engro-
sadas que no tenían semejanza, a esta entraña que por lo
común es tan extremadamente delicada.

En una palabra, la estructura del hígado y sus apéndices presentaron una causa tan formidable de enfermedad, que no
puedo menos que recordar la suma exactitud del diagnóstico de V., en nuestra primera entrevista sobre la materia.

Había igualmente aumento del vaso: los intestinos estaban
distendidos con aire y los riñones ofrecían una desorgani-
zación y dureza al tacto a su crypta que se extendía alguna
distancia en el curso de los uréteres.

Desde la cavidad del abdomen puncturé el diafragma un

poco al lado izquierdo, con objeto de penetrar la cavidad del mediastino anterior. Salió el agua con alguna fuerza en cantidad de diez y seis onzas. Enseguida separé la unión cartilaginosa de las costillas con el esternón, levanté éste y reconocí de pronto lo que su larga serie de síntomas penosos nos había anunciado tantas veces.

Los pulmones en un estado de colapso que apenas excedían en circunferencia el tamaño de la mano y nadando en agua. De la circunstancia de haber cesado la salida del agua por la cánula del trocar que se dejó en el diafragma, parece que no se hubiese formado una conexión entre las cavidades derecha e izquierda del tórax, y debiendo la presencia de tanto volumen de agua ejercer su compresión sobre el mediastino posterior, era bastante, en mi concepto, para causar los síntomas espasmódicos que sobrevinieron con tanta frecuencia y mucho más cuando se tiene presente la existencia de los grandes nervios simpáticos, el vaso y órganos importantes que allí están situados enfrente del espinazo, punto de resistencia tan considerable. La disminución del volumen de los pulmones, no influyó sobre su color y apariencia sana: eran de aquel azul común en hombres de su edad.

El corazón correspondía a las acciones y nobleza de este hombre, verdaderamente grande; no tenía señal de enfermedad, y era de un volumen que pocas veces se encuentra en investigaciones anatómicas. Experimenté un deseo vehemente de separarlo y prepararle. Lo propuse a la persona que concurrió conmigo; lo desaprobó y no hayándome autorizado por la familia, abandoné con sentimiento los restos de este ilustre y experimentado patriota. No puedo concluir este bosquejo, sin expresar mi admiración de concepto claro que usted había conformado de las causas de la muerte, pues la inspección que hice confirmó sus opiniones con una exactitud la más crítica.

Analizaremos brevemente los puntos resaltados en negritas. Aquí se puede apreciar el respeto y reconocimiento de la condición de amigo entre Redhead y Belgrano.

El agua en el abdomen es la que comprueba el diagnóstico clínico realizado entonces con la antigua denominación de «hidropesía» o acumulación de líquido corporal. En este caso en particular, esta acumulación de líquido en el abdomen se denomina «ascitis».

El hígado aumentado de tamaño y dureza, en este caso, es compatible con el diagnóstico de alguna enfermedad cardíaca, como ser un cuadro de «insuficiencia cardíaca», que acumula líquido y sangre en el hígado.

El «vexaguillo de la hiel» es lo que hoy conocemos como vesícula biliar. El reducido tamaño de la misma justificaba los trastornos digestivos y la intolerancia a las grasas que el paciente refirió luego del éxodo jujeño y de las derrotas de Vilcapugio y Ayohuma. Sullivan no describe la presencia de litiasis o piedras en la vesícula.

Aquí Sullivan, con relación al aspecto del hígado y las estructuras anatómicas que lo acompañan, certifica y felicita por el diagnóstico clínico que Redhead había hecho.

Con referencia al aspecto anatómico de los pulmones y a la presencia de agua en el tórax, no hace otra cosa que explicar anatómicamente la razón de la falta de aire del paciente. Esta acumulación de líquido también orienta el diagnóstico a una enfermedad cardíaca.

Aquí el Dr. Sullivan describe poéticamente el tamaño del corazón. Hace referencia anatómica a un corazón muy agrandado y lo relaciona con las «acciones y nobleza» de Belgrano.

El corazón descripto como muy grande infiere siempre la presencia de enfermedad cardíaca. Si bien en un momento dice que el corazón «no tenía señal de enfermedad», es claramente erróneo, el agrandamiento cardíaco es señal de enfermedad. Además él mismo cita que no procedió a la apertura del corazón, lo que seguramente nos hubiera dado más información al describir el aspecto de las válvulas cardíacas.

En estas últimas líneas, el Dr. Sullivan elogia al Dr. Redhead por la precisión del diagnóstico clínico que hiciera del paciente y que él pudo comprobar en todos sus detalles al realizar la autopsia.

Es éste el análisis que puede realizárse de la autopsia. Cabe señalar que el Dr. Sullivan reclamó más tarde a la familia de Belgrano los honorarios profesionales por la autopsia. Increíble. Indudablemente agrega información de gran valor que junto al cuadro clínico nos permite formular un diagnóstico. Estamos ahora sí en condiciones de analizar esta información en una «Junta Médica».

Hospital Italiano de Buenos Aires
Ateneo anatomo-clínico
Paciente: Gral. Manuel Belgrano

El 18 de junio de 2012 se llevó a cabo en el Instituto de Cardiología del Hospital Italiano de Buenos Aires un ateneo Anatomo-clínico para determinar las enfermedades y posibles causas de muerte del Gral. Manuel Belgrano. En la oportunidad, la historia clínica que me tocó en suerte presentar contó con la presencia del historiador Felipe Pigna, que contextualizó cada referencia clínica con el marco histórico que le tocaba protagonizar al Gral. Manuel Belgrano, lo que agregó riqueza y comprensión humana a la historia clínica. Luego de la presentación del cuadro clínico y los comentarios históricos pertinentes, el jefe del Instituto de Medicina Cardiovascular del Hospital, el Dr. Arturo Cagide, expuso las hipótesis y disquisiciones diagnósticas posibles. Se proyectaron diapositivas de estudios diagnósticos actuales que hubieran correspondido a un paciente con la sintomatología de Manuel Belgrano. Así, teníamos frente a nosotros la historia clínica, sintomatología, el posible electrocardiograma, la radiografía de tórax y las muestras anatómicas de la autopsia de Belgrano. El electrocardiograma es el que hubiéramos registrado en un paciente con agrandamiento cardíaco, la radiografía de tórax mostraba dicho agrandamiento y acumulación de líquido en los pulmones. Por su parte, las posibles diapositivas de la anatomía patológica de la autopsia eran aportadas por el servicio de anatomía patológica del Hospital Italiano de Buenos Aires. Todos teníamos frente a nosotros la historia clínica del paciente y algunos de los estudios de diagnóstico que hoy hubiéramos requerido. Fue entonces cuando más de 75 médicos del hospital, presentes en el auditorio, pertenecientes a distintos servicios (cardiología, clínica, cirugía, hemodinamia, ecografía, unidad coronaria, imágenes, entre otros), comenzaron a discutir los posibles diagnósticos. El ateneo anatomo-clínico fue así tratado en uno de los principales centros médicos y académicos del país.

Como resultado del análisis teórico de los datos disponibles, existió un consenso que avalaría el siguiente diagnóstico de la enfermedad que presentó el paciente durante sus últimos 14 meses de vida y que fueron la causa del fallecimiento: «cuadro de insuficiencia cardíaca que en su evolución afectó el funcionamiento hepático y renal; la causa de la insuficiencia cardíaca sería la afectación de las válvulas cardíacas, posiblemente la válvula aórtica, la mitral o ambas».

Con respecto al motivo por el cual se dañaron dichas válvulas debería considerarse la consecuencia tardía de una infección sifilítica (diagnosticada en el Protomedicato del Río de la Plata en 1796) o posiblemente como consecuencia de un cuadro de fiebre reumática. La fiebre reumática es una enfermedad de tipo inflamatoria, como consecuencia de una reacción inmunológica a una bacteria que es causante de faringitis y amigdalitis aguda; es decir, a una infección aguda de la garganta.

Ésta es la conclusión a la que se arribó en el Ateneo anatomo-clínico realizado en el Hospital Italiano de Buenos Aires.

Sin embargo, aún le esperaba algo más al Gral. Manuel Belgrano luego de su fallecimiento que amerita comentarse.

Caras y Caretas

Un episodio lamentable se agregó a las reiteradas faltas de consideración que en vida tuvo que sufrir el Gral. Belgrano de parte de los gobiernos y autoridades de entonces. Fue cuando se exhumaron sus restos del atrio del convento de Santo Domingo para ser trasladados en una urna al mausoleo que se inauguraría en el mismo convento. El hecho tuvo lugar el 4 de septiembre de 1902. Al momento de la exhumación, fueron encontradas aquellas estructuras que el tiempo no habría de convertir en polvo. Entre ellos, huesos y algunos dientes en buen estado de conservación. En el acto se encontraban numerosas autoridades y fue cuando sucedió un hecho insólito e inadmisible. El ministro del Interior, Dr. Joaquín V. González, y el ministro de Guerra, el coronel Pablo Riccheri, se quedaron con dientes del Gral. Belgrano. El hecho fue denunciado enérgicamente por el diario *La Prensa* del día 5 de septiembre. Afortunadamente, ante la presión, el hecho se resolvió rápidamente. Al día siguiente, en un nuevo artículo del diario titulado «La razón del despojo» el prior del convento de los dominicos informaba que los ministros habían reintegrado las reliquias sustraídas. El Dr. Joaquín V. González se disculpó diciendo que había tomado un diente para mostrárselo a sus amigos, mientras que el Cnel. Riccheri declaró que había llevado el diente para enseñárselo al Gral. Bartolomé Mitre.

El hecho sería tratado magistralmente en el ejemplar N° 206 de *Caras y Caretas*, del 13 de septiembre del mismo año. En la tapa de la revista podía verse una caricatura que mostraba a Belgrano saliendo de su tumba y señalando con su índice a los ministros González y Riccheri con la leyenda que decía: «¡Hasta los dientes me llevan! ¿No tendrán bastante con sus propios para comer del presupuesto?»

A Belgrano se lo recuerda por la creación de la bandera, sin duda un hecho más que importante. Pero Belgrano fue aún mucho más que el creador de la insignia patria. Belgrano fue quien más imaginó la idea de Nación. Quien había nacido rico y muriera en la más absoluta pobreza, había concebido un futuro para su tierra emancipada. Belgrano tenía un plan de país. Fomentó la educación y la capacitación en las más diversas especialidades y oficios. Creó escuelas técnicas, de dibujo, de matemáticas, de náutica y colegios para mujeres.

Cuando llegó el momento, participó en periodismo, política y fue vocal de la primera Junta de Gobierno. El abogado recibido con honores en Europa por imperio de la necesidad revolucionaria se convirtió en general dirigiendo la gesta del éxodo jujeño. Luego llegaría la batalla de Tucumán, donde triunfó frente al ejército que venciera a Napoleón, impidiendo que éste llegara hasta Buenos Aires. Así, avanzaría hacia el Norte y triunfaría en la batalla de Salta donde por primera vez presidiría el combate la bandera blanca y celeste creada por él en Rosario, frente a las baterías Libertad e Independencia. Más tarde, enfrentaría a un ejército superior en Vilcapugio y Ayohuma.

Siempre con serias enfermedades crónicas por sobrellevar, sin el reconocimiento de sus pares y en un momento de caos y anarquía, muere en la más absoluta pobreza. Es despedido en un triste funeral por familiares y algunos amigos en una iglesia junto al Río de la Plata. El tiempo haría justicia y reconocería a este hombre de compromiso social inimputable y cualidades superiores.

«Trabajemos con empeño y tezón que, si las generaciones presentes nos son ingratas, las futuras venerarán nuestra memoria que es la recompensa que deben esperar los patriotas»
GRAL. MANUEL BELGRANO

Sigmund Freud:
nace el psicoanálisis

Sigmund Freud nació en Freiberg, Moravia, la actual República Checa, el 6 de mayo de 1856. Jakob, su padre, fue un próspero comerciante de lanas que, siendo ya abuelo, se separó de su esposa para casarse con Amalie Nathanson. Del nuevo matrimonio nació el primogénito, Sigmund[1] y cinco hijos más, cuatro mujeres y un varón. Para Amalie no solamente fue el primogénito, lo cual ya significaba mucho para cualquier madre primeriza, también fue «el preferido». Amalie sentía un gran amor —lo alimentó a pecho, este detalle no pasaría inadvertido para el desarrollo de las teorías psicológicas que el paciente postularía para el futuro—, y, sobre todo, orgullo por su hijo y se lo hacía saber. Sin duda, cualquier psicólogo actual interpretaría tal inclinación como un vínculo especial que marcaría la personalidad del paciente. El propio Sigmund Freud afirmaría: más tarde «cuando un hombre ha sido el favorito indiscutido de su madre, logra conservar durante toda la vida un sentimiento vencedor, esa confianza en el éxito que a menudo conduce realmente al éxito». Jakob no fue un padre autoritario ni particularmente riguroso, pero no dejaba de llamarle la atención cada vez que el niño se orinaba en la cama a la edad de dos años. No

1 *Vida y obra de Sigmund Freud*, Ediciones Horne, 1997, tomo II, pág. 439.

sería extraño que con los años Freud viera en el padre la figura del «principio de autoridad». Sin embargo, el principio rector del padre en la dinámica familiar no impedía el diálogo a la hora de tomar decisiones, en lo que se llamaba «consejo de familia». Tal era el nombre de las reuniones que se realizaban para compartir las decisiones familiares. Cuando nació su hermano, el pequeño Sigmund propuso el nombre Alejandro, inspirado por el heroísmo y la generosidad de Alejandro Magno, cuyas hazañas gustaba leer. El nombre fue aceptado por el «consejo». Aunque el padre era un verdadero patriarca judío educado como judío ortodoxo, Sigmund no resultó creyente, pero fue perfecto conocedor de las fiestas y costumbres judías. Cuando Freud tenía 3 años se mudó a Austria, que era fuertemente católica y antisemita. Sigmund sufrió mucho el antisemitismo de Viena ya desde el colegio. Siempre fue propenso al relato de anécdotas y chistes judíos, que tal vez fueran una manifestación más de su talento narrativo. También le resultaban fáciles los idiomas: hablaba y escribía en alemán. Familiarizado con el latín y el griego, manejaba muy bien el inglés y el francés. Como autodidacta aprendió el italiano y el español y el hebreo. A los 8 años leyó a Shakespeare.

Freud decidió su carrera al terminar el colegio. Para un judío las opciones clásicas, en la Viena de entonces, eran el comercio por un lado y la abogacía o medicina por el otro. Dudó entre ambas carreras, pero eligió finalmente medicina. Curiosamente, la única materia en la cual resultó reprobado fue medicina legal. El paciente terminó finalmente como médico para luego especializarse en neurología. Esto es importante para entender su personalidad y comprender la rigurosidad de su producción intelectual. En realidad, Freud no tenía una definida vocación asistencial en medicina, más bien quería dedicarse a la investigación científica.

Freud ya había comenzado a trabajar en experimentación con neuronas cerebrales bajo la tutela de su profesor, el alemán Ernst Brücke, que con afecto de padre le advirtió que los puestos académicos estaban mal pagos y que como judío sus posibilidades de ascenso y progreso dentro del hospital eran pocas. En ese momento, como su situación económica no era buena, siguió su formación en clínica médica en el Hospital General de Viena. En 1883, Freud trabajó en la clínica del Dr. Theodor Meynert, brillante especialista en anatomía y patología cerebral. Durante los cinco meses que estudió con Meynert, practicó intensamente la psiquiatría, y se alejó de la clínica médica y la neurología. El futuro del padre del psicoanálisis lo llevaría al Hospital de Salpêtrière en París, donde conoció las ideas de avanzada sobre «la histeria» con el famoso profesor Jean-Martin Charcot. Por entonces, la histeria era considerada como una neurosis exclusivamente femenina, de ahí la raíz griega de la palabra «útero» que es «hyster». Pero Charcot sostenía que la histeria también la podían presentar los hombres, aunque menos frecuentemente. Con Charcot, Freud también se inicia en la aplicación de la hipnosis como técnica terapéutica. Charcot sostenía, revolucionariamente para la época, que las enfermedades de la mente podían tener un origen «psicológico o funcional» y no orgánico. Esta idea seducía a Freud. Si bien Charcot propuso que también los hombres podían ser «histéricos», es decir desvinculaba la histeria de los órganos sexuales, Freud fue un paso más allá. Consideró el posible origen de algunas enfermedades mentales en problemas psicológicos relacionados con la sexualidad. La inclinación de Freud por el estudio de «la mente» era ya cada vez mayor. Hacia 1886, con treinta años de edad, se casó con Martha Bernays e instaló su consultorio privado en el departamento alquilado donde vivía, en el mejor distrito profesional de Viena. Freud dio a conocer el inicio de su actividad profesional enviando 200 tarjetas a médicos de la ciudad y publicó en los diarios el siguiente anuncio: «El doctor Sigmund Freud, docente de neuropatología, acaba de regresar de una estancia de seis meses en París y reside actualmente en la Rathausstrasse, N° 7». Algo llamativo: el día elegido para el anuncio en los diarios fue el 25 de abril de 1886, día de Pascuas en una Viena católica. Ese día, todas las actividades y negocios estaban cerrados. No resultaba un buen día para un anuncio en los diarios. ¿Fue un error, fue intencional o fue lo que él mismo definiría en el futuro como «un acto fallido»? De todos modos, éste fue el inicio de su actividad de consultorio privado en la capital de Austria. Cabe aquí una conjetura y es determinar por qué Freud llega a establecerse en este consultorio de la calle Rathausstrasse Nº 7 donde inicia su impresionante legado intelectual. A mi entender, hay dos razones que prevalecen entre varias otras. La primera es porque era judío y la segunda porque tomó una decisión económica de riesgo. Recordemos que su padrino, el profesor Brücke, le advirtió que los puestos académicos estaban mal pagos y enfatizó que como «judío» en una Viena antisemita sus posibilidades de desarrollo no eran las mejores. Esto desmotivó a Freud a continuar sus investigaciones sobre las neuronas. Se alejó de la anatomía cerebral y del microscopio. En segundo término, Freud corrió un riesgo. Al regresar de París, decidió esforzarse económicamente y establecer su consultorio en el sector profesional más caro de Viena, en el distrito urbano de Alsergrund. Freud viviría y tendría su consultorio en otro departamento de la misma casa en Berggasse19 entre 1881 y 1938. Ahí se dio a conocer entre los colegas de la zona. Éstos le derivaron pacientes, particularmente mujeres de buen nivel económico, que ellos no querían atender por el tipo de patología que sufrían. Precisamente, él sí estaba dispuesto a atender mujeres con sintomatología psicológica compleja. Impulsado por su interés de darle carácter científico, Freud comenzó a formar su caudal de pacientes y a vivir de ello. Las damas adineradas con síntomas psicológicos complejos llegarían así con sus carruajes al consultorio de Freud en la mejor zona profesional de Viena.

Conocer a Freud

El consultorio de Freud estaba lleno de antigüedades. El paciente era un ferviente coleccionista de estatuillas egipcias, griegas y asirias. Invadían su escritorio y las vitrinas de su casa. Sus viajes resultaban ser una fuente inagotable de nuevas piezas para su colección. De barba prolijamente cortada, siempre fue puntual con sus pacientes, cuyas consultas duraban exactamente 55 minutos. Era disciplinado en su actividad. Atendía pacientes a la mañana y a la tarde. Disponía para sí un tiempo entre la una y las tres, que usaba para una caminata a paso rápido. Aprovechaba para pasar con frecuencia por una cigarrería cerca de la iglesia de San Miguel, donde compraba sus cigarros favoritos. Aquí encontramos un punto de interés en la «historia clínica» del paciente. Si bien se lo ve algunas veces fumando pipa, era un gran fumador de cigarros. Aproximadamente 20 puros por día. Sufría cuando no podía fumar, era una adicción y no un hábito. Esta adicción tendría relación con la enfermedad que padecería en el futuro y que de hecho terminaría con su vida. En cambio, no solía tomar alcohol; sólo tomaba algo de vino en oportunidades especiales y no le gustaban la cerveza ni otras bebidas alcohólicas. La relación con su esposa fue siempre excelente y hay evidencia de su fidelidad y monogamia. La correspondencia que le enviaba a Martha cuando estaba de viaje da testimonio de su afecto por ella. Martha era una mujer dedicada a su familia, principalmente a su marido y a la crianza de sus seis hijos. Freud sostenía que nunca debía escatimarse gastos en tres cosas: salud, educación y viajes. Tenía una apreciación modesta de sí mismo, al menos eso expresaba en su palabra y conducta. Una vez afirmó: «Mi capacidad y mi talento son muy limitados. Absolutamente nada en cuanto a ciencias naturales, nada en matemáticas, nada que tenga que ver con lo cuantitativo. Pero los dones que tengo, limitados en su naturaleza, son probablemente poderosos». Tenía en el trato cotidiano una actitud similar a lo que se podía describir como sujeto «distante». Trataba a todas las personas de «usted», excepto a familiares directos. En realidad, no era un distanciamiento real, más bien era desinterés por cuestiones banales o superficiales. Era parte de su carácter analítico para abordar las personalidades. Su hija Ana comentó una vez al prestigioso psicoanalista inglés Ernest Jones que la característica saliente en los últimos treinta años de la vida de su padre era la «simplicidad». Freud rechazaba todo aquello que pudiera complicar innecesariamente la vida. Como ejemplo digamos que tenía sólo tres trajes, tres pares de zapatos y tres mudas de ropa. Así, no tenía complicaciones para vestirse sobriamente, y preparar las valijas para sus frecuentes viajes no presentaba ninguna complicación. Una característica llamaba la atención en la personalidad de Freud: era profundamente indiscreto. El mismo Jones se mostró sorprendido por las intimidades que le contaba sobre otros colegas. De hecho, la ruptura final con su gran amigo, el otorrinolaringólogo Wilhelm Fliess, había resultado de sus frecuentes indiscreciones. La indiscreción parecía ser en él una «pulsión». Otra característica del temperamento de Freud llamaba la atención: el modo terminante con que juzgaba a las personas, en forma absoluta en uno u otro sentido. Juzgaba casi siempre a las personas en dos categorías, las que le agradaban y las que no, o tal vez en buenas y malas. Llama la atención esta característica de su juicio personal en una mente preparada para explorar las complejidades de la personalidad, pero así era el paciente. Durante toda su vida tuvo algunos amigos íntimos de su entorno social, pero no colegas. Quizás por ello esas amistades permanecieron invariables a lo largo del tiempo.

En varias oportunidades puso de manifiesto, tal vez por cuestión de género, que le era más simple desentrañar la intimidad de un hombre. El caso de la mujer fue diferente y más enigmático. Una vez afirmó: «La gran pregunta que nunca ha tenido respuesta y que hasta ahora no he sido capaz de contestar, a pesar de mis treinta años de investigación del alma femenina, es ésta: «¿Qué es lo que desea la mujer?»

Freud no tenía carácter confrontativo. A los ataques que recibía en virtud de sus trabajos sólo respondía con nuevos trabajos de investigación. Su motivación lo inclinaba a presentar un temperamento de investigación, de indagatoria y de búsqueda del conocimiento. Era, ante todo, un realista.

Cocaína

En sus primeros años en la actividad hospitalaria, Freud buscó realizar algún descubrimiento, tanto en el área de la clínica médica como en patología. Su objetivo era, sin duda, profesional, pero también tenía la ambición de descubrir algo nuevo lo suficientemente importante como para progresar económicamente y así poder adelantar la fecha de su casamiento, postergado por su pobre situación económica. La oportunidad llegó con la cocaína. Freud inició su interés sobre este alcaloide de las hojas de coca con dos líneas posibles de investigación: el efecto de la cocaína como anestésico de posible utilización en cirugía oftalmológica, y su efecto sobre el sistema nervioso central, más específicamente en el estado de ánimo y como antidepresivo. Sobre la acción oftalmológica, su idea fue «robada» por un médico amigo suyo, el Dr. Carl Koller. El propio Freud lo describe así:

«Aquí puedo retroceder un poco y explicar cómo fue por culpa de mi prometida que yo no llegué a ser famoso siendo joven. Un interés colateral, aunque profundo, me condujo en 1884 a obtener de Merk una pequeña porción de cocaína, alcaloide poco conocido a la sazón y a estudiar su acción fisiológica. Cuando me hallaba en medio de esta tarea, se presentó una oportunidad de hacer un viaje para visitar a mi novia, de la que estaba separado hacía dos años.
Apresuradamente, di término a mi investigación sobre la cocaína, contentándome con anotar en mi libro sobre el tema la afirmación profética de que pronto se habrían de encontrar nuevas aplicaciones. Sugerí, sin embargo, a mi amigo Konigstein, el oftalmólogo, que investigara hasta qué punto las propiedades anestésicas de la cocaína podrían ser aplicadas en las enfermedades del ojo. Cuando volví de mis vacaciones me encontré con que no él, sino otro de mis amigos, Carl Koller (ahora en Nueva York), a quien yo había hablado también acerca de la cocaína, había hecho los experimentos decisivos sobre ojos de animales y había presentado sus comprobaciones en el Congreso de Oftalmología de Heidelberg. Koller es considerado por esto, con razón, qué tan importante ha llegado a ser en el campo de la cirugía menor. Pero no he guardado ningún resentimiento hacia mi novia por haber interrumpido mi trabajo.»

Freud reconoce que en su ensayo hizo la sugerencia de que la cocaína podía utilizarse como anestésico ocular pero no tuvo la precaución de llevar sus investigaciones hasta el final. Había perdido, de este modo, una oportunidad en sus primeros años de hospital. Pero no sería éste el único problema que la cocaína le traería. Freud ya había leído sobre los efectos de la coca en «tribus indígenas de América del Sur». Fue así que encargó a la empresa Merk de Darmstadt un gramo del alcaloide que por entonces costaba un dólar con veintisiete centavos el gramo. El nombre corriente que hoy tenemos sobre las drogas como «merca» deriva justamente de que era el Laboratorio Merk quien la producía por entonces. Freud primero probó la droga en sí mismo. Notó que su mal humor se convirtió rápidamente en alegría y provocó la sensación de haber comido bien, es decir le quitó el hambre. Entonces recomendó el uso de cocaína a su amigo el Dr. Ernst von Fleischl-Marxow quien era investigador en fisiología y había contraído una infección en el pulgar de la mano derecha mientras investigaba en patología. La amputación del pulgar le salvó la vida, pero siguió con complicaciones que requirieron varias operaciones. El intenso dolor hizo que usara morfina convirtiéndose en adicto a la misma. Fue entonces cuando por recomendación de Freud cambió la morfina por cocaína. El resultado fue desastroso. Al poco tiempo, se convirtió en un cocainómano. Freud continuó su trabajo con la cocaína, incluso administrándosela a Martha, quien luego sería su esposa. Buscaba así «hacerla fuerte y dar color rojo a sus mejillas». Continuó «recetando» cocaína a pacientes e incluso a sus hermanas y colegas. La «merca» se iba así extendiendo en su uso y, al decir de Ernest Jones, se estaba convirtiendo en una amenaza pública. Freud describió cómo la cocaína disminuía el hambre, el sueño y la fatiga. La indicó médicamente como antidepresivo para la melancolía y la depresión. Freud mismo la utilizaba con alguna frecuencia pero no sufrió adicción ya que no estaba genéticamente predispuesto a ella.

Freud no guardó rencor con el Dr. Koller, que seguía trabajando con cocaína como anestésico local en cirugía ocular. Es más: Jakob, el padre de Freud, presentó glaucoma en el ojo derecho, Freud consultó a Koller y decidieron operarlo. La cirugía la realizaron el Dr. Carl Koller y el Dr. Leopold Keonigstein, y Sigmund Freud participó en la cirugía como ayudante administrando la cocaína como anestésico ocular. La operación fue un éxito y Freud tuvo la sensación de que había ayudado a su padre. Mientras tanto, su amigo Fleischl-Marxow continuaba utilizando la cocaína con todas las complicaciones de la adicción. Padecía desmayos, insomnio y pérdida del control de sus acciones. La intoxicación crónica le produjo un delirium tremens que le hacía ver víboras sobre su piel. Fleischl moriría años después. La utilización de la cocaína iba extendiéndose y comenzaron a presentarse muchos casos de adicción.

Los detractores de Freud, ante las muchas intoxicaciones cocaínicas, acuñaron el término «el tercer flagelo de la humanidad» para describir esta droga. Los otros dos eran el alcohol y la morfina. Freud dejó de indicar cocaína, que fue cayendo en desuso por los peligros que implicaba. Más tarde declararía, mortificado, que no supo interpretar a tiempo los efectos negativos de la cocaína y que en el futuro nunca más debía realizar conclusiones que fueran de lo particular a lo general.

Supuso que como no le había provocado adicción a él, no la produciría en otros. Se equivocó. Cabe aquí señalar otro hecho en el que conviene reparar con relación al futuro de Freud. Con el tiempo, y ya dedicándose exclusivamente a la psicología, Freud desarrollaría uno de sus trabajos más importantes: *La interpretación de los sueños*. Desde ya que es especulativo, pero no descabellado, pensar que en algún momento los efectos de la cocaína indujeron a Freud a relacionar las vivencias oníricas de los sueños con el mundo del inconsciente.

Describimos aquí un sueño del propio Freud, que él mismo interpreta:

> *«Estoy en una estación ferroviaria en compañía de un señor mayor, ideo un plan para así pasar desapercibido y en el momento lo veo cumplido. El hombre mayor finge ser ciego, al*

menos de un ojo, y yo le pongo delante un orinal. Soy enton-
ces un enfermero... veo plásticamente la posición del otro y
su miembro que orina» (Freud se despierta en ese momento
con ganas de orinar).

Freud interpretó el sueño del siguiente modo: Cuando tenía 7 u 8 años, había orinado en el dormitorio de mis padres, y mi padre sentenció: «este chico nunca llegará a nada». ¡El hecho debió haber sido un gran agravio a mi ambición! De hecho, he reconocido en algunas neurosis la íntima conexión entre mojarse en la cama y ambición. Es como si en mi sueño de la edad adulta yo le dijese a mi padre: «¡Mira, no obstante he llegado a ser algo! El hombre mayor del sueño era mi padre, la ceguera de un ojo representaba el glaucoma que había padecido de un solo lado, con el glaucoma le recuerdo mi descubrimiento de la cocaína, con la cual se pudo operar. Así cumplo con uno de mis deseos. Además me burlo de él, como está ciego debo sostenerle delante de él el orinal para que orine: "El pasar inadvertido" hace referencia a mis descubrimientos sobre la histeria, de lo que estoy orgulloso».

El episodio del uso de la cocaína como fármaco fue un fracaso para Freud y de hecho debió dejar una huella imborrable. Se alejó así en forma progresiva de la práctica de la clínica médica y la farmacología para concentrarse en la psicología, donde estaba su verdadero futuro, y llegó a ser uno de los más grandes referentes del siglo XX.

El diván:
nace el psicoanálisis

El famoso astrónomo Nicolás Copérnico fue parte central de la revolución científica del Renacimiento. El cambio de paradigma fue enorme, un verdadero giro, el «giro copernicano». Afirmó que la Tierra no era el «centro del universo», sino que giraba alrededor del Sol. Por lo tanto, el hombre ya no era el centro de la creación. Una revolución científica. Llegaría más tarde la segunda revolución con Charles Darwin, cuando hacia 1859 publica *El origen de las especies* y concluye que el hombre no es una creación de Dios, desciende del mono. Éste fue el segundo golpe al orgullo humano. Y por último la tercera, de la mano del paciente en estudio, Sigmund Freud. La tercera revolución fue el descubrimiento del inconsciente y las nociones de la sexualidad que de él emergen. Una revolución que nace de la mente de un judío en una Viena católica y antisemita. Veamos cómo fue la gesta intelectual de este principio teórico revolucionario.

Con Charcot en París, Freud aprendió que con la hipnosis se podían generar síntomas histéricos en personas influenciables o modificar síntomas histéricos ya existentes. Es decir, la sugestión hipnótica podía hacer por ejemplo que a una persona se le paralizara un brazo. Freud pensó entonces en utilizar la hipnosis también como terapia, para eliminar síntomas al atender pacientes histéricos en su consultorio de Viena. Obtuvo algunos resultados, pero fue aún más allá, atendió por medio de la hipnosis a personas normales, no sólo a pacientes histéricos como lo hacía Charcot en París. Un viejo amigo de Freud, el Dr. Josef Breuer, ya trabajaba con hipnosis en Viena y de hecho discutieron casos terapéuticos en común. Con el tiempo, Freud abandonó el hipnotismo porque observó que muchos pacientes no podían ser hipnotizados, o bien porque se resisttian a ello o porque las mejorías eran sólo transitorias. Por otra parte, Sigmund habría referido simplemente que la hipnosis no era una técnica con la cual se sintiera cómodo. Fue cuando Freud utilizó por primera vez el famoso «diván». Lo que hizo fue acostar al paciente, sentarse en la cabecera y apoyar su mano en la frente del paciente sin que éste lo viera directamente y así le formulaba preguntas logrando que se concentrara sin recurrir al hipnotismo. Con el tiempo, dejó de apoyar la mano en la frente porque consideró que influía autoritariamente al paciente impidiendo la libre expresión de éste. Es para esta altura de los acontecimientos, diván de por medio, cuando Freud dio nacimiento a lo que llamó «psicoanálisis», cursaba el año 1896.

Desarrolló un modelo teórico que intentaba explicar y describir la vida psíquica de las personas. La intimidad del ser, los porqués de nuestros actos, deseos, palabras, emociones, frustraciones, fantasías, sueños y nuestra sexualidad, por entonces fuertemente controversial y provocativa, como origen de nuestra vida anímica. Así avanzó sobre la teoría psicoanalítica también como herramienta terapéutica para resolver cuadros de neurosis, fobias, histeria y otros padecimientos psíquicos. El nudo central del fundamento de la teoría psicoanalítica reconocía varios mecanismos psíquicos fundamentales, como la existencia del inconsciente y el rol trascendente del desarrollo de la sexualidad en nuestro ser, tanto en la normalidad como en la patología psicológica. Estamos «conscientes» en ese período transitorio en el cual coinciden coherentemente nuestro mundo interno con el mundo exterior, el de los otros y de las cosas, en una interrelación coordinada y estable. Digamos, «la realidad». Como contrapartida, el «inconsciente» se circunscribe a un grupo de contenidos no presentes que permanecen escondidos y «reprimidos» en un oscuro cajón de la mente. El verdadero contenido de ese cajón cerrado del inconsciente no se hace evidente tal cual es, permanece «encriptado» y sólo se manifiesta a través de nuestros actos, nuestras palabras, nuestras emociones, nuestros chistes, nuestros olvidos, nuestros actos fallidos y, también, nuestras neurosis. En su teoría, Freud también desarrolla una concepción metafórica de una suerte de lugares imaginarios en nuestra mente. Lugares o instancias con funciones propias y diferenciadas, el Ello, el Súper Yo y el Yo. El «Ello» es aquella instancia más antigua y primitiva, que tiene que ver con lo más profundo de nuestro ser, con nuestras necesidades y deseos más ocultos e inconfesables. En otras palabras, nuestro instinto primitivo y animal, aunque para intentar humanizarlo se lo llame impulsos o pulsiones. El «Ello» tiene vida propia e independiente, funciona bajo un único principio o ley, «la del placer» y simplemente «desconoce la realidad». Es lo que al nacer traemos como heredado. Pero llega una instancia funcional que intenta alcanzar el equilibrio, el «Súper Yo». Este «lugar» en la mente, metafóricamente hablando, es el principio moral rector. La base ética como construcción y consecuencia maleable de la cultura correspondiente al grupo humano temporal y especialmente considerado. La ética y la moral no es la misma en distintas culturas y civilizaciones. Pero siempre delimita y enfrenta al «Ello» en una batalla interminable por definición. Por último, la tercera instancia, el «Yo», como resultante funcional y dinámica de los dos anteriores. No es lo que somos, es lo que de nosotros se ve y ejecuta socialmente nuestra personalidad. En definitiva y en un esfuerzo infructuoso de síntesis, el «Ello» es lo que quiero, el «Súper Yo» lo que debo y el «Yo» lo que soy.

Freud desarrolla en base a sus conceptualizaciones teóricas el método psicoanalítico como herramienta terapéutica. Herramienta que como médico no había encontrado en la clínica médica, en la neurología, ni en la cocaína. Freud asume que las entonces denominadas neurosis, como la ansiedad, las fobias, las obsesiones, la histeria, entre otras, eran resultantes de un procesamiento mental traumático de experiencias sexuales infantiles. Las muy diversas experiencias sexuales infantiles procesadas traumáticamente, tales como el hecho posible de ver a la madre o al padre desnudos, presenciar el acto sexual de los padres, alguna experiencia de abuso, alguna experiencia homosexual infantil, etc., quedarían ocultas, «reprimidas» en ese cajón del inconsciente. Distintos mecanismos generarían una «resistencia» a que se hagan conscientes, es decir, que se recuerden como tales. Quedan entonces ahí, encriptadas pero no inactivas, no son inofensivas. Por el contrario, la manifestación de «esa comida psicológica mal digerida» no es el recuerdo de la experiencia, que de hecho está reprimida, sino sus manifestaciones externas a través de síntomas neuróticos o enfermedades. El paciente tiene los síntomas, pero ignora su origen. El tratamiento psicoanalítico tiene la tarea de reconstruir el pasado de esa experiencia trayendo ese recuerdo al consciente y procesarlo, convenientemente, en la actualidad. Una suerte de «cura de empacho» psicoanalítico. Freud se colocaba tras el diván y le proponía al paciente que hablara, que hablara lo que quisiera, aunque fueran sólo palabras sueltas, conceptos aislados, lo que le viniera en gana, lo que surgiera espontáneamente sin ataduras, sin críticas, algo importante o algo trivial, algo lúcido o absurdo, por ejemplo casa, mamá, padre, sexo, masturbación, poder, miedo, odio, amor, rencor. El terapeuta escuchaba con atención, sin ser visto y sin intervenir, prestaba mucha atención, una atención activa pero expectante, lo que Freud llamaba «atención flotante». El cajón oscuro del inconsciente no deja salir la experiencia reprimida, pero tiene orificios, filtraciones y fisuras por donde escapan palabras sueltas, aparentemente inconexas, que Freud ayudaba a asociarlas hasta encontrar el sentido, la coherencia, la experiencia del pasado que mal procesada en su momento es el origen de los síntomas. Al hacerse consciente el pasado traumático, el paciente tiene la oportunidad de reprocesar, rectificar y reformular la experiencia que enquistada en el inconsciente provocaba su enfermedad psíquica. Así, la reorganización del curso del pensamiento causa alivio.

Muchos son los aportes intelectuales que el paciente hizo en su productiva vida al pensamiento en general y a la psicología en particular. Uno, entre otros tantos, fue arrojar luz sobre el hijo del Rey Layo y la Reina Yocasta: Edipo.

El complejo de Edipo

Freud provocó una revolución con la teoría del inconsciente y fue particularmente irritativo para la estructura de pensamiento de la época debido a la importancia que otorgó a la sexualidad en el desarrollo de los fenómenos psíquicos. Para Freud, la historia sexual de una persona comienza en el mismo momento del nacimiento. El bebé al nacer obtiene estímulo y placer sexual desde cualquier parte de su cuerpo. Toda la superficie corporal es erógena. Sin embargo, hay zonas erógenas específicas y etapas en el desarrollo sexual.

La primera es la «etapa oral». El bebé obtiene placer al hacerse de su alimento, chupando el pecho materno. Es su primer objeto de amor. Su boca le da un inmenso placer. De hecho, dejar la lactancia materna es la primera de muchas pérdidas que tendremos en nuestra vida. Sigmund llamó a la boca «el órgano sexual oral». La segunda etapa es la «anal». Aquí el placer es vivenciado al comenzar a controlar voluntariamente el acto de la defecación. Retener o soltar las heces causa placer. También conflictos, en la etapa de aprendizaje es reprimido o felicitado según el caso. La tercera etapa es la «fálica». Alrededor de los 3 o 4 años el chico descubre la estimulación de su zona genital y con ella la masturbación; esta etapa, aunque su nombre sea «fálica», se da por igual en hombres o mujeres. Aquí también, la masturbación puede ser reprimida y censurada por los padres. Con el tiempo se produce inexorablemente curiosidad, ansiedad y dudas por las diferencias en la anatomía sexual del varón y de la nena. Las complicaciones aparecen y es a la edad de 5 o 6 años cuando Freud describe el complejo de Edipo.

Freud apela a la tragedia griega *Edipo rey* del poeta Sófocles para explicar este conflicto psicológico de la infancia. El Rey Layo de Tebas y su esposa Yocasta tenían un hijo. El oráculo advirtió a Layo que un día su hijo recién nacido le daría muerte. Para evitar su destino, ató los pies del bebé y lo abandonó en un cerro. El niño fue rescatado por un pastor que lo entregó al rey de Corinto, quien lo adoptó como su propio hijo, lo llamó Edipo, que significa «pies hinchados», por las ataduras a las cuales había sido sometido. Edipo no sabía que era adoptado y cuando un oráculo le anunció que mataría a su padre, aterrado abandonó Corinto. Durante su huida de la ciudad se encontró con Layo, a quien dio muerte, pues confundió al Rey y sus acompañantes con una banda de ladrones. Se cumplió la profecía. Edipo llega a la ciudad de Tebas donde un monstruo, la Esfinge, devoraba a todos los viajeros que no supieran responder su interrogante: «¿Cuál es el animal que camina en cuatro patas durante la mañana, en dos al mediodía y en tres por la tarde?» Edipo contesta: «¡El hombre que en su infancia gatea, en su madurez camina erguido y en su vejez se apoya en un bastón!» La Esfinge, vencida, se suicida tirándose al mar. Los habitantes de Tebas, agradecidos, lo nombran Rey y poco después se casa con Yocasta. Viven felices por un tiempo hasta que una plaga amenaza la ciudad. Edipo consulta al oráculo que sentencia: «¡La plaga cesará cuando se descubra al asesino de Layo!» Cuando Edipo descubre la verdad, se quita los ojos para no ver que fue él quien mató a su padre y además se casó con su madre. Yocasta se suicida.

Freud interpreta el deseo inconsciente de incesto: enamorarse de la madre y sentir celos del padre. Sigmund ya había desarrollado su teoría psicoanalítica y en 1887, un año después de fallecer su propio padre, se siente impulsado a iniciar su propio «autoanálisis». Los médicos atienden pacientes, pero el paciente más cercano de un médico es siempre él mismo. Freud, como paciente, presentaba numerosos síntomas. Freud era neurótico.

La neurosis de Freud

Fue el mismo paciente, Sigmund Freud, que afirmó a la edad de 40 años que padecía una neurosis. Asumía que arrastraba síntomas de origen neurótico al menos por 10 años. La neurosis surge para Freud como un conflicto con raíz en el inconsciente. Es un trastorno mental sin la existencia de ninguna lesión orgánica. Se caracteriza por síntomas de ansiedad y angustia de distinto tipo y sintomatología muy variable. En el caso del paciente, tenemos constancia de varios síntomas que se han sostenido en el tiempo, principalmente entre los 30 y 40 años de edad. Si bien hacemos referencia a síntomas clínicamente menores, son éstos los que Freud acreditaba a su neurosis, los que tienen varios perfiles de interés. El paciente presentaba frecuentes cambios de humor, alternaba períodos de buen estado anímico e intenso trabajo con períodos de depresión. Estos estados se veían muy influidos por los síntomas físicos que él padecía. Freud presentó frecuentes problemas gastrointestinales, tenía tendencia a ocultar esta sintomatología; de hecho, en su casa únicamente su esposa estaba al tanto. Los hijos sólo conocían un ataque de «indigestión» que se producía invariablemente todos los domingos a la mañana, luego de una cena suculenta y sobrecargada del sábado a la noche y en la casa de su amigo el Dr. Leopold Konigstein[2], partida de cartas de «tarock» de por medio. En realidad, este malestar dominical, que daba lugar a chistes por su invariable frecuencia, era una manifestación de sus problemas intestinales. El cuadro clínico intestinal era a veces de constipación y a veces de diarrea, acompañado de más o menos dolor. Los síntomas de «indigestión» eran frecuentes. Las descripciones de la época citaban como posible diagnóstico cuadros de colitis, inflamación de la vesícula biliar o apendicitis crónica. En realidad, las descripciones encajan con lo que hoy llamamos «colon irritable». Es decir una alteración de la función del intestino grueso sin lesión anatómica. El intestino delgado y el grueso, y todo el tubo digestivo, se encuentra fuertemente inervado por el sistema nervioso. Es más, está lleno de neuronas, tal es así que se lo podría llamar el «segundo cerebro» por la concentración de células nerviosas que posee. Este hecho, es decir la conexión entre el intestino y el sistema nervioso, explica la gran influencia de los estados anímicos sobre el proceso digestivo y de hecho el mencionado colon irritable. Es aquí donde «neurosis», «ansiedad», nervios y sistema digestivo se relacionan directamente. Podemos asumir que los trastornos digestivos de Freud eran parte de su manifestación neurótica.

Es una suerte de sintomatología psicosomática remanente de su neurosis que comenzaría a controlar luego de iniciado su «autoanálisis» después de la muerte de su padre. Freud fue paciente de Freud.

También se citan dolores «reumáticos» en su mano derecha que han llegado a dificultar el escribir. Aunque también podían ser dolores desencadenados por el intenso uso de la pluma, escribía muchísimo. El paciente también presentó cefaleas toda su vida, una cefalea hemicraneana, es decir de mitad de la cabeza, la llamada migraña. Esta sintomatología también puede relacionarse dentro del concierto de los síntomas neuróticos

2 El Dr. Leopold Konigstein era el oftalmólogo que junto con otro especialista, Carl Koller, habían operado de cataratas al padre de Freud usando cocaína como anestésico.

de Freud. El paciente presentó, además, sintomatología prostática y lo más probable es que hubiera presentado un adenoma de próstata que hoy en día se habría diagnosticado por ecografía. Pero hay otro evento de gran interés que tiene que ver con la salud, las creencias, y las supersticiones de Freud: la ambivalente y conflictiva relación con su amigo, el Dr. Wilhelm Fliess. Fliess era un otorrinolaringólogo de Berlín que tenía teorías extrañas. Creía que muchas enfermedades se relacionaban con las enfermedades de la mucosa nasal. Lo denominaba «neurosis nasal refleja». Sostenía que la inflamación de la mucosa nasal era responsable de síntomas en diversas partes del cuerpo. Así, por ejemplo, podría ser responsable de dolores de cabeza, cuello, tórax, abdomen, problemas cardíacos, respiratorios, gastrointestinales. También afectaría a los genitales femeninos provocando alteraciones en el ciclo sexual, abortos. Fue aun más allá, afirmó que las «neurosis de origen sexual» se relacionan con la neurosis nasal refleja, tal fue la inverosímil lucubración.

Freud se encontraba muy influido por Fliess, tanto en aspectos intelectuales como los relacionados con la salud. De hecho, Fliess operó dos veces a Freud por infecciones nasales, ya que éste padecía frecuentes episodios de sinusitis. Hay quienes especulan que en base a la mencionada «neurosis nasal refleja» de Fliess, las cirugías realizadas y las teorías de Freud sobre la sexualidad, debió existir alguna relación psicoanalítica recíproca entre ambos, al menos en la interpretación de las teorías sexuales que los unían. Pero Fliess fue aun más lejos en sus extravagantes postulados. Sostenía una extraña «teoría de la periodicidad». Especulaba con la existencia de ritmos biológicos en el hombre que condicionaban la aparición de la enfermedad. Si bien hoy sabemos que estos ritmos biológicos efectivamente existen[3], sus lucubraciones eran más propias del esoterismo o la astrología. Intentaba determinar en qué días era más probable que sus pacientes enfermaran y en cuáles no. Freud creyó

---

3 Cronobiología, ritmos hormonales, ritmos circadianos, ritmos anuales, etcétera.

en la teoría en un principio, y esto lo relacionaba con los «pensamientos de la muerte»[4], una angustia de muerte. Freud sufrió durante toda su vida constantes pensamientos de su propia muerte. Pensaba sobre el significado y el porqué de la muerte y el miedo a que ésta se presentase. Era parte de sus pensamientos neuróticos. Sobre esta base de creencia fue cuando Fliess «calcula» según su «teoría de periodicidad», que Sigmund Freud moriría a los 51 años.

La afirmación tuvo fuerte influencia sobre Freud, teniendo en cuenta su neurosis de «angustia de muerte», la consideración que tenía sobre las teorías de Fliess y su tendencia a la superstición. Pasada la edad asignada para su muerte, Freud configura otra creencia supersticiosa que le revela al Dr. Sandor Ferenczi, amigo y psicoanalista húngaro. Freud afirmó a Ferenczi que moriría en febrero de 1918. Tampoco sucedió. Pasada esta fecha, el mismo Freud afirmó: «Esto demuestra lo poco que uno puede confiar en lo sobrenatural». Freud fue supersticioso y neurótico. Ahí no termina la historia clínica del paciente. También sufría del corazón.

El corazón de Freud

Freud vivía un período de intenso estrés intentando mantener a su familia en un momento en que pasaba una situación económica difícil por un lado y el interés que le provocaba la búsqueda del camino que canalizara sus futuras teorías psicoanalíticas. Se encontraba en el medio de sus necesidades económicas y de la incertidumbre del desarrollo intelectual. Fue entonces, a la edad de 37 años, cuando presentó sus primeros síntomas cardiológicos de que se tengan registro. Paciente de sexo masculino, adicto al tabaco, fumador de 20 cigarros diarios y padre que fallecería de un accidente cerebrovascular, las condiciones para pensar en enfermedad cardíaca estaban dadas. Debemos remarcar que los síntomas se presentaron a muy

4 *Todesngst* en alemán.

temprana edad. Sin duda, la carga genética, el tabaco y el estrés se asociaron. El Dr. Max Schur, quien asistió a Freud durante los últimos años de su vida, afirmó: «...Freud buscó evitar que situaciones de gran estrés y peligro se convirtieran en traumáticas y descubrir de qué modo dominarlas sin recurrir al mecanismo psicológico de negación...» Los síntomas descriptos por Freud en numerosas cartas enviadas a sus amigos y la descripción de los médicos tratantes permiten diagnosticar en el paciente tres afecciones cardíacas claras. Presentó enfermedad coronaria, arritmias cardíacas y enfermedad valvular cardíaca. La enfermedad coronaria, es decir la causada por obstrucción de las arterias coronarias, se manifestó en forma típica. Freud describió dolor de pecho intenso, de tipo «opresivo», «ardor precordial», «dolores abrazadores» que descendían por el brazo izquierdo y cierta «falta de aire»[5]. Sin duda, un enfermo coronario. Las arritmias cardíacas ya habían aparecido en 1889, después de un episodio de gripe típico. Los episodios de taquicardia fueron recurrentes[6]. Freud describió a las arritmias como «arritmias violentas». Por último, es el mismo paciente —que vale la pena recordar era médico—, quien describe que presentaba un soplo cardíaco orgánico sin agrandamiento del corazón[7]. Freud fue un paciente cardíaco sin dudas.

En este período de enfermedad cardíaca se acentuaron los síntomas emocionales en el paciente. Presentó estados más intensos de depresión, los ya conocidos episodios de «temores de muerte» y ataques frecuentes de cefalea. Todo esto emparentado con su neurosis de base pero, claro está, acrecentados por los síntomas cardiológicos que eran de temer. En su enfermedad coronaria fue atendido desde un comienzo por el Dr. Josef Breuer, quien consideraba como posible diagnóstico de

5 Descripción de transcripción dudosa del original.

6 Las descripciones hacen pensar en taquicardia paroxística, muy probablemente por fibrilación auricular.

7 No es posible saber qué válvula/s fueron las afectadas pero podría ser una insuficiencia mitral, lo que justificaría el agrandamiento de la aurícula izquierda y los episodios de fibrilación auricular.

la enfermedad cardíaca a una afección del músculo cardíaco o «miocardiopatía». Sin embargo, Freud no se sintió bien atendido por Breuer, tanto en el aspecto diagnóstico, así como también en la dedicación que el colega dedicaba a su tratamiento y seguimiento. Paralelamente, fue atendido por su amigo el Dr. Fliess, a quien lo unía una relación conflictiva, que de hecho terminó en un alejamiento personal. Fliess tenía otro diagnóstico, muy probablemente acertado, enfermedad cardíaca condicionada por la adicción a la nicotina. Mientras las discusiones diagnósticas se producían entre uno y otro médico, Freud alternaba su opinión por uno u otro diagnóstico. Finalmente, aceptó el diagnóstico de Fliess. El tratamiento, como no podía ser de otro modo, incluía la recomendación de no fumar, que Fliess transmitió al paciente como «prohibición». Freud intentó abandonar los cigarros, cosa que logró parcialmente pero con un gran sufrimiento. Presentó verdaderos períodos de «abstinencia» con intensos períodos de ansiedad. En una carta (4)[8] de Freud, éste relaciona a las adicciones con la masturbación, intentando establecer un vínculo entre el consumo de tabaco con la sustitución de aquélla:

«He comprendido que la masturbación es el único de los grandes hábitos que constituye una "adicción primaria", y que todas las demás adicciones, como la del alcohol, la morfina, el tabaco, etc., sólo aparecen en la vida como sustitutos y síntomas de abstinencia de aquélla. Esta adicción desempeña un papel importante en la histeria y quizá radique ahí parcial o totalmente mi gran e insuperable obstáculo. Al decir esto surge naturalmente la duda de si tal adicción es curable o si el análisis y la terapia deben detenerse en este punto, conformándose con transformar la histeria en neurastenia (22 de diciembre de 1897)».

La nicotina, según Freud, ejercía un efecto muy placentero en él, pero había algo más. Freud sostenía que estimulaba su

8 Sigmund Freud, *Cartas a Wilhelm Fliess (1887-1904)*, Amorrortu Editores, Buenos Aires, 2008

creatividad, su capacidad de trabajo y aumentaba su «rendimiento intelectual». En la misma carta, Freud sintetiza muy bien su relación con el tabaco:

«*12 de febrero de 1929*
Comencé a fumar a la edad de 24 años, primero cigarrillos, pero poco después, cigarros exclusivamente. Todavía sigo fumando (a los 72 años y medio) y me resisto fuertemente a reducir este placer. Entre los 30 y los 40 años tuve que abandonar el hábito durante un año y medio a causa de problemas cardíacos que podrían haberse debido al efecto de la nicotina pero que, probablemente, fueron una secuela de la gripe. Desde entonces le he sido fiel a mi hábito o vicio y creo que debo a los cigarros una gran intensificación de mi capacidad de trabajo y una facilitación de mi autocontrol. En este sentido, mi modelo ha sido mi padre, que era un fumador empedernido y siguió siéndolo hasta los 81 años de edad.»

SIGMUND FREUD (INÉDITA)

El período crítico de su enfermedad cardíaca lo tuvo a muy mal traer. A los síntomas cardíacos, a la depresión, a la angustia de muerte, a las crisis de migraña, al colon irritable, a los episodios de sinusitis, a los síntomas de abstinencia a la nicotina, a los conflictos emocionales que le provocó el episodio de la cocaína y a los síntomas prostáticos, se agregaron varios episodios de pérdida de conocimiento o desmayos, los cuales se encuentran confirmados al menos en cinco oportunidades. Varias de estas enfermedades y síntomas seguramente estaban relacionados directa o indirectamente a la neurosis que padecía, según su propio diagnóstico. Pero lo peor aún estaría por llegar, también de la mano del tabaco: el cáncer.

El monstruo y los nazis

Fue en febrero de 1923 cuando lo notó. Por entonces Freud tenía 67 años. El paciente descubrió una lesión en su paladar derecho. Posiblemente esperó que el problema se resolviera espontáneamente. Tal vez lo negó, no lo sabremos nunca. Dos meses después de la aparición de la lesión, un reconocido otorrinolaringólogo, el Dr. Markus Hayek, diagnosticó «leucoplasia». Se trataba de una lesión blanquecina, parecida a un pequeño botón, que suele verse en fumadores. La leucoplasia es en realidad una lesión premaligna. El especialista le aconsejó que planearan su extirpación con una pequeña cirugía con anestesia local. Freud se quedó pensando. Circunstancialmente lo visita su amigo el Dr. Felix Deusch. Sobre el final del encuentro, Freud le cuenta sobre su lesión a Deusch. Para no influirlo demasiado y ocultándole la verdad, le dice que un dermatólogo le había recomendado extirparla, pero lo comentó como casi al pasar. Deusch observó la lesión y sospechó la posibilidad de un cáncer. No se lo dijo, no estaba seguro sin biopsia. Optó por sugerirle que siguiera la recomendación del «supuesto dermatólogo» y que la extirpara. Freud aceptó entonces la propuesta de Hayek, programó la pequeña cirugía y extirpa la lesión. El paciente ocultó todo este trámite a su familia y fue solo a la clínica donde lo operó Hayek. La clínica formaba parte de un complejo hospitalario y carecía de habitaciones privadas. La cirugía era simple, pero siempre es una cirugía. El paciente sangró más de lo esperado y no le permitieron volver a su casa ese día. Fue cuando se pusieron en contacto con su familia para que le llevasen la ropa que necesitaba. La esposa e hija de Freud se dirigieron asustadas llevando lo necesario. Fue así como se enteraron. Anna se quedó esa noche para cuidar a su padre. Al día siguiente, con las recomendaciones postquirúrgicas correspondientes, el esquivo paciente regresa a su casa. La historia de la enfermedad final había comenzado. Ésta había sido la primera de las 33 operaciones a las que el paciente sería sometido en los 16 años siguientes. Comenzaba un calvario. El Dr. Hayek recibió luego el informe de la biopsia, resultado: lesión tumoral. Llamativamente, no comunicó tal novedad a Freud pero sí indicó la aplicación de dos sesiones de rayos X y el tratamiento con cápsulas de «radio» de colocación local. Resulta evidente que el tratamiento postquirúrgico no coincidió con un tumor benigno, es decir ese tratamiento corresponde al tratamiento de cáncer. Resulta difícil comprender qué sucedió en esa relación médico-paciente, que particularmente en este caso, era médico-médico. Tal vez Hayek creía haber extirpado la totalidad de las células tumorales y haber completado el tratamiento con rayos X y radium, garantizando así que no volvería a aparecer. Es un episodio oscuro en la historia clínica del paciente. Verdaderamente oscuro. El cirujano no dijo la verdad del resultado de la biopsia y el paciente, médico, tal vez no quiso saber más. Quizás los temores de la «angustia de muerte» de Freud y la conducta del cirujano coincidieron en un tácito acuerdo para no hacer lo correcto. No hay más información al respecto, por lo tanto nunca sabremos la verdad de los hechos. Lo cierto es que Freud siguió con dolores durante algo más de cuatro meses y luego mejoró. Aquí hay otro tema de interés en la historia clínica. Más de un trabajo de investigación actual relaciona melancolía y depresión con el curso de las enfermedades. Fue justamente luego de esta primera cirugía cuando un hecho emocionalmente triste complica la situación del paciente. El nieto de Freud, Heinz, hijo de su hija Sophie, de cuatro años y medio, muere de tuberculosis. Sophie, «su niña mimada», ya había fallecido por gripe tres años antes. Freud amaba muchísimo a su nieto, tenía debilidad por él. Fue la única vez que lloró (al menos de la que se tiene referencia documental). Freud afirmó que «después de aquella desgracia ya no fue capaz de volver a encariñarse con nadie, sólo conservaba sus afectos anteriores».

La evolución de la lesión quirúrgica fue mala. A instancia del Dr. Deusch se realizó la segunda cirugía, pero aún ahí nadie le dijo la verdad del diagnóstico. Deusch ultimó detalles para que fuera el Dr. Hans Pichler, un distinguido cirujano maxilofacial, quien operara al paciente. La decisión fue acertada. El desempeño de Pichler de ahí en adelante sería el mejor que podría esperarse, tanto quirúrgica como humanamente. Pichler examinó al paciente en conjunto con su ex cirujano, Hayek. Decidió una operación radical: Freud fue sometido a una gran cirugía en dos tiempos, la primera el día 4 y la segunda el día 11 de octubre de 1923. En definitiva, se extirpó la totalidad del maxilar superior derecho, entiéndase bien, todo el maxilar con dientes, hueso y paladar derecho. Quedó así unida la cavidad nasal con la boca. Las cirugías fueron realizadas con anestesia local. Sorprendente. Cabe señalar que la tolerancia al dolor físico de Freud puede verse en toda la evolución de la historia clínica del paciente. Se construyó una «prótesis» para reemplazar el maxilar, las piezas dentarias y el paladar perdido. Una inmensa prótesis que usaría el resto de su vida, que debía sacar todos los días para higienizarla y evitar infecciones. Semejante prótesis metálica tenía un aspecto simplemente impactante, de hecho, la llamaban «el monstruo». Comenzaba así la última parte de su historia clínica, donde «el monstruo» acompañaría al paciente los últimos 16 años de su vida. La enfermedad tumoral que presentó Freud no era conocida por entonces. Sin embargo podemos hoy tener un diagnóstico retrospectivo correcto debido al estudio actual de los preparados histológicos obtenidos de las biopsias que le fueron realizadas al paciente. Los mismos fueron enviados para su estudio a un prominente patólogo, el Dr. Lacassagne, del Instituto Curie de París entre los años 1927 y 1928 (y bien estudiados por el médico argentino Dr. José Schavelzon). Del análisis de los mismos se concluye que Sigmund Freud padeció un tumor de lenta evolución conocido hoy con el nombre de papilonatosis florida oral o carcinoma verrugoso de Ackerman. Quedarían así por delante 31 operaciones destinadas a corregir infecciones, abscesos, putrefacción de piel y tejidos profundos y la aparición de nuevas lesiones tumorales. También fueron necesarios continuos ajustes y cambios en la prótesis. Anna, la hija de Freud, sería su única enfermera hasta el final de esos 16 años de sufrimiento continuo. Numerosos serían los detalles y comentarios médicos sobre la evolución de este tumor en Freud, pero no agregarían nada de interés general, la noción del inmenso sufrimiento ya resulta evidente. Lo que sí podemos mencionar es una consecuencia en la salud; la gran «paradoja». Freud perdería la audición del oído derecho y conviviría con enormes dificultades para hablar. Un zumbido y resonancia en la audición lo acompañaría con frecuencia, y hablar sería un gran esfuerzo. Es más, Freud tuvo que cambiar la posición de su clásico diván y su sillón para ubicarse del otro lado del paciente de manera que fuera el oído sano el que se orientara hacia el mismo. Recuerda a algunas otras «paradojas» del destino, un Borges ciego, un Beethoven sordo... y un Freud, padre del psicoanálisis, con dificultad para escuchar y hablar.

Excepto por algunos breves períodos, impuestos por las complicaciones médicas, el paciente no dejó de fumar. Su barba disimulaba las cicatrices en el lado derecho.

Freud no abandonó nunca su intenso trabajo. Atendía pacientes diariamente y no detenía su producción intelectual. También fue fuertemente discutido y hasta combatido en el ambiente académico. Muchos de sus colegas no aceptaban sus teorías y era tildado de tiránico y autoritario en sus afirmaciones y accionar. Su personalidad fue conflictiva para sus detractores, muchos de ellos renombrados académicos (Adler, Jung, Rank, etc.). Él se defendía afirmando que no era su personalidad lo que irritaba, sino sus teorías sobre el inconsciente y la sexualidad. La fama del paciente fue extendiéndose no solamente en los ámbitos científicos sino también a nivel popular. Freud ya había viajado a dictar conferencias a los Estados Unidos en 1909 cuando observó, ya por entonces, que un tripulante del barco estaba leyendo un libro de psicología de su autoría. Es por eso que no llama la atención cuando en 1925 Samuel Goldwyn, de la Metro-Goldwyn-Mayer, le propuso a Freud que colaborara en la producción de una película con escenas de personajes famosos y sus historias de amor. La saga comenzaría con Marco Antonio y Cleopatra. Los honorarios para Freud eran de ¡US$ 100.000 en 1925! Freud rechazó la oferta.

Hacia 1928 Freud no contaba con médico de cabecera, indispensable en cualquier seguimiento clínico. El Dr. Pichler se encargaba del seguimiento quirúrgico, el Dr. Ludwig Braun, médico cardiólogo, lo atendía de tanto en tanto. El Dr. Lagos Levy, médico clínico de Budapest, también lo atendía ocasionalmente y el amigo de Freud, el Dr. Oskar Rie, pediatra de los hijos, se encargaba de alguna consulta general. En ese año, el paciente pasó a ser atendido clínicamente por el Dr. Max Schur. La historia fue así. Schur era médico de Marie Bonaparte, nieta del emperador Napoleón y esposa del príncipe Jorge de Grecia. Por lo tanto, pertenecía a la familia real griega. Pero a su vez era una prestigiosa psicoanalista francesa y escritora muy vinculada profesionalmente con Freud. Marie Bonaparte, con su posición económica y socialmente influyente, colaboró al desarrollo del psicoanálisis: acudió a él como paciente y fue quien lo hizo exclamar «He aquí la gran incógnita que no he podido resolver a pesar de mis 30 años de estudio sobre el alma femenina: ¿Qué es lo que quiere una mujer?» Fue ella quien le presentó al Dr. Schur y le recomendó al paciente que aceptara ser atendido por él. Schur era un joven médico de 32 años pero que reunía dos cualidades, era especialista en clínica médica y tenía una orientación psicoanalítica. Una *rara avis*. Freud venía de una relación médico-paciente en la cual se había iniciado su enfermedad tumoral, cuando los médicos tratantes ocultaron el verdadero diagnóstico. Aquí sucedió algo importante. En la entrevista inicial con el Dr. Schur, Freud le hizo prometer dos cosas. La primera, que le dijera siempre la verdad. La segunda, que «llegado el momento, no lo hiciera sufrir innecesariamente». Schur prometió ambas cosas, se estrecharon la mano y Freud se convirtió en su paciente. Acorde la evolución de la historia clínica avanzaba, el nazismo se iba expandiendo. En 1933, los nazis hicieron en Berlín una quema de libros de importantes intelectuales y pensadores. Entre ellos quemaron libros de Sigmund Freud. Al enterarse, Freud afirmó: «¡Es un gran avance, en la Edad Media me habrían quemado a mí!» En realidad, se equivocaba, en última instancia los nazis lo habrían ejecutado e incinerado en un campo de concentración. Sucedió con millones de judíos y de hecho así murieron sus hermanas. Hacia marzo de 1938, Hitler, austríaco de nacimiento, ordenó anexar Austria a Alemania y la persecución antisemita se complicó aún más. Fue entonces cuando en Viena las unidades de asalto, las S.A. del partido nazi, irrumpen en la casa de Freud en busca de objetos de valor y la hija de Freud, Anna, es detenida durante un día por la Gestapo.

Freud, que siempre creyó que Austria estaría a salvo de los nazis, aún se resistía a dejar Viena.

Morir en libertad y eutanasia

Los nazis habían invadido Austria el 11 de marzo de 1938. El escenario era el de imaginarse.

El aeropuerto de Viena estaba lleno de aviones militares alemanes, muchos sobrevolaban la ciudad en forma constante para anunciar la nueva presencia, y en las calles los tanques y vehículos militares pasaban sin cesar. Muchos judíos, por distintos motivos, se negaban a emigrar. Miedo a perderlo todo, abandonar a familiares, amigos, la esperanzada sensación de que en última instancia nada de extrema gravedad podía ocurrir. Sea como fuere, Freud también se negaba a dejar Austria. Tampoco era fácil elegir adónde ir. Ningún país recibía con facilidad inmigrantes, la desocupación en Europa era enorme. El Dr. Ernest Jones, amigo, médico neurólogo, psicoanalista y biógrafo oficial de Freud, cita su negativa a dejar suelo vienés: «No podía abandonar el suelo patrio, tal conducta sería como la del soldado desertor». Muchos fueron quienes insistieron para que Freud emigrase, su reconocimiento internacional podría facilitar la salida de Austria y la recepción en algún país. Jones, ante la negativa de Freud, ensayó un argumento que parece haber resultado, le dijo a Freud en cuanto a su actitud de no abandonar Austria: «Hay una semejanza entre su situación y la de Lightoller, el segundo oficial del *Titanic*, que en ningún momento abandonó su barco, sino que éste lo abandonó a él...» Según Jones, éste fue un argumento que Freud consideró. Le estaba diciendo, con otras palabras, que dadas las reales circunstancias, era la Austria nazi la que lo abandonaba. Pero convencer a Freud no era el único obstáculo, había que convencer a los nazis de que permitieran salir a Freud. La situación no fue fácil, pero se trataba de un intelectual de respeto a nivel internacional. Fue así como W. C. Bullit, que era embajador americano en Francia, solicitó al presidente Roosevelt que intercediera en el caso. Roosevelt indicó a su secretario de Estado que enviara instrucciones al encargado de negocios americano en Viena. Asimismo, Bullit se puso en contacto con el conde Von Welczeck, embajador alemán en Francia, y le hizo notar que «el maltratar a Freud» eventualmente sería un error a nivel internacional. Así, los esfuerzos de Welczeck se sumaron a los del secretario de Estado americano. El psicoanalista italiano Eduardo Weiss, discípulo de Freud que mantenía contacto con el Duce, afirmó que Mussolini también hizo algo. Posiblemente en forma directa con Hitler o con su embajador en Viena. Fue así, entre otras influencias más, que los trámites que permitirían salir a Freud de Viena se fueron instrumentando. El «salvoconducto» estaba en camino, pero los alemanes exigieron a Freud grandes sumas de dinero como «impuesto de emigración». Marie Bonaparte colaboró con dinero para lograr el pago del «impuesto». Freud seleccionó libros y piezas de su colección de antigüedades que deseaba llevar consigo. El destino: Londres. El lugar donde Freud deseaba «morir en libertad». Pero los nazis no sólo abusaron en el cobro de «impuesto de migración», sino que obligaron a Freud a firmar una documentación para librar el salvoconducto que lo llevaría a Londres. El documento decía lo siguiente: «Yo, profesor Freud, confirmo por la presente que después de la anexión de Austria al Reich de Alemania he sido tratado por las autoridades germanas, y particularmente por la Gestapo, con todo respeto y la consideración debidos a mi reputación científica, que he podido vivir y trabajar en completa libertad». Cuando el comisario le expuso la nota a Freud, éste pidió que le permitieran agregar una frase, con su clásica ironía. «De todo corazón puedo recomendar la Gestapo a cualquiera». El salvoconducto había sido concedido y Sigmund Freud cruzó la frontera con Francia en el Expreso de Oriente. Lo acompañaban su esposa y su hija. Para su alegría, no volvería a ver un nazi. El viaje no estuvo libre de síntomas cardíacos. El dolor de pecho hizo necesario que tomara medicación para mejorar la circulación coronaria y así disminuir los síntomas de ese dolor de origen cardíaco. Freud fue muy bien recibido en Londres por la sociedad en general, el periodismo y sobre todo por la comunidad científica. La persecución de los judíos recién comenzaba en Austria. Sus cuatro hermanas no viajaron con Freud. Marie Bonaparte hizo lo posible para sacarlas de Austria. No pudo. Serían incineradas cinco años más tarde, pero Freud no llegaría hasta entonces. Mientras tanto nuevas lesiones cancerosas se desarrollaban en el paciente. Fue sometido a una nueva cirugía. Fue una vez más el Dr. Pichler quien lo operó accediendo al maxilar por una incisión en la mejilla. Para hacerse una idea de la magnitud y el sufrimiento del paciente tengamos en cuenta que el propio Freud dijo: «...fue la operación más seria que había sufrido desde la primera operación radical de 1923». La historia clínica cursaba por entonces en junio de 1938, el paciente tenía 82 años. En ese entonces, Freud recibió una distinción muy especial. Miembros de la Royal Society de Londres llevaron a casa de Freud el estatuto oficial de la sociedad para que éste lo firmara. Tal distinción se encontraba sólo reservada para personajes muy importantes. Freud se mostró feliz al ver que antes que él habían firmado Isaac Newton y Charles Darwin. Poco después, recibió la visita de Salvador Dalí, quien hizo un boceto surrealista del cráneo de Freud, con una imagen similar a la de un caracol. Tres meses después, estalló la Segunda Guerra Mundial, en septiembre de 1939. La guerra de Freud era otra. El cáncer avanzaba, las infecciones y la pérdida de peso eran constantes. Las lesiones eran ya inoperables. Sólo se pudo administrar rayos para aliviar los dolores. La medicación alternaba entre aspirina, piramidona, morfina y la aplicación de cocaína como anestésico local. La misma cocaína que tanto lo había hecho sufrir años atrás.

En Londres, en algún momento, Freud le dijo a su amigo Sandor Ferenczi que en realidad él conocía el real diagnóstico desde un comienzo. Nunca lo sabremos realmente. Nunca dejó los cigarros. Nunca dejó de dar cuerda a su reloj de cuerda de 7 días que tenía en su escritorio mezclado con las muchas antigüedades que siempre lo acompañaron. Continuó con sus escritos y su producción intelectual hasta el final. Su lesión despedía un olor putrefacto. Su perra ya no se acercaba a él y cuando estaba en su habitación se recostaba lo más lejos posible de Freud. El sufrimiento final fue intenso. El cáncer se abría camino por la mejilla. Fue cuando Freud le dijo a su médico, el Dr. Schur «...usted recordará nuestra primera conversación. Usted me prometió que me ayudaría cuando yo ya no pudiera soportar más. Ahora es sólo una tortura y ya no tiene ningún sentido...» Y luego: «Por favor, Dr. Schur, hable esto con Anna y si ella piensa que está bien, terminemos». El Dr. Schur aplicó una dosis de morfina mayor a la habitual el 21 de septiembre, repitió la dosis 12 horas después cuando el paciente volvió a agitarse. Freud presentó un estado de coma y ya no despertó. Falleció a las 3 de la madrugada del 23 de septiembre de 1939. Eutanasia. Durante toda su vida había reflexionado largamente sobre la muerte y estaba preparado. En estas frases está resumido parte de su pensamiento: «Si quieres poder soportar la vida, debes estar dispuesto a aceptar la muerte»; «Si quieres vivir, prepárate para morir».

Domingo Faustino Sarmiento: arquetipo del maestro

El abordaje del paciente a través de la historia clínica nos permite conocer su intimidad desde un lugar diferente. La historia clínica es, en este sentido, un pretexto médico y una oportunidad para conocer a una persona en profundidad. Esto incluye no solamente los aspectos físicos del examen clínico, sino también los perfiles emocionales y psíquicos que hacen a la construcción de la personalidad. Además, una persona, integralmente considerada, también es producto de la interacción con su medio y sus vivencias. Formular una historia clínica es repasar su historia de vida, donde las fortalezas y debilidades, tanto físicas como psicológicas, interactúan dinámicamente con el entorno social y condicionan la calidad de vida. Somos seres sociales, y en tanto ello, la relación con el medio y el tiempo que nos toca vivir también nos determina. El paciente en estudio es, tal vez, el más polémico de los próceres destacados de la historia argentina. Ha sido venerado por muchos y criticado con vehemencia por otros. Aquí, en la historia clínica, no intentamos dilucidar esa polémica sino explicar su porqué, desenhebrando la intimidad del paciente. Los seres humanos están construidos con las mismas virtudes y defectos, la diferencia entre unos y otros radica en la proporción relativa que alberga cada uno de ellos. Una proporcionalidad razonable entre virtudes y defectos determinaría lo que podría llamarse un hombre «normal». Pero como señalara Adolfo Prins[1], «el hombre normal es una fórmula, no ha vivido nunca». No obstante, podríamos considerar, con fines operativos, que una razonable proporción de virtudes y defectos darían lugar, al menos, a lo que podríamos llamar en algún sentido «un hombre equilibrado». Cuando algunas aristas de la personalidad resultan claramente salientes, sean ellas virtudes y/o defectos, configurarán una piedra irregular con perfiles angulosos que según sea el observador se tratará de un diamante o un carbón. En este sentido, el paciente cuya historia clínica estamos formulando en este capítulo es un desequilibrado, un anormal. Y esto es así habida cuenta de características salientes de su quehacer y su personalidad que lo alejan claramente del común denominador de las personas. ¿Quién creería, por caso, que un San Martín o un Belgrano fueron personas normales?

Lo que en esta historia clínica analizamos son las características particulares que hacen de Sarmiento un hombre polémico y esa polémica nace, precisamente, del ángulo o perfil personal por donde se lo aborde. Veamos dos aspectos diferentes que hacen al paciente desde la óptica de dos notables personajes históricos:

«...el señor Presidente Sarmiento se ha colocado y empezado ya su programa, por el peor, y más funesto de todos los caminos. Su programa es opuesto al sentimiento de la mayoría de las Repúblicas de América».
   Cartas del exilio, JUAN MANUEL DE ROSAS (1783-1877)

«Sus pensamientos fueron tajos de luz en la penumbra de la barbarie americana, entreabriendo la visión de cosas futuras. Pensaba en tal alto estilo que parecía tener, como Sócrates, algún demonio familiar que alucinara su inspira-

1 Destacado abogado penalista, cofundador de la Unión Internacional de Derecho Penal.

ción. Cíclope en su faena, vivía obsesionado por el afán de educar...»

DR. JOSÉ INGENIEROS (1877-1925)

Sarmiento tuvo, sin duda, una personalidad polifacética: fue escritor, periodista, político, senador, militar, presidente de la Nación, pero su característica más saliente fue la de ser «maestro», comulgando así con la máxima del sabio chino Kuan Tsu del año 300 A.C.

Si planeas para un año, siembra arroz.
Si lo haces para diez, planta árboles.
Si es para toda la vida, educa a los hombres.

Hombre arrogante, ególatra, egocéntrico, orgulloso, de humor cínico, de muy alta autoestima, impulsivo, autorreferencial, vanidoso, susceptible, paranoico, agresivo y violento por un lado, e inteligente, franco, sincero, en lo absoluto hipócrita, autodidacta, estudioso y con gran capacidad de trabajo, sensible, emotivo, memorioso y con un innegable amor por la Patria.

Psicología del paciente

Sarmiento nace el 15 de febrero de 1811 en Carrascal, uno de los barrios más pobres de la provincia de San Juan. Su entorno familiar explica algunas características del paciente. El centro de su recuerdo es su madre, Paula Albarracín, que tuvo quince hijos de los cuales sobrevivieron seis. Aunque no tuvo formación escolar, pudo mantener a su familia gracias a las habilidades que desarrolló en el telar; era una virtuosa mujer, sensible, laboriosa y tranquila. Sarmiento, entonces, se crió en un hogar muy pobre y austero, cuyo eje y sostén fue la figura materna. En su libro *Recuerdos de Provincia*, Sarmiento cita:

«La madre es para el hombre la personificación de la providencia, es la tierra viviente a que se adhiere el corazón,

como las raíces al suelo (...) Tejía mi madre doce varas por
semana, que era el corte del hábito de un fraile, y recibía
seis pesos el sábado, no sin trasnochar un poco para llenar
las canillas de hilo que debía desocupar al día siguiente (...)
...el hábito del trabajo manual es en mi madre parte inte-
grante de su existencia.»

El padre de Sarmiento era, en cambio, un hombre inesta-
ble, exaltado, afecto a la buena vida. No tenía trabajo fijo: vivía
de changas. Dice Sarmiento con respecto al matrimonio de su
madre:

«...la noble obrera se asoció en matrimonio, a poco de termi-
nada su casa, con don José Clemente Sarmiento, mi padre,
joven apuesto de una familia que también decaía como la
suya, y le trajo en dote la cadena de privaciones y miserias
en que pasó largos años de su vida.»

Sin embargo, por otro lado, cita el paciente que su padre era
«portador de mil cualidades buenas...», entre ellas las patrió-
ticas. Así, en 1812 vio en Tucumán las miserias y necesidades
del ejército de Belgrano y de regreso a San Juan comenzó una
«colecta patriótica» que él mismo fue el encargado de llevar al
ejército. En 1817, acompañó al Gral. San Martín a Chile como
oficial de milicias en el servicio mecánico del ejército y desde
el campo de batalla de Chacabuco fue despachado a San Juan
para llevar la noticia del triunfo de los patriotas. [2]
  Paula Albarracín criaba a su hijo con la idea de que éste
fuera cura en San Juan y el padre, por su parte, lo estimulaba
con las ideologías propias de la época. Ese crisol heterogéneo
constituyó el hogar del paciente y modeló su infancia. Su padre

2 En 1846, Sarmiento se entrevistó con el Gral. San Martín en Grand Bourg,
Francia. Entonces Sarmiento tenía 35 años y San Martín, 68. En *Recuerdos de*
Provincia cita que el general se alegraba de ver al hijo de aquel que había
cruzado a Chile con él y había llevado la noticia del triunfo de Chacabuco.
En las entrevistas San Martín y Sarmiento mostraron posiciones políticas diferentes con respecto a Juan Manuel de Rosas. Posiblemente se trató de una
discusión.

y su tío José Eufrasio Quiroga Sarmiento le enseñaron a leer a la edad de cuatro años. Luego se sumaron algunos parientes notables, como Domingo y José de Oro.

Más tarde concurriría a una de las «escuelas de la Patria» que nacieron en virtud a los gobiernos de la Revolución. En el colegio, al interactuar Sarmiento con sus compañeros de aula, aparecen diferencias notables que pueden explicar el origen de un perfil psicológico de vanidad. Debe quedar claro que el desarrollo de la personalidad es un proceso complejo en el cual intervienen condiciones genéticas, es decir heredadas, y sobre ese condicionamiento interactúan las experiencias de vida y factores ambientales que dan así forma a la personalidad.

Era evidente la capacidad de aprendizaje de Sarmiento y sus cualidades se hacían evidentes ya en etapa temprana. Un escrito de Sarmiento nos da una idea de esta situación y la repercusión anímica que generó en el paciente y su influencia en la construcción de su psiquismo.

«Siendo alumno de la escuela de lectura, construyose en uno de sus extremos un asiento elevado…, al que se subía por gradas, y fui ya elevado a él con el nombre de ¡primer ciudadano! Esta circunstancia, la publicidad adquirida por entonces, los elogios de que fui siempre objeto y testigo, y una serie de actos posteriores han debido contribuir a dar a mis manifestaciones cierto carácter de fatuidad de que me han hecho apercibirme más tarde. Yo creía desde niño en mis talentos como un propietario en su dinero, o un militar en sus actos de guerra».

Es el mismo Sarmiento quien hace una descripción muy clara de su habilidad y capacidad intelectual ya en la etapa de la escolaridad y sus diferencias con el resto de los compañeros; pero vale la pena destacar que es él mismo quien hace referencia a la vanidad cuando utiliza la palabra *fatuidad* cuyo sinónimo es, según el Diccionario de la Real Academia Española, «presunción de vanidad infundada y ridícula».

Del análisis del escrito surgen tres elementos que nos ayudan a definir la estructura psíquica del paciente: era inteligente, capaz y de rápido aprendizaje, resultaba vanidoso en sus manifestaciones y a la vez era sincero al reconocer dicha vanidad.

Otros dos testimonios escritos por Sarmiento, en *Recuerdos de Provincia*, nos ayudan a delinear la velocidad madurativa del paciente durante la etapa escolar y en tanto ello el «desajuste vivenciado en su entorno». Dice Sarmiento: «Dábame además superioridad decidida mis frecuentes lecturas de cosas contrarias a la enseñanza con lo que mis facultades inteligentes se habían desenvuelto a un grado que los demás niños no poseían». Resulta evidente que la edad madurativa era mayor a la cronológica y su interés se alejaba de la actividad diaria de sus compañeros, como lo deja bien claro en el siguiente párrafo: «No supe nunca bailar un trompo, rebotar la pelota, encumbrar un cometa, ni uno solo de los juegos infantiles a los que no tomé afición en mi niñez». Pero hay una nota más en *Recuerdos de Provincia* sobre su etapa escolar y que amerita engrosar la historia clínica del paciente. Dice Sarmiento: «En una visita de mi familia a casa de doña Bárbara Icasate, ocupé el día en copiar la cara de un San Jerónimo y una vez adquirido el tipo yo lo reproducía de distintas maneras en todas las edades y sexos. Mi maestro, cansado de corregirme en este pasatiempo, concluyó por resignarse y respetar esta manía instintiva». A poco que nos detengamos en esta descripción descubriremos que tiene características muy particulares. Nos habla de la aptitud y capacidad de un copiado en dibujo con la particularidad de transformar el mismo en una figura antropomórfica que, respetando la original, transformará en una imagen del mismo en una edad menor y mayor a la original y además en diferente sexo. Sin duda, una idea original, imaginativa y que requiere de sofisticados procesos de ideación como para llevarla a la práctica, más aún en un niño. Resulta revelador de un perfil de genialidad.

Las necesidades económicas de la humilde familia hicieron que Sarmiento debiera trabajar en el almacén de una pariente, viuda de don Soriano Sarmiento. Ahí aprovechaba todo el tiempo posible para leer, sustrayéndose en tanto pudiera de la tarea del almacén. Dice Sarmiento en *Recuerdos de Provincia*: «La historia de Grecia estudié de memoria y la de Roma enseguida y esto mientras vendía yerba y azúcar y ponía mala cara a lo que me venían a sacar de aquel mundo que yo había descubierto para vivir en él».

Un libro al que le había dedicado tiempo era la *Biblia*. De hecho, leía las Escrituras en la misa de la capilla de Santo Domingo, donde por dos años fue monaguillo de su tío cura, hermano de su madre, don Juan Pascual Albarracín. Por entonces, el paciente era creyente, pero no dogmático. Creía en Cristo, pero estaba lejos de la Iglesia Católica. Se sentía más cerca de la iglesia anglicana o el luteranismo.

En el futuro, Sarmiento promovería la educación laica. Hacia 1823, a la edad de doce años, el paciente vivió una experiencia frustrante y traumática que bien puede considerarse una bisagra en su esquema de aprendizaje y capacitación. Se postuló a una beca de estudios para el Colegio de Ciencias Morales de Buenos Aires, pero no salió sorteado; tampoco contaba con las relaciones y el dinero suficiente para ir a estudiar a Buenos Aires. Sin duda, fue para él un impacto muy fuerte, pues «hubiera obtenido así un aprendizaje de orden académico en Buenos Aires que yo nunca pude obtener».

De ahí en más, quedará condenado a formarse como autodidacta, toda una paradoja en la futura vida pública del paciente. En el escrito «Mi defensa», el paciente nos dejó otra huella en tinta que nos invita a conocer su personalidad: «Desde la temprana edad de 15 años, declara, he sido jefe de mi familia. Padre, madre, hermanas, sirvientes, todo me ha estado subordinado y esta dislocación de las relaciones naturales ha ejercido una influencia fatal en mi carácter. Jamás he reconocido otra autoridad que la mía». Aquí ya no nos habla sólo de autosuficiencia, sino de liderazgo y conducción sobre su grupo familiar. Lo que en psicología cognitiva se conoce como «asertividad» o seguridad en uno mismo, era un rasgo que sin duda estaba muy desarrollado en él.

De las lecturas biográficas y particularmente de sus propios escritos y libros, que resultan fuertemente autorreferenciales, pueden señalarse dos características más de su perfil psicológico: podía realizar varias tareas al mismo tiempo y era un hombre de gran voluntad. Por caso, citemos esta frase de

Sarmiento anecdótico, escrito por su nieto Augusto Belín Sarmiento, cuando hace referencia a su forma febril de trabajar: «Era una fragua, un volcán, los escritos sucedían a los escritos y sólo para descansar y aplacar la cólera». Esa capacidad de trabajo la aplicó también para el aprendizaje de los idiomas: francés, italiano, inglés, alemán y portugués.

La impulsividad y la conducta pro activa eran otras de sus características destacadas, manifiestas en distintos ámbitos de la vida. Su impulsividad también resulta documentada en algunas acciones en su condición de militar. Cita el doctor Nerio Rojas en este sentido:

«La participación de Sarmiento en la batalla de Caseros debía ser la de un entusiasta que sin funciones definidas y tascando el freno, no espera sino lanzarse a la acción. En medio de la jornada recibe la orden de hacer avanzar sobre El Palomar una división oriental. Atravesando campo lo detiene el comandante Galván y lo salva de caer en una división rosista. Cumplida su orden, "carga espada en mano, con la división oriental, que tomó por asalto las posiciones enemigas", según expresa el General Mitre. Así tuvo la dicha de hallarse en lo mejor del combate, sacando como trofeo de la refriega un estandarte de Rosas.»

Cuenta Augusto Belín Sarmiento, con referencia a la batalla de Caseros, que el capitán Pedro Ballefin, su ayudante en Caseros, y el teniente coronel Dillon, certifican que no teniendo Sarmiento colocación forzosa en la línea, avanza espontáneamente hasta colocarse al frente de ella en el punto más avanzado, al punto que Dillon debió rogarle, dos o tres veces a medida que arreciaba la metralla, que evitase el peligro provocado sin necesidad.

Otro aspecto saliente del perfil psicológico y conductual del paciente es la ira, un rasgo popularmente aceptado cuando se construye la "imagen" de Sarmiento. Sin duda, era uno de los emergentes más importantes de su carácter, una arista que aparece en numerosas anécdotas.

Antes de continuar, vale la pena establecer una diferencia entre la ira propiamente dicha, una emoción que puede experimentar cualquier persona en algún momento, y aquella característica permanente que constituye un estilo de conducta, la que marca una «tendencia» a reaccionar con ira, cólera o violencia; es lo que corrientemente se conoce como personalidad o temperamento iracundo, que emerge cuando la persona necesita defender sus intereses o cuando se siente agredido. Un temperamento iracundo (y numerosas reseñas indican la presencia de éste en nuestro paciente) se manifiesta, entonces, en la conducta, ya sea a través de acciones iracundas o de reacciones cargadas de humor cínico, una respuesta intelectual de orden dialéctico que permite agredir al adversario de modo socialmente tolerable.

A Sarmiento no le faltaba ninguno de estos dos recursos: ni el humor cínico ni la respuesta intelectualmente elaborada. Una anécdota del sanjuanino sirve como muestra. El paciente era de buen comer, sobre todo en cantidad, y cierta vez en una cena un hombre acompañado por su esposa, al ver el voraz apetito de Sarmiento le dijo en tono burlón: «¡Le envidio su apetito!», a lo que Sarmiento contestó: «¡Yo le envidio su señora!» Si bien esta respuesta apela al humor, sin duda es también la reacción de una personalidad iracunda frente a una agresión.

Las reacciones de ira en Sarmiento debieron ser más notorias con el paso del tiempo, al menos por dos motivos. El primero de ellos es porque sencillamente el correr de los años no hace más que remarcar y enfatizar los perfiles salientes y distintivos de la personalidad. El segundo, porque el paciente desarrollaría sordera, lo que en general hace que la relación interpersonal se complique. En un temperamento iracundo e intolerante esta situación se expresa con mayor facilidad. Además, la persona con sordera tiene tendencia a hablar con mayor volumen de voz y en una situación de enojo magnifica la ira percibida por el entorno. Las reseñas biográficas se encuentran plagadas de reacciones del paciente en términos de ira. Era frecuente que las discusiones y polémicas terminasen en insultos, agresiones o incluso en eventos de pugilato. Este rasgo de la personalidad probablemente sea el que más contribuyera a que sus enemigos lo apodaran «el Loco». La calificación de loco en referencia a Sarmiento resultó ser muy difundida popularmente. Una anécdota señala este aspecto. Cuando era Presidente, solía visitar los hospitales de modo sorpresivo para ver cómo se atendía a la gente. Cierta vez, visitó el hospital psiquiátrico. Se acercó a un grupo de internados que charlaban en el patio, enseguida uno de ellos le dijo: "¡Bienvenido! Yo sabía que el Loco Sarmiento iba a terminar entre nosotros".

Otro rasgo de la personalidad que resulta claro en el paciente es la llamada personalidad «tipo A»[3]. Este estilo de comportamiento fue descripto por los doctores Ray Rosenman y Meyer Friedman en Estados Unidos en 1959. Desde entonces, cientos de trabajos de investigación científica se centraron en este «constructo psicológico» como estilo de comportamiento estable en los sujetos con personalidad «tipo A». Los rasgos que componen este estilo conductual son los siguientes:

1. Fuerte inclinación hacia la competitividad.
2. Tendencia a un esfuerzo sostenido hacia el logro de objetivos preseleccionados.
3. Alto compromiso con el trabajo.
4. Tendencia a la rapidez, prisa o impaciencia.
5. Tendencia a la conducta hostil.
6. Un constante y elevado nivel de alerta física y mental.
7. Tendencia a comprometerse en múltiples actividades al mismo tiempo.
8. Baja sensibilidad a los síntomas físicos.
9. Alta resistencia al cansancio mental y físico.
10. Tendencia a visualizar en el entorno un alto nivel de amenazas.
11. Tendencia a reaccionar intensamente ante la presencia de desafíos y demandas.
12. Noción de invulnerabilidad.
13. Necesidad de tener todo bajo control.

---

3 Hay que aclarar que, en sentido estricto, la personalidad tipo A no se ajusta a la definición psicológica clásica de personalidad. Más bien es un estilo conductual. En inglés *Type A Behaviour* (TAB) que significa literalmente «comportamiento tipo A».

A poco que repasemos estas características que definen este tipo de personalidad, observamos que, en principio, nuestro paciente puede ser incluido en este estilo de conducta. Casi todas estas características pueden acreditarse a Sarmiento. Es, en definitiva, un modo de conocerlo. Respecto de la «tendencia a la rapidez, prisa o impaciencia», cabe señalar que esta conducta es frecuentemente coincidente con un alto nivel de ansiedad. Por otro lado, es una característica frecuente en personas con hiperactividad, como es el caso del paciente. En una carta que Sarmiento escribe al General Mitre, comentada por el doctor Nerio Rojas, puede observarse una conducta propia de la ansiedad.

En julio de 1852 estaba en Yungay obligado al reposo de una vida casi burguesa, que no se avenía con su espíritu combativo. Su sistema nervioso como un acumulador eléctrico necesitaba descargarse aunque fueran actividades puramente motrices. Era el estado de ánimo del espíritu, nuevamente expatriado en Chile, cuando ya no podía dominar su protesta contra Urquiza. Él lo refiere en una carta a Mitre: «Rasguño la silla en que estoy sentado, tallo la mesa con el cortaplumas y me sorprendo mordiéndome las uñas».

A favor del diagnóstico de ansiedad, podemos agregar una descripción del propio Sarmiento cuando decía que él era de una «naturaleza eléctrica». ¿Por qué señalamos este estilo conductual de personalidad tipo A? Porque numerosos trabajos de investigación relacionan esta «personalidad» con una mayor tendencia a presentar enfermedades cardíacas. Éste sería el caso del paciente en el futuro.

Como consecuencia de la susceptibilidad de Sarmiento, aspecto frecuente en la personalidad tipo A, emerge claramente su vanidad, que cristaliza en egocentrismo y egolatría. Entiéndase que estamos haciendo referencias a los aspectos de su personalidad en función de la historia clínica; en absoluto anima este análisis un sentido crítico. Como decíamos, este aspecto, la egolatría, resulta evidente en varios escritos y conductas descriptas en el paciente. Por caso, citemos una que apunta claramente en este sentido y resulta ser de puño y letra del paciente:

«Yo soy don Yo como dicen pero este don Yo ha peleado a brazo partido 20 años con don Juan Manuel de Rosas y lo ha puesto bajo sus plantas, y ha podido contener en sus desórdenes al General Urquiza luchando con él y dominándolo. Todos los caudillos llevan mi marca. Y no son los chiquillos de hoy día los que me han de vencer, viejo como soy, aunque dentro de muy pocos años la naturaleza hará su oficio».

Este escrito de Sarmiento nos permite efectuar un diagnóstico en el sentido más imparcial y puro de la consideración del perfil ególatra de la estructura de la personalidad del paciente.

Otro aspecto más que delinea la personalidad del paciente es su atracción por los uniformes militares. Sobre ello hay testimonios relevantes. Leopoldo Lugones dice que Sarmiento «amaba los grados militares, en cuya suntuosidad materializó tal vez su amor a la gloria». En este sentido resulta revelador y confirmatorio una carta que dirige al general Mitre en 1853, donde reclamaba un grado militar y el uniforme que lo representa:

«Se organiza el ejército, se forma una lista militar ¿No tendrá Buenos Aires la atención de incorporar en ella a un teniente coronel? (…) Usted sabe por cartas anteriores que doy valor a estas bagatelas y necesito tener mi cuartel general donde están mis compañeros y amigos y en cuanto a grado y servicios creo que valgo lo mismo que lo más ineptos que ostentan iguales.»

Sarmiento era un trabajador incansable, creador y productor de ideas plasmadas en sus escritos literarios y periodísticos de contenido político y también militar. Por lo visto, su temperamento también requería reconocimiento.

De las citas realizadas, del repaso de los hechos y los escritos analizados, como de tantos otros, es posible adentrarnos en la personalidad de nuestro paciente viajando a través del tiempo y materializar la información en un diagnóstico de historia clínica. Así las cosas, podemos decir que estamos en presencia de un paciente de alta capacidad cognitiva, memorioso, de gran facilidad de aprendizaje, gran capacidad de trabajo, hiperactivo, vanidoso, sincero, voluntarioso, impulsivo, iracundo, ansioso, susceptible y de perfil paranoico, de alta autoestima, ególatra, megalómano, orgulloso y de rasgos intelectuales que trazan un perfil de genialidad. Por otra parte, cabe señalar que estas características se manifiestan principalmente en las acciones que tienen como norte su firme interés por el destino del país. Éste es el denominador común de todas las reseñas analizadas para sostener este diagnóstico del perfil de personalidad del paciente. Vamos ahora a otro aspecto importante de su personalidad: su vida afectiva.

Los afectos de Sarmiento. Un amor prohibido

Hasta aquí hemos hecho mención a distintos aspectos psicológicos del paciente. Pero ahora vamos a consignar en la historia clínica algunos referentes de su mundo emocional. Como sabemos, las emociones resultan ser centrales en el equilibrio psíquico de las personas. De hecho, en la evolución histórica de nuestra especie, la emoción aparece cronológicamente antes que la razón, es una función biológica previa a la razón. De algún modo, sigue siendo así. Muchas de nuestras supuestas «razones» no son otra cosa que «emociones» racionalizadas en un esfuerzo por explicarlas.

Sarmiento fue una persona con un mundo emocional muy rico. Fue el mismo paciente que en el *Facundo* cita «yo soy propenso a llorar». Este mundo afectivo tiene su correlato en sus relaciones amorosas. A Sarmiento no le era fácil la conquista en virtud de sus dotes físicas, simplemente no las tenía. A falta de ellas, recurrió siempre a sus otros talentos. La sensibilidad, el buen trato, la consideración hacia la mujer y el don de su palabra. No lo pudo expresar mejor Leopoldo Lugones cuando dijo sobre Sarmiento y su relación con las mujeres: «Tenía la guinda maliciosa en el pico para las damas». No hay dudas de que Sarmiento era un gran conversador.

Cuando se exilia por primera vez en Chile a la edad de veinte años, conoce a una alumna chilena, María Jesús del Canto, también de veinte años. De esa relación nació su hija Ana Faustina. Sarmiento la reconoció, pero la relación amorosa no duró mucho. Sarmiento terminó enviando a su hija a San Juan, donde quedaría al cuidado de su madre y su hermana. De María Jesús del Canto se perdería el rastro luego de romperse la relación, pero Faustina acompañaría a Sarmiento incondicionalmente hasta el fin de sus días.

El próximo capítulo en la vida sentimental de Sarmiento tuvo lugar a sus treinta y cuatro años, en 1845, durante su nuevo exilio a Chile, donde conoce a una mujer descripta como «hermosa». Benita Martínez de Pastoriza era una chilena, esposa de un médico mucho mayor que ella, el doctor Castro y Calvo. La situación no fue impedimento para que se enamoraran e iniciaran una relación. Al poco tiempo, Sarmiento debió viajar a Estados Unidos, Europa y África, y al regresar tres años más tarde, se entera de que Benita había tenido un hijo varón al que llamó Domingo. Su marido había muerto, y ella esperó a Sarmiento, quien reconoció al niño Domingo Fidel dándole su apellido. Los trascendidos de la época dan cuenta de que el hijo era en realidad hijo de Sarmiento y al parecer éste le dio su apellido bajo esta presunción. Asumamos que debía tener algún fundamento. Lo cierto es que Sarmiento amaría muchísimo a Dominguito.

El capítulo siguiente en la historia de las relaciones amorosas de Sarmiento es sin duda muy especial, de hecho fue uno de los romances más renombrados en nuestro país. Un romance que no podía haber sido de modo distinto al de su impronta provocativa y polémica. Dos amantes que vivirían un amor prohibido por treinta años. La sensibilidad emocional de Sarmiento estaría siempre marcada por esta relación. Había conocido a Aurelia Vélez Sarsfield, hija del prestigioso jurista redactor del Código Civil argentino Dr. Dalmacio Vélez Sarsfield, en Montevideo, cuando ella tenía nueve años. La volvió a ver luego de la batalla de Caseros en 1852, ya adolescente, a los dieciséis. Pero el flechazo llegaría cuando Sarmiento regresó a Buenos Aires desde Chile en 1855. Ella tenía veinte años, el cuarenta y cuatro. Era atractiva, inteligente, muy preparada y secretaria de su padre, con quien colaboró en la preparación del Código Civil. Al inicio de este período de su experiencia política en Buenos Aires, Benita, su esposa, permanecería en Chile al cuidado de Dominguito.

En las noches de Buenos Aires se repetían las reuniones sociales en la casa de su amigo Vélez Sarsfield, donde su hija, a quien llamaban cariñosamente «la Petisa», atendía a Sarmiento de lo mejor. Pero «la Petisa» también había tenido su historia a pesar de su corta edad. Aurelia había estado casada con su primo, el Dr. Pedro Ortiz Vélez. Pedro era un hombre elegante e inteligente. Además de médico prestigioso, considerado un muy buen partido por las damas de entonces, también fue electo diputado. Cabe señalar que, médicamente hablando, se trataba de un médico innovador. Promovía curaciones para distintas enfermedades a partir de la hidroterapia[4] y un tratamiento alternativo para la lombriz solitaria[5], la administración de flores de Kousso. Ésta es una planta de origen africano que tiene propiedades antihelmíticas, es decir elimina parásitos intestinales.

Aurelia y Pedro se casaron a principios de 1853, cuando ella sólo tenía diecisiete años y aparentemente estaba embarazada, lo que aceleró el trámite matrimonial. La pareja fue a vivir a la casa quinta de Almagro, propiedad del padre de Aurelia. (Como dato de color cabe señalar que con el tiempo los federales expropiaron la quinta de Vélez Sarsfield. Hoy en el predio se levanta el Hospital Italiano de Buenos Aires.) Lo cierto es que Aurelia habría llegado a la quinta embarazada. No hay datos del posible nacimiento, de hecho podría especularse que el

4 Tratamiento terapéutico en base al uso de agua a través de los más diversos procedimientos.

5 Lombriz solitaria: hace referencia a un parásito intestinal que puede medir hasta 10 metros de largo. Las dos variantes posibles de este parásito son la *Taenia saginata* o la *Taenia solium*. Esta lombriz llega al intestino del hombre a través de la ingesta de carne vacuna contaminada, en el caso de la *Taenia saginata*, y del cerdo o jabalí, en el caso de la *Taenia solium*. Luego, se desarrolla la motriz que se localiza en el intestino del ser humano. En general, debido a su gran tamaño, se desarrolla un único ejemplar, de ahí su denominación de «lombriz solitaria».

embarazo se interrumpió de modo natural o por la administración de flores de Kousso, ya que uno de los efectos adversos de aquella medicación que el Dr. Ortiz usaba para los parásitos es que tenía efecto abortivo. El matrimonio tuvo un final abrupto y dramático. Una noche, Pedro descubrió a Aurelia abrazando a su secretario, don Cayetano Echenique. El esposo, en un ataque de celos, tomó una pistola y le dio muerte.

El tema se «resolvió» declarando demente a Pedro, de ese modo se evitó el proceso judicial. Pedro se dirigió a Chile y desapareció de la escena, y se salvó de la prisión. Por su parte, Aurelia evitó ser juzgada por adulterio, que por entonces se castigaba con dos años de cárcel. Así las cosas, Aurelia regresó a casa de su padre después de pocos meses de muy accidentado matrimonio. Con estos historiales a cuestas, Aurelia y Sarmiento iniciaron su historia amorosa.

Fue un amor clandestino, censurado. Todos sabían, nadie hablaba. Él era Sarmiento. El padre de ella, Dalmacio Vélez Sarsfield. Si bien el tema estaba prohibido, la relación duró treinta años con el ir y venir que la vida impondría. Todo se desenvolvía sin tropiezos hasta que la hermosa Benita decidió viajar a Buenos Aires a instalarse con Dominguito.

Las cosas se complicaron cuando Benita descubrió una carta de amor que Sarmiento escribió para Aurelia. Como es natural, la vida se convirtió en un tormento. La situación se descomprimió en medio de una coexistencia imposible cuando Sarmiento viajó a San Juan para ser elegido gobernador. Todo este período fue muy tensionante, tal vez el peor en la vida del paciente, por la conjunción de conflictos emocionales intensos: un amor prohibido, una ruptura familiar, la muerte de su madre, Paula Albarracín, y la ejecución de su gran amigo Antonio Aberastain.

Dominguito viajó de Buenos Aires a San Juan. Con diecisiete años trató de interceder para que sus padres reconstituyeran la relación. Ninguno cedió y Sarmiento se separó de Benita después de catorce años de matrimonio. Dominguito, ante la disyuntiva, se decidió por su madre, la parte más débil, y se quedó a vivir con ella. Sarmiento sufrió el enfrentamiento con su hijo y lloró devastado por la ruptura. Pero Dominguito lo abrazó y le dijo. "¡Viejo, no sea llorón... a su edad!"

Por entonces, la intensa relación emocional con el amor prohibido por la sociedad, cursaba estas cartas:

«Te amo con toda la timidez de una niña y con toda la pasión de una mujer, te amo como no he amado nunca, como no creí que era posible amar».

Él responde:

«Mi vida futura está basada exclusivamente sobre tu solemne promesa de amarme y pertenecerme a despecho de todos y yo agrego a pesar de mi ausencia aunque se prolongue, a pesar de la falta de cartas cuando no las recibas».

La relación entre Aurelia y Sarmiento perduró hasta el final de sus días con un constante ir y venir de cartas por momentos amorosas y por momentos de amistad, aceptando la imposibilidad de la relación. Pero el vínculo existiría para siempre, hasta el final. Aurelia, cuando Domingo pasaba sus días como embajador en Estados Unidos, colaboraría preparando su candidatura presidencial. Sarmiento, una vez Presidente, saldría de la Casa Rosada y pasaría de visita por la casa de Aurelia con frecuencia. Aurelia viajaría al Paraguay sobre los últimos días de vida de Sarmiento en aquel país. Luego de la muerte de Sarmiento, Aurelia se alejaría de todo. Se fue sola a Europa y volvió después de 10 años. Murió sola en 1924.

Hacia 1866, Sarmiento estaba en Nueva York cuando recibió una noticia devastadora. Su hijo de veintiún años había muerto en combate en la batalla de Curupaytí, Paraguay. A Sarmiento siempre le preocupó la intervención de su hijo en ese conflicto bélico y ahora lo había perdido definitivamente. Lloraría inconsolablemente como lo había hecho en San Juan, cuando su hijo trató de recomponer la relación con su madre. Esta vez Dominguito no pudo decirle nada al padre... Sarmiento no tenía consuelo y le escribió a su amigo el presidente de la Nación, el general Bartolomé Mitre, a quien llamaba Bartolo: «...habría vivido en él, mientras que ahora no sé dónde arrojar este pedazo de vida que me queda, pues ni aquí ni allá sé qué hacer con ella». Sarmiento era un emocional apasionado. Lo era en su vida pública y en la privada, pero en ésta su autoridad, su rigidez, su fortaleza y su aspecto de ogro se convertían en frágil debilidad con llanto fácil.

En 1865, embajador en Estados Unidos y aún enamorado de Aurelia, como lo iba a estar toda la vida, vivió un romance con su profesora de inglés, Ida Wickersham. Ella tenía veinticinco y él cincuenta y cinco. Los separaban treinta años y el marido de ella, que era médico de Chicago. El romance siguió durante tres años hasta que en 1868 Sarmiento regresó a Buenos Aires para asumir la presidencia de la Nación. La relación continuó por carta. De este modo, Ida le pidió que la trajera a Buenos Aires junto al contingente de maestras norteamericanas que Sarmiento había incorporado a la educación pública. Para entonces, ella se había separado de su marido. Y aún estaba enamorada de Sarmiento. Sarmiento, por entonces, salía de la Casa Rosada y visitaba a Aurelia. Ida nunca integró el grupo de maestras norteamericanas.

El atractivo que ejercía Sarmiento sobre las mujeres no era físico, era de otro orden. Se trataba de un hombre sensible y romántico. Construía una relación. Así fue con Aurelia, su conflictivo, prohibido y gran amor. En su *Diario de viaje* en el Merrimac, Sarmiento escribe un capítulo dedicado a Aurelia. El *Merrimac* era el vapor que lo traía de Estados Unidos al momento de asumir la presidencia. El diario lo escribió durante el viaje. Sarmiento se sabía feo, pero a su modo era un conquistador y siempre quiso explicarse por qué una mujer se fijaría en alguien como él. Y una vez escribió:

«¿Por qué una beldad ama a un hombre feo? Porque lo ve oprimido y sale valientemente en su defensa. Una mujer es madre o amante, nunca amiga, aunque ella lo crea, si puede amar, se abandona como un don a un holocausto. Si no puede física o moralmente, protege, vigila, cría, alienta y guía».

La relación con Aurelia por momentos fue romántica y amorosa, y cuando no, fue de amistad, de compañerismo. Ella marcaba los tiempos y él los aceptaba. En un momento dado, ella propuso un período de amistad más que de amor romántico como actitud prudente ante las circunstancias y los riesgos.

Este escrito del paciente tal vez explique la relación entre una pareja imposible desde el comienzo y que duró 30 años.

«He necesitado tenerme el corazón a dos manos para no ceder a sus impulsos» (…) «me acojo a la amistad que me ofrece y que la creo tan sincera como fue su puro amor. En pos de pasiones que nos han agitado hasta desconocernos el uno al otro, es una felicidad que el cielo nos depara, salvar del naufragio y en lugar de aborrecernos cuando ya no nos amaremos, poder estimarnos siempre».

No hay mal que por bien no venga

Cuando tenía veinte años, el paciente, junto con su padre, se incorporó a las fuerzas sanitarias del Gral. José María Paz. Los federales de Facundo Quiroga terminaron por tomar todo San Juan y el Gral. Paz fue capturado en Córdoba. Esta situación condujo a Sarmiento al exilio en Chile. Pasaría los siguientes cinco años en Chile, donde llevó a cabo distintas tareas para sobrevivir. Fue maestro en una escuela de la provincia de los Andes, trabajó como empleado en un comercio y finalmente como minero.

Durante todo ese tiempo, leyó y estudió todo lo que pudo, era autodidacta. Le pagaba a un sereno para que lo despertara a las 2 de la mañana para estudiar inglés antes de ir a trabajar. Estudiaba casi cinco horas cada día. Luego contrató un profesor de inglés para aprender la pronunciación.

Sobre el final de su permanencia en Chile, consiguió un trabajo en una mina de plata del Norte, en Copiapó, en la zona de Atacama. Cabe señalar que el paciente era una persona de contextura más bien robusta y buen estado de salud. Se encontraba apto para la actividad física de esfuerzo que requería el trabajo en una mina. Aun allí, estudiaba lo que podía. Por entonces llegó la noticia de que Facundo Quiroga, el caudillo federal por él odiado, había sido asesinado. Sarmiento lo consideraba un bandido y enemigo a sus intereses.

El trabajo en la mina, si bien estaba bien pago, no llenaba las necesidades del paciente. El ambiente no era el que deseaba. Estaba lejos de todo, no tenía con quién hablar, o discutir, actividad a la que era muy afecto. Llegaban pocas noticias, la vida era monótona, se sentía aislado. El ambiente de trabajo era insalubre y la comida, en base a porotos, era suficiente en calorías pero incompleta en nutrientes. Muy posiblemente el estrés completaba el cuadro. Fue cuando comenzó a sentirse físicamente mal. Al principio, tuvo decaimiento, pérdida de fuerzas y apetito, dolor de cabeza y fiebre. Cuatro o cinco días más tarde, la fiebre aumentó mucho, 39-40ºC, y postró en cama al enfermo. Se agregaron náuseas, vómitos, sudoración profusa y diarrea persistente. El paciente comenzó con alteraciones del nivel de la conciencia y delirio. Por eso es que Sarmiento sostenía que un «ataque cerebral» fue lo que le provocó la alteración de la conciencia y los delirios. En realidad, esos síntomas fueron producidos por la fiebre y la deshidratación pero Sarmiento tenía su propio diagnóstico.

El diagnóstico médico real fue fiebre tifoidea. Ésta es una enfermedad grave que sin el tratamiento antibiótico actual mata al 20 o 30 por ciento de los pacientes. Aun en el caso de una evolución clínica favorable, es una enfermedad postrante que puede incapacitar al enfermo durante seis a ocho semanas. Es producida por una bacteria, la *Salmonella Typhi* que ingresa al organismo a través del agua y los alimentos contaminados[6]. Por

---

6 Se trata de una enfermedad infecciosa producida por la bacteria *Salmonella Typhi* u otra cepas como la *Paratyphi A, B y C.*, que la elimina por vía fecal contaminando agua y alimentos. Así llega a otra persona donde ingresa por vía oral, llega al intestino y de ahí pasa a la sangre y al resto de los órganos produciendo una reacción inflamatoria aguda que puede complicar el cuadro con hemorragias, perforación intestinal, peritonitis, neumonía, complicaciones cardíacas, cerebrales, renales y hepáticas, etcétera.

entonces, cuando cursaba el año 1835, es claro que nadie sabía la causa de la enfermedad, no se conocía la bacteria ni existía tratamiento alguno. Solamente se podía «acompañar» al paciente y dar agua por boca para combatir la deshidratación producida por la diarrea. La enfermedad fue muy grave y la familia de Sarmiento, muy preocupada, intercedió ante el nuevo gobernador de San Juan, Nazario Benavídez, que si bien era federal y cercano a Rosas, tenía fama de buen hombre y bonachón.

El gobernador finalmente autorizó la repatriación del paciente. Así, por esas cosas del destino, bacteria mediante, el paciente regresó a San Juan donde se repuso de la enfermedad que no dejó secuelas ni complicaciones. Además, seguramente, después de su etapa de minero, deseaba regresar a San Juan e iniciar una vida productiva. Así fue.

Fue por esa época cuando Sarmiento comenzó a publicar su periódico semanal *El Zonda*.

Sin embargo, el gobernador Benavídez se sintió molesto por las publicaciones críticas de Sarmiento. No clausuró el periódico, sino que optó por una medida más simple pero efectiva. Aplicó un impuesto extraordinario que Sarmiento no podía pagar. *El Zonda* se dejó de publicar en el sexto ejemplar.

Nuevamente acompañado por su padre, Sarmiento volvió a exiliarse en Chile. Durante el camino dejó pintada en una roca la famosa frase «Las ideas no se matan». Sobre el aspecto físico del paciente al llegar a Chile, el escritor y político chileno José Victorino Lastarria nos consigna lo siguiente, para agregar a la historia clínica: Sarmiento a los treinta y dos años lucía calvo, con sobrepeso y avejentado. De todos modos, la fiebre tifoidea había servido para algo. Le permitió abandonar las minas de Copiapó en Chile, retornar a San Juan y publicar el periódico más famoso de la historia.

¡Hable más fuerte… No lo escucho!

Alrededor de los cuarenta años de edad, el paciente presentaba un buen estado general de salud en términos generales. Como hemos visto era de buena contextura física, su desenvolvimiento diario era normal y sin limitaciones. No se consignan problemas de insomnio ni dolencias de otro orden. Su alimentación, aunque un poco excesiva y propia de un gran gourmet, no presentaba intolerancias ni sintomatología alguna.

No hay referencias de enfermedades ni síntomas que pudiéramos consignar a esta altura de la historia clínica. El único punto débil era su dentadura, que nunca fue buena. Seguramente, si bien no fumaba mucho, el tabaco también dañaba dientes y encías. Pero fue hacia 1850, cuando Sarmiento escribía *Argirópolis*[7], que el paciente comenzó a notar una pérdida de la audición o hipoacusia. Sarmiento tenía por entonces treinta y nueve años.

Acudiremos a dos referencias históricas para hacer el diagnóstico de sordera y la posible causa. El primero es el atentado a su vida, cuando era Presidente. Fue el 23 de agosto de 1873, aproximadamente a las 20 horas, cuando Sarmiento sale de la Casa de Gobierno y sube a su coche tirado por dos caballos. Como en tantas otras oportunidades, se dirigía a casa de Aurelia. El carruaje, como siempre, tomó la calle Maipú en dirección a Cangallo (actual Perón). En la esquina de Maipú y la actual Avenida Corrientes se produjo el intento de magnicidio, a manos de los hermanos Francisco y Pedro Guerri, quienes habían sido contratados por hombres de López Jordán en la Boca. El atentado falló por milagro. A Francisco Guerri le explotó en la mano el trabuco porque estaba sobrecargado. Por la explosión del arma, el infructuoso asesino presentó serias lesiones y perdió el dedo pulgar. Los hermanos Guerri fueron arrestados. Un dato interesante: le secuestraron municiones y un cuchillo impregnados con estricnina y cloruro de mercurio. Así, aun una herida menor hubiera producido la muerte por envenenamiento. El Presidente llegó a casa de su amada y esa noche cenó con

---

7 *Argirópolis* (1850). Era la propuesta ideal y utópica de Sarmiento para conformar una Nación constituida por Argentina, Uruguay y Paraguay, con la isla de Martín García como capital. El modelo de organización sería el de Estados Unidos, también el sistema económico y social.

ella. ¿Cuál es la anécdota? El paciente no escuchó nada. Todos habían escuchado la explosión. Él no.

El segundo dato histórico que vamos a relacionar con éste son unos escritos, que conviene analizar con perspicacia. El primero se trata de una carta que escribe Sarmiento el 17 de agosto de 1888, ya sobre el final de sus días, a su nieta Eugenia:

«Aquí he encontrado unos preciosos pajaritos bolivianos que cantan admirablemente, visten de caña y negro y duermen a tu cama tendida, que exigen limpia, y se tapan con la cubierta, bien tapados de manera que no se les ve sino la cabeza».

El siguiente es parte de una carta que Sarmiento escribió días antes de morir a Adolfo Saldías:

«Y ahora que en el último tercio de mi vida, remonto esta red de los ríos majestuosos que han descendido en silencio inútil por los siglos de los siglos, y oigo el vivificador murmullo de las ruedas del vapor o el silbido que anuncia su arribo a un pueblo naciente, siento que no esté vivo el viejo Vélez para pedirle un buen epitafio en latín para mi tumba (…) único terreno que poseeré y quisiera dejar cultivado.»

Ahora bien, ¿para qué pueden sernos útiles estos datos? La sordera del paciente comienza lenta y progresivamente en 1850, cuando contaba con treinta y nueve años. Este comienzo y progresión descarta una hipoacusia o sordera por trauma acústico producido, por ejemplo, por el uso de armas de fuego. En 1873, a los sesenta y dos años no escuchó la explosión de un trabuco cuando intentaron asesinarlo. Sigamos. Luego hacia 1888, a los setenta y siete escuchó bien el sonido de los pájaros tal cual le escribe a su nieta y el silbido del tren de vapor que llega al pueblo.

¿Para qué nos sirve esta información? Podemos concluir que el paciente perdió primero la capacidad por escuchar los tonos graves (la explosión), y conservó hasta el final los agudos (los pájaros y el silbato del tren). ¿Qué tenemos entonces?

Una sordera o hipoacusia que comienza a la edad aproximada de cuarenta años, no producida por trauma acústico y es lentamente progresiva. Podemos pensar en una otosclerosis, enfermedad que afecta los pequeños huesos del oído medio, el martillo, yunque y estribo, dificultando la transmisión del sonido. En general, compromete ambos oídos y es causa de sordera. Con la información con que contamos de Sarmiento podemos diagnosticar otosclerosis. En un momento, Sarmiento fue atendido por el doctor Salvador Doncel. El paciente mejoró de su audición. No se describe el tratamiento que realizó el médico pero en realidad lo único que en esa época pudo haber hecho es simplemente sacar un tapón de cera de los oídos. Presumiblemente su sordera era mayor del lado del oído derecho.

La sordera fue en lento pero implacable aumento, hasta que asume la presidencia de la Nación en 1869. A los cincuenta y ocho años, Sarmiento era ya muy sordo. Es más, para entonces usaba una «corneta» que colocaba en su oído para amplificar los sonidos. También usaba un «bastón acústico»: se colocaba uno de sus extremos del bastón hueco en el oído y el otro se orientaba en dirección al interlocutor para hacer las veces de «corneta», aumentando la audición. Las cornetas y el bastón acúsico pasaron a ser parte de los instrumentos de uso diario del paciente. Sarmiento tenía una fijación en cuanto a las funciones cerebrales, tan es así que siempre decía que su sordera era consecuencia de la constante tensión cerebral a la que lo sometían sus enemigos políticos. Recordemos que cuando presentó delirios febriles por la fiebre tifoidea él también hizo un erróneo diagnóstico de «ataque cerebral». Esta noción diagnóstica en Sarmiento, aunque errada, sin duda guarda relación con el mecanismo de pensamiento racional del paciente, que en base a su acumulación de conocimientos en otras áreas del saber intenta, justificadamente, explicar un problema médico. De hecho, las personas acostumbradas a manejar poder con frecuencia tienen problemas en la relación con sus médicos.

En otro orden de cosas, algo más podemos hacer para ilustrar su historia clínica: intentar «escuchar» su voz. Una vez, Ricardo Rojas describió la voz de Sarmiento del siguiente modo:

«Aunque de escaso registro melódico en su voz varonil, más bajo que la de tenor». Voz que fue aumentando de volumen, como sucede en muchos sordos que terminan hablando a los gritos. Una anécdota bien documentada describe la sordera y la personalidad de Sarmiento. Los parlamentarios estaban preocupados por cómo podrían comunicarse con Sarmiento cuando éste asumiese como senador por San Juan en 1875, a causa de su sordera. Ante tal situación, Sarmiento afirmó: «No se preocupen porque no vengo a escucharlos, sino a que me escuchen a mí». Ése era Sarmiento.

El comienzo del final

En el año 1876, al paciente le restaban aún doce años de vida. Hasta ese momento y en términos generales, era un hombre físicamente saludable. Es cierto, era sordo, comenzaba a necesitar anteojos para leer, signo de miopía, calvo, feo, como él mismo se reconocía, tenía cierto exceso de peso, mala dentadura y lucía francamente avejentado. Del carácter ya hemos hablado, un cabrón egocéntrico, como lo llamaba Paul Groussac[8]. Un «Don Yo», portador de un fuerte perfil narcisista. Aunque el mismo Groussac reconocía sus virtudes y sus habilidades, sus méritos, su tesón, su capacidad creativa.

Pero entonces, a sus sesenta y cinco años algo sucede cuando estaba en Tucumán: se le hinchan las piernas. Este hecho bien documentado se denomina «edema» de miembros inferiores. Por distintos motivos puede acumularse líquido en los tejidos y como consecuencia se hinchan las piernas, especialmente los tobillos. El origen podría ser por distintas causas: insuficiencia de circulación venosa en miembros inferiores por várices, insuficiencia hepática o enfermedad renal, entre otras. Pero la evolución de la historia clínica de Sarmiento sólo nos

8   Paul Groussac: Paul-François Groussac (1848, Toulouse, Francia – 1929, Buenos Aires). Escritor, historiador, crítico literario y director de la Biblioteca Nacional.

deja un diagnóstico posible: insuficiencia cardíaca congestiva. En esta enfermedad, el corazón pierde progresivamente la capacidad de bombear sangre al cuerpo. En general, es de evolución crónica, es decir prolongada en el tiempo. Las causas de insuficiencia cardíaca pueden ser varias; entre ellas, las que resultan como consecuencia de un infarto agudo de miocardio, pero no es éste el caso pues no tenemos ninguna descripción de un ataque cardíaco en ese momento. También debemos citar a aquellas resultantes de la enfermedad de las válvulas cardíacas, como fue el caso del Gral. Manuel Belgrano, o por infecciones del músculo cardíaco, entre otras posibles causas.

Pero nuevamente apelamos a la evolución natural[9] de la historia clínica de Sarmiento para hacer un diagnóstico. La causa más probable de su insuficiencia cardíaca, teniendo en cuenta la evolución natural de la enfermedad del paciente, es la enfermedad coronaria. Por otro lado, es en general la causa más frecuente. En la enfermedad coronaria las arterias que irrigan el corazón, llamadas arterias coronarias, se estrechan debido a la aterosclerosis. De este modo, disminuye la irrigación sanguínea del propio corazón, lo que resulta en daño del músculo cardíaco y disminución de su capacidad contráctil.

También debemos considerar como posibilidad el hecho de que Sarmiento hubiera sido hipertenso. ¿Por qué no sabemos si el paciente tenía o no presión alta? Por un hecho histórico muy simple, en 1876 no se tomaba la presión. Simplemente poco se sabía de ella y de hecho los médicos no tenían en su maletín el conocido «aparato para tomar la presión»[10].

No obstante ello, podríamos conjeturar como posible el

---

9 Apelamos a la expresión «evolución natural» ya que por entonces no existía ni correcto diagnóstico ni tratamiento, por lo cual la enfermedad evolucionaba espontáneamente sin ninguna modificación terapéutica real implementada por los médicos.

10 10. Esfigmomanómetro: las primeras mediciones de presión arterial eran de tipo experimental y para ello debía realizarse la punción de una arteria. Era un método cruento. Hacia 1896, el doctor Scipione Riva-Rocci, de Turín, describió un método sencillo de medición no cruento. Recién en 1905 el médico militar ruso Nikolay Korotkoff de la Academia Imperial Médica Militar de San Petersburgo perfeccionó el método que se utiliza en la actualidad.

hecho de que Sarmiento hubiera sido hipertenso aunque ni él ni los médicos de la época supieran que se trataba de hipertensión arterial. ¿Por qué podemos considerar posible este cuadro? Al menos por tres factores. Primero, la hipertensión es una enfermedad frecuente, uno de cada tres argentinos es hipertenso. Segundo, la hipertensión es un factor de riesgo que condiciona la aparición de insuficiencia cardíaca, y éste es el caso de nuestro paciente. Y tercero, el aspecto físico de Sarmiento es médicamente compatible con hipertensión[11]. Las mismas consideraciones podríamos hacerlas con respecto al colesterol. Además, el colesterol condiciona la aterosclerosis; ésta, la enfermedad coronaria, la cual a su vez conduce a la insuficiencia cardíaca. Es una cadena de consecuencias patológicas. Como sabemos, en la actualidad podemos diagnosticar insuficiencia cardíaca por aterosclerosis coronaria en un paciente posiblemente hipertenso y con colesterol elevado.

Ya hemos mencionado que la insuficiencia cardíaca de Sarmiento sería lo que se denomina «insuficiencia cardíaca congestiva». Esto significa que el corazón no sólo es incapaz de bombear sangre al cuerpo en forma adecuada, sino que la sangre comienza a acumularse en otras partes del cuerpo: pulmones, hígado, sistema digestivo, miembros inferiores y, en casos más graves aun, en brazos o miembros superiores. Es decir, hay acumulación y retención de líquido en el cuerpo o «congestión».

Seguramente, el edema en miembros inferiores que Sarmiento describe en 1876 debió tener la variación diaria previsible; es decir, la hinchazón de tobillos iba progresando de la mañana a la noche, y se hacía evidente a medida que pasaban las horas. Esto sucede porque, al estar de pie, la insuficiencia cardíaca congestiva hace que el líquido se acumule en los miembros inferiores por su propio peso. Por la noche, acostado, la posición horizontal ayuda a que el líquido drene con mayor facilidad, facilitando

---

11 Sarmiento tenía sobrepeso, era fumador, comía mucho y de todo (seguramente con alta ingesta de sal), poseía una personalidad tipo A y era hiperactivo. Por lo tanto, la impresión médica subjetiva de su aspecto físico hace pensar en hipertensión arterial, aun sin medirla ni estudiar al paciente.

así el trabajo del corazón. Sarmiento debió haber adjudicado la hinchazón de los pies a los achaques propios de la edad, pero en realidad comenzaba la enfermedad que lo llevaría al final.

Hacia 1882, el paciente presentó un vómito de sangre. Su primo y amigo, el doctor Carlos Lloveras, hizo un diagnóstico: úlcera de estómago. Seguramente indicó reposo y dieta, y el paciente mejoró. El síntoma no volvió a repetirse ni tampoco se consignaron nuevos síntomas digestivos. La presencia de gastritis, gastritis sangrante o úlcera gastroduodenal son diagnósticos posibles en personalidades tipo A e hiperactivas, como Sarmiento. Posiblemente, el colega realizó un diagnóstico correcto.

Más tarde, cuando Sarmiento combatía la candidatura de Juárez Celman[12], se produjo un cuadro pulmonar que afectó fuertemente al paciente. En realidad, Sarmiento fue siempre susceptible a complicaciones respiratorias. Era su punto débil. No olvidemos que además era fumador y no podemos descartar por el aspecto físico de su tórax la presencia de un cuadro de enfermedad pulmonar obstructiva crónica o EPOC[13], frecuente en fumadores. De todos modos, debemos agregar aquí que la insuficiencia cardíaca por sí misma condiciona complicaciones pulmonares. Hacia julio de 1887, por sugerencia del doctor Lloveras, Sarmiento embarca hacia Asunción del Paraguay con su hija Faustina y sus nietos María Luisa y Julio. El diagnóstico de un cuadro bronquial y la enfermedad cardíaca hacía que el clima más templado de Paraguay resultara médicamente recomendable.

Sarmiento era siempre muy bien recibido en Paraguay y gozaba de una alta consideración y prestigio. Posiblemente este reconocimiento social llenase legítimamente su ego haciendo

---

12 Doctor Miguel Ángel Juárez Celman, ex presidente argentino (1886-1890). Era concuñado del dos veces Presidente, el general Julio Argentino Roca. Juárez Celman enfrentó una oposición encabezada por Leandro N. Alem, que más tarde daría lugar a la Unión Cívica y luego ésta a la Unión Cívica Radical.

13 Enfermedad pulmonar con obstrucción de las vías aéreas de modo progresivo e irreversible condicionada por el tabaco; produce disminución de la capacidad respiratoria.

de ese país un lugar placentero para él. Paraguay tenía además una connotación emocional particular para el paciente porque fue ahí donde murió su hijo en combate. Así, Sarmiento fue recibido con honores por una multitud en Asunción del Paraguay y luego se instaló en una residencia llamada Cancha Sociedad ubicada en el barrio de la Recoleta. La finca había pertenecido a Madame Elisa Lynch, amante irlandesa del mariscal Francisco Solano López[14]. En el Paraguay no dejó de leer en forma constante ni de trabajar en actos académicos para el desarrollo de la educación, su gran pasión.

En un discurso que Sarmiento pronunció en un acto escolar se pone de manifiesto su temperamento como educador y su sensación íntima de que el final de su vida no estaba lejos. En un momento dice:

> «*El Paraguay se asocia a Chile, a la República Argentina y al Uruguay en la aceptación del gran principio de la comunidad de ventajas de los asociados: la educación para todos. Ésta es la Libertad, la República, la Democracia (…) Por lo que a mí respecta (…) mis destinos están cumplidos y aunque haya caído y levantado muchas veces con la bandera de la educación común, esta manifestación recibida en el Paraguay después de otras recientes en Valparaíso, Santiago, Andes Mendoza, San Juan, me harían desear que las banderas de la Argentina, de Chile, Uruguay y Paraguay me sirviesen de mortaja para atestiguar que merecí bien de sus habitantes*».

Sarmiento imaginaba la proximidad del final, situación que llamativamente es frecuente en los pacientes cuya expectativa de vida es corta —es curioso cómo los pacientes muchas veces perciben el final—, pero siguió siendo el confrontador temperamental que planteaba discusiones agresivas. En una oportunidad, escribió un trabajo muy crítico en contra del ex dictador Gaspar Rodríguez de Francia. El ministro de Hacienda

14 Segundo Presidente constitucional de Paraguay. Comandante en jefe de las fuerzas armadas paraguayas durante la Guerra de la Triple Alianza cuando Paraguay enfrentó una coalición entre Brasil, Uruguay y Argentina.

del Paraguay, ofendido por sus opiniones en la discusión, retó a duelo a Sarmiento. Éste, con setenta y siete años, no esquivó el combate y aceptó el duelo. Intervino entonces el presidente del Paraguay para evitar el injustificado duelo; si no lo hubiese hecho, muy probablemente la historia clínica habría terminado aquí. Ése era el carácter de Sarmiento.

El paciente no deja de trabajar, de estudiar, de producir. Recibe por entonces, en carácter de donación, por parte de unos amigos paraguayos, un terreno para construir su casa. El paciente no perdió oportunidad para planear levantar ahí una vivienda isotérmica preconstruida como las que había visto una vez en Estados Unidos. La casa sería importada de Bélgica, de 66 metros de superficie y paredes dobles de metal, lo que hacía que la temperatura interior fuera estable, con poca variación con respecto al clima, lo cual redundaría en beneficio de su cuadro clínico pulmonar y su insuficiencia cardíaca. De este modo, en 1887, el paciente había imaginado una vivienda de última generación donde pasar sus últimos días.

Sarmiento mejora clínicamente del cuadro broncopulmonar y con la insuficiencia cardíaca a cuestas regresa a Buenos Aires. Cabe señalar aquí que la información disponible no permite distinguir con precisión cuánto de la sintomatología clínica del paciente correspondía a la complicación pulmonar y cuánto como consecuencia de la insuficiencia cardíaca congestiva, ya que esta última también produce síntomas respiratorios tales como tos, expectoración y falta de aire. Lo concreto es que el paciente mejoró en el Paraguay y hacia octubre de 1887 regresa a Buenos Aires. Fue entonces cuando, aun sin abandonar una actividad intensa, cultiva una hiedra para la que iba a ser su tumba en el Cementerio de la Recoleta. Resulta increíble la percepción y el planeamiento del porvenir.

Su estado clínico no era bueno: falta de aire al caminar rápido o realizar mucho movimiento, tos, palpitaciones por la taquicardia, tobillos y piernas hinchadas por el edema de origen cardíaco y cansancio fácil. Así las cosas, en busca de un clima más propicio para su deteriorada salud y con el proyecto personal de construir su casa isotérmica de avanzada, embarca nuevamente al Paraguay el 28 de mayo de 1887. Lo acompañaron su hija Faustina y su nieta María Luisa, quienes lo cuidaban con esmero y, al decir de Ricardo Rojas, eran sus «cariñosas enfermeras». Su nieto, Julio, también lo acompañó en este viaje. Al despedirse de Buenos Aires, le dice a su nieto Augusto: «No paso de este año... hijo, me voy a morir...», y agrega una declaración que habla nuevamente de su personalidad: «¡Ah! Si me hicieran Presidente! ¡Les daría el chasco de vivir diez años más!» Al alejarse del puerto se le escuchó decir «Morituri te salutant» (los que van a morir te saludan), el saludo de los gladiadores romanos antes del combate final. Sarmiento, en una condición clínica ya muy deteriorada, emprendía el viaje del cual ya no regresaría.

El final

El terreno donde construía su última morada se encontraba a unas veinte cuadras del centro de Asunción. Sorprendentemente, trabajó junto a los peones ayudando a construir el predio. Se ocupó del pozo de agua, plantó árboles, planeó la cerca, mientras aprovechaba para jugar con sus nietos. La casa isotérmica prefabricada era una señal de la modernidad que siempre promovió. El modelo había sido inventado por el mismísimo Gustav Eiffel, quien construyera la famosa torre de París. Pero algo le faltaba: Aurelia. En una de sus cartas de invitación al Paraguay puede leerse: «Venga. Juntemos nuestros desencantos, para ver sonriendo pasar la vida, con su látigo cuando castiga, con sus laureles cuando premia».

Aurelia llegó al Paraguay con su hermano Constantino y su sobrina Manuela. Sarmiento le enseñó a leer a Manuela con un ejemplar del *Facundo*. Manuela sería su última alumna. Sarmiento disfrutó mucho la estadía de Aurelia, por entonces ella tenía cincuenta y dos años, él setenta y siete. Aurelia, no se sabe bien por qué, regresa a Buenos Aires. La despedida debió de haber sido emotiva, ambos sabían que ya no volverían a verse. Hacia agosto, la palidez del paciente «impresionaba».

Llaman al Dr. Lloveras, su primo, quien no se encontraba en condiciones de viajar. El día 4 de septiembre fue un día soleado. En el terreno de la casa isotérmica había brotado agua del pozo. El paciente estaba excitado y se excedió en su actividad física. Era la alegría. Había agua en el pozo. La sobrecarga se hizo sentir. Pasó una noche muy mala. El síntoma dominante fue la fatiga, la falta de aire, síntomas de la descompensación o el empeoramiento del cuadro de insuficiencia cardíaca. A la mañana siguiente, estaba mirando cómo se completaban las tareas de excavación del pozo. Fue cuando un acontecimiento clínico cambió el cuadro clínico: perdió el conocimiento, aunque recuperó la conciencia en pocos minutos. Se trataba de un síncope. El breve episodio de pérdida de conocimiento con recuperación espontánea que padeció el paciente fue una falla cardíaca, una complicación esperable del cuadro de insuficiencia cardíaca del paciente. El corazón perdió transitoriamente su capacidad de bombear sangre dejando muy disminuida la circulación sanguínea cerebral produciendo la pérdida de conocimiento. El cuadro fue transitorio y Sarmiento se recuperó. La situación fue alarmante y en consecuencia actuaron los familiares. Faustina y sus nietos Julio y María Luisa buscaron auxilio. Los doctores Andreuzzi y Hassler atendieron al paciente. El diagnóstico no era bueno, todos sabían de la gravedad del cuadro clínico. Los médicos se concentraron en examinar los pulmones, seguramente el paciente presentaba edema pulmonar, es decir acumulación de agua en los pulmones como consecuencia de la insuficiencia cardíaca. En consecuencia, el paciente padecía sensación de falta de aire y dificultad respiratoria. No obstante el diagnóstico médico, Sarmiento, con su carácter de siempre, no coincidió con los profesionales; consideraba que el problema estaba en el estómago. Dijo: «He impedido que los médicos cometan una barbaridad. Ellos iban descaminados examinando el pulmón, pero yo los hice observar que mi mal estaba en el estómago». Sarmiento no dejaba de ser Sarmiento.

A esta altura, el paciente lucía desprolijo, tenía el cabello largo y la barba crecida, hasta que indicó que se los cortaran.

Todas las noches dos oficiales del ejército y dos estudiantes del Colegio Nacional hacían guardia frente a su casa para velar por el paciente. El embajador García Merou, ya amigo de Sarmiento, describió el cuadro clínico de manera clara y compatible con el aspecto clínico de un paciente con insuficiencia cardíaca: «Mirada empañada, respiración anhelante y excesiva demacración, mano fláccida y helada».

La voz se había corrido. Todos conocían la gravedad del cuadro clínico de Sarmiento. El día 9 de septiembre sale publicado en *El Censor*, diario que el paciente había fundado en 1885, la copia del texto de un telegrama que su nieto Julio le envió a su hermano Augusto: «Abuelo grave, enfermo desde hace cuatro días atrás. Esperanza poca, pero hay. Julio Belín Sarmiento».

El 10 de septiembre la situación era aún peor. García Merou recibió un informe pormenorizado de la salud del paciente por parte de los doctores Andreuzzi y Hasler. No había esperanza, la situación era crítica y terminal. El Dr. Andreuzzi lo describió así: «Igual que ayer: resiste gracias a su espíritu». El paciente, agitado por la falta de aire, descansará en su sillón de lectura. Leía. Sabía que iba a morir y eligió un libro para que lo acompañara en los últimos minutos, tal vez buscando una respuesta, *Filosofía sintética,* de Spencer.

¿Habría sido casual la elección de ese autor? Seguramente no. Spencer fue un psicólogo, sociólogo, naturalista y filósofo inglés. Fue autodidacta, sin educación formal, como Sarmiento. Agnóstico como el paciente. Spencer, influido por Lamark y Darwin, sostenía que el más apto es el que sobrevive y los demás perecen. Esta afirmación era válida no solamente para un ser vivo, se aplicaba también para una sociedad en su conjunto. Posiblemente existía en el paciente alguna identificación personal con los postulados de Spencer.

Preocupado por el estado de Sarmiento, García Merou pidió una junta médica. La interconsulta tuvo un parte oficial que fue cursado formalmente al presidente de Argentina, Miguel Juárez Celman, que decía lo siguiente: «Boletín sanitario relativo al Gral. Sarmiento. Junta médica celebrada el día 10 de septiembre, a las 3 p. m. en Asunción de Paraguay. Diagnóstico: lesión orgánica del corazón. Pronóstico: ¡Gravísimo!» No podemos saber con precisión a qué se referían los colegas con el diagnóstico de «lesión orgánica». Muy probablemente el examen físico realizado por los médicos hubiera revelado un «agrandamiento» y/o «hipertrofia» del corazón como resultado de los años de evolución del cuadro de insuficiencia cardíaca. Es posible también que al auscultarlo hubieran percibido un soplo cardíaco como consecuencia de una posible enfermedad valvular, no lo podemos saber. Sí es claro que el diagnóstico fue compartido por todos: ¡Gravísimo![15]. Seguramente en ese momento debía presentar importantes edemas en miembros inferiores, acumulación de líquido en el abdomen y lo que es aun más grave, líquido en los pulmones, lo que se denomina edema pulmonar. Sabemos que presentó algunas expectoraciones con sangre, también frecuente en la insuficiencia cardíaca terminal.

La madre de Sarmiento, doña Paula Albarracín, hubiera querido que su hijo fuera sacerdote. Sarmiento desde un comienzo decidió que ése no era el camino. Tampoco quiso la asistencia religiosa en sus últimas horas, prefirió la lectura de Spencer.

El frío bronce

Ya era tarde. El paciente esperaba llegar a ver el sol del día siguiente antes de despedirse. No pudo ser. Se encontraba en su cama, con respiración dificultosa. El corazón bombeaba poca sangre y la presión arterial era muy baja. Así, la circulación sanguínea en los miembros era mínima y sentía frío en manos y pies. Sus pies estaban fríos y así lo sentía. Sarmiento describe esta frialdad en los pies de modo médicamente co-

---

15 El informe médico fue firmado por los doctores Juan Borras, A. Candelon, David Losfrucio, S. Andreuzzi, Guillermo Hoskins, J. Vallory, E. Hassler, Francisco Morra.

rrecto, comparándolo con el frío del metal, pero no de un metal cualquiera, elige el bronce. Sarmiento dice en sus últimos momentos: «Siento que el frío del bronce me invade los pies». A las 2:15 horas de la madrugada del 11 de septiembre de 1888 deja de existir el paciente. Muere Juan Domingo Faustino Sarmiento, el maestro.

Luego de colocar su cuerpo en su sillón de lectura, como gustaba estar, estudiando, leyendo, escribiendo, Manuel San Martín le sacó una foto histórica en esa posición. Acorde a la costumbre para los grandes hombres, el artesano Víctor de Pol moldeó el rostro fabricando su máscara mortuoria. Los doctores Candelon, Andreuzzi y Hassler embalsamaron el cuerpo. Como había sido su voluntad, el cuerpo fue trasladado cubierto por las banderas de Argentina, Chile, Uruguay y Paraguay.

Al llegar a Buenos Aires, todos los diarios, en reconocimiento a quien fundara tantos medios de prensa y escribiera un sinnúmero de artículos periodísticos, resolvieron homenajearlo unificando sus títulos como «La Prensa Argentina». Un único título en todos los diarios para un único hombre. El cuerpo llega a Buenos Aires diez días después, el 21 de septiembre, que sería luego, en homenaje al maestro, el día del estudiante.

Domingo Faustino Sarmiento fue político, escritor, periodista, militar, gobernador de la provincia de San Juan, senador nacional por la misma provincia, ministro del Interior, presidente de la Nación, pero por sobre todo, fue un maestro. De puño y letra, Sarmiento deja su testamento:

«Nacido en la pobreza, criado en la lucha por la existencia, más que mía de mi Patria, endurecido a todas las fatigas, acometiendo todo lo que creí bueno, y coronado la perseverancia con el éxito, recorrido todo lo que hay de civilizado en la tierra y toda la escala de los honores humanos, en la modesta proporción de mi país y de mi tiempo, he sido favorecido con la estimación de muchos grandes hombres de la tierra, he escrito algo bueno entre mucho indiferente; y sin fortuna, que nunca codicié, porque era bagaje pesado para la incesante pugna, espero una buena muerte corporal, pues

la que me vendrá en política es la que esperé y no deseo me-
jor que dejar por herencia millares en mejores condiciones
intelectuales, tranquilizando nuestro país, aseguradas las
vías férreas, el territorio, como cubierto de vapores los ríos,
para que todos gocen del festín de la vida, de que yo gocé
sólo a hurtadillas.»

DOMINGO FAUSTINO SARMIENTO

Ludwig van Beethoven: la gran paradoja

Era bajo, feo, con la cara picada por la viruela, usaba anteojos, de mal carácter, desalineado, descortés, en matemáticas apenas sabía sumar, de pésima ortografía. Además, algo grave para la época, no sabía bailar, virtud esencial en los salones sociales de la Europa de entonces. Como si fuera poco, murió sordo. Ah, un pequeño detalle: ¡sordo compuso la 9ª Sinfonía! Un verdadero genio de la música: Beethoven.

Hijo de Magdalena Keverich y Johann Beethoven; éste era músico, tenor de la corte y quería fervientemente que su habilidoso hijo superara a Wolfgang Amadeus Mozart, que por entonces daba conciertos a la edad de 7 años. Le enseñó piano, órgano y clarinete, pero podría decirse que más que enseñar lo presionó para que superara a Mozart. Lo despertaba de noche para que tocara frente a sus amigos y lo admiraran por su talento. Tanta fue la presión sobre él para que se dedicara a la música que se atrasó en el colegio. Su primera presentación en público fue a los 7 años, aunque su padre decía que tenía 6, para destacar aún más su habilidad. Pero Beethoven tenía predestinado algo más que ser un excelente concertista de piano, sería un genio de la música y, como una ironía del destino, también sería sordo.

Si bien la sordera no fue su único problema de salud, le

resultaba una verdadera cruz, y lo mantenía en secreto por ver-
güenza, hasta que ya fue inocultable. Presentó muchísimas y
serias dolencias en su vida. Casi podríamos decir que fue un
libro de patología. Sin duda, un paciente complejo al cual las
limitaciones diagnósticas y terapéuticas de la época le jugaron
en contra. Estamos frente a un paciente que padeció múltiples
dolencias y misterios médicos por resolver. Aun a la distancia
que da el tiempo, intentaremos descifrar esos misterios médicos formulando la «historia clínica» de Ludwig van Beethoven.

Historia clínica

Paciente: Ludwig van Beethoven`
Lugar de nacimiento: Bonn – Alemania
Fecha de nacimiento: 16 de diciembre de 1770
Antecedentes familiares
Padre: Alcohólico – Fallece por insuficiencia cardíaca a los 52
  años
Madre: Fallece por tuberculosis a los 40 años.
Abuela paterna: Alcohólica – No se conoce causa de fallecimiento.
Abuelo paterno: Muere por accidente cerebrovascular a los 61
  años.
Hermanos: eran seis hermanos. Sólo dos de ellos vivieron más
  allá de la infancia; uno falleció de tuberculosis a los 41 años
  y el otro sobrevivió a Ludwig por muchos años. No hay información precisa sobre fechas y enfermedades de los hermanos. La madre había estado casada con anterioridad y
  no se descarta la existencia de un hijo previo al matrimonio. (Los biógrafos no se ponen de acuerdo en este punto.
  La documentación histórica familiar no es completa para
  respaldar este dato.)
Esposa: No tuvo.
Examen físico: Sexo masculino, contextura física robusta, bajo
  de estatura, ancho de espalda, ojos pequeños y grises, cabello negro, abundante y rizado. Cabeza grande, cuello corto, nariz redondeada, frente ancha y prominente, tez morena, rostro con lesiones de posible viruela, miope.

Síntomas:

- Sordera que comienza lenta y progresivamente a partir de los 26 años y se hace total en los últimos años de vida. Al comienzo, fue el oído derecho el más afectado, el izquierdo funcionó adecuadamente por más tiempo.
- A la disminución de audición o hipoacusia le acompañaron síntomas auditivos tales como zumbidos, campanilleo, pitidos y/o «silbidos» y percepción de otros sonidos anormales. También presentó «dolor» como respuesta a sonidos de alta frecuencia o sonidos intensos.
- Defecto visual – miopía.
- Cefaleas intensas y frecuentes.
- Depresión y aislamiento social.
- Dolor abdominal crónico, intenso e intermitente. Episodios de diarreas que alternan con períodos de constipación. Fiebre.
- Asma (posiblemente, bronquitis a repetición) – fiebre.
- Hemoptisis (expectoración de esputo con sangre de origen respiratorio).
- Ataques de dolor reumático y gota.
- Ataques de dolor ocular y fotofobia (rechazo de la luz).
- Ictericia (coloración amarilla de piel y mucosas).
- Ascitis – edemas (retención de líquidos).
- Fiebre – Frecuentes episodios febriles.

Antecedentes personales

- Viruela
- ¿Fiebre tifoidea?
- ¿Asma o bronquitis? Desde los 5 años
- Promiscuidad sexual
- Alcoholismo

Fallecimiento
Fallece el 26 de marzo de 1826 en estado de coma.

Descifrando la historia clínica

No hay mucha información clínica sobre el paciente antes de los 20 años de edad. No es claro si se debe destacar la aparición de un síndrome respiratorio a la edad de 5 años que resulta compatible con asma o posiblemente bronquitis a repetición. Además, las marcas que se evidenciaron en su cara se interpretan como lesiones residuales de viruela. La viruela era una enfermedad viral potencialmente mortal. Según la Organización Mundial de la Salud (OMS) se encuentra actualmente erradicada gracias a la vacunación.

A la edad de 20 años comienza lo que el mismo Ludwig denominó «mi enfermedad habitual». Se trata de un cuadro intestinal con dolores intensos y frecuentes de tipo cólico al que se agregan episodios de diarrea que alternan con constipación. Estos síntomas se presentaban periódicamente y alternaban con períodos asintomáticos o de relativa calma. Este cuadro clínico, considerando los síntomas descriptos y dejados por escrito por el mismo paciente, es compatible con una serie de enfermedades intestinales que comparten dicha sintomatología. A falta de análisis de laboratorio y métodos complementarios de diagnóstico tales como ecografía, endoscopía, biopsias, etc., haremos lo que se denomina diagnóstico diferencial considerando las posibles siguientes causas para lo que el mismo Beethoven denominó «mi enfermedad habitual», debemos entonces considerar los siguientes posibles diagnósticos:

- Síndrome de colon irritable
- Enfermedad inflamatoria intestinal – enfermedad de Crohn
- Colitis ulcerosa
- Enfermedad de Whipple
- Cirrosis de Laennec
- Pancreatitis alcohólica
- Hepatitis viral

En primer término, debemos considerar el síndrome de colon irritable. Los síntomas descriptos por Beethoven coinciden con este cuadro. Por otro lado, es la enfermedad intestinal más frecuente. Si bien la mayoría de los casos son leves, algunas veces los síntomas son intensos (dolor importante, diarrea, constipación, distensión abdominal, meteorismo, etc.) tal cual los describiera el paciente en estudio. También podríamos considerar que la época de aparición del cuadro es compatible con la edad del paciente. Además, este cuadro clínico aumenta en su sintomatología y frecuencia de aparición con cuadros de estrés, ansiedad y depresión que fueron frecuentes en la vida de Beethoven. Cabe señalar que se trata de una enfermedad funcional y que por lo tanto los intestinos son normales. Volveremos sobre este punto más adelante, luego de analizar la autopsia del paciente. Pasemos ahora a considerar la enfermedad inflamatoria intestinal. Éste es un término genérico que hace referencia a dos enfermedades. La enfermedad de Crohn y la colitis ulcerosa. La enfermedad de Crohn es una patología autoinmune en la cual el sistema inmunológico o de defensa del paciente «ataca» a su propio intestino produciendo inflamación intestinal y los síntomas descriptos por el enfermo. En general, ataca el intestino delgado en su porción final o ileon, aunque puede afectar cualquier parte del intestino delgado, el colon o intestino grueso o cualquier otra parte del tubo digestivo. Los síntomas pueden ser extensamente variables y hay casos casi asintomáticos y otros severos. Cabe señalar que predomina la diarrea por sobre los episodios de constipación. En este cuadro, los intestinos son anormales, me refiero a que si uno los pudiera estudiar anatómicamente o bajo el microscopio encontraría anormalidades físicas. En esto se diferencia radicalmente respecto del síndrome de colon irritable descripto anteriormente. Por otro lado, y esto es sugerente, esta enfermedad puede acompañarse de dolores articulares que están presentes en la historia clínica del caso en estudio, así como también episodios febriles y cefalea.

La otra enfermedad que se incluye dentro de la enfermedad inflamatoria intestinal es la colitis ulcerosa. Ésta es una dolencia que incluye los síntomas de la historia clínica del paciente pero habitualmente agrega algunos síntomas característicos y complicaciones más serias no incluidas en la descripción de la historia clínica. Entre ellos, podemos citar rectorragia (pérdida de sangre con las deposiciones), diarrea severa, menor frecuencia e intensidad de fiebre entre otros. Es menos probable este diagnóstico en el paciente que nos ocupa.

El otro diagnóstico diferencial posible es la enfermedad de Whipple. Ésta es una rara enfermedad infecciosa causada por una bacteria (*Thropheyma Whipplei*) que agrega a los síntomas intestinales descriptos un síndrome de malabsorción y artritis. Se produce malabsorción cuando algunos nutrientes de los alimentos no son absorbidos por el intestino y en consecuencia son eliminados intactos produciendo diarrea. Consideramos el síndrome de Whipple por el hecho de que éste va acompañado por síntomas de artritis y alteraciones oculares, que se presentaron en el paciente. Si hoy diagnosticáramos una enfermedad de Whipple, se podría curar fácilmente con antibióticos, pero por entonces no se conocía la enfermedad ni existían antibióticos. La enfermedad no tratada es con frecuencia mortal; si consideramos que los síntomas digestivos de Beethoven comenzaron aproximadamente a los 20 años y falleció a los 57, podemos coincidir en que este diagnóstico, no obstante dar respuesta a varios síntomas aparentemente no relacionados del paciente, es poco probable.

En cuanto a la cirrosis de Laennec, que es una forma de hepatitis alcohólica, si bien coincide en síntomas y con el antecedente de consumo alcohólico del paciente, es poco probable que se hubiese manifestado en etapa tan temprana de la vida, así que deberíamos descartarla como origen primario de la enfermedad intestinal. La misma consideración debemos hacerla para el posible diagnóstico de pancreatitis alcohólica. En esta enfermedad también podemos observar los síntomas de dolor abdominal, diarrea y constipación. Sin embargo, debemos descartarla como origen de los síntomas digestivos a tan temprana edad aunque pueda agregarse más adelante en la vida del paciente como complicación del consumo de alcohol. La hepatitis viral también puede ser responsable de los síntomas intestinales pero al igual que en los diagnósticos anteriores es poco probable que aisladamente sea la responsable de la cronicidad de los síntomas.

Por lo tanto, los diagnósticos, es decir, las posibles enfermedades causales que justifiquen los síntomas intestinales de lo que Beethoven llamó «mi enfermedad habitual», son la enfermedad de Crohn o el síndrome de colon irritable, y en ese orden.

El genio y la ironía

La vida de un genio de la música atormentado por numerosas enfermedades no pudo tener peor castigo: la sordera. Beethoven perdió su más preciado tesoro, el oído. El paciente ya tenía una enfermedad crónica, la intestinal, que había comenzado aproximadamente a los 20 años. Pero a la edad de 26 años empezó a sufrir una lenta pérdida de la audición, y el oído derecho resultó el más afectado desde un principio.

Al comienzo, el paciente creyó que la disminución en la audición sería un proceso transitorio, quizás una complicación de sus problemas intestinales; como todo aquello en la vida que se instala lentamente no genera en un principio mayor conciencia ni alarma. Pero a los 30 era ya un hecho concreto: una fuerte disminución auditiva se había hecho realidad. A la sordera se agregaban los acúfenos. Los acúfenos o tinitus son percepciones de sonidos inexistentes y molestos que los pacientes describen como zumbidos, pitidos, campanilleo, cantar de grillos y sonidos por el estilo.

Beethoven además refiere fuerte dolor de oídos en respuesta a sonidos intensos. El paciente tarda en reconocer públicamente su deterioro auditivo. Anton Schindler, amigo de Beethoven, sugirió que notó la incipiente pérdida del oído cuando componía la Sonata N° 7 para piano, cuyos primeros compases del segundo movimiento serían en realidad la expresión de tristeza y desolación. Al igual que en los primeros compases de la siguiente sonata, la N° 8, *Patética*, que resulta ser expresión emocional de rabia y rebeldía. En julio de 1798, a la edad de 28 años, Beethoven escribió una carta a su amigo Carl Amenda relatando su problema auditivo del siguiente modo:

«...mi audición en los últimos años es cada vez más pobre, los ruidos en los oídos se hacen permanentes y ya en el teatro tengo que colocarme muy cerca de la orquesta para entender al autor. Si estoy retirado, no oigo los tonos altos de los instrumentos. A veces puedo entender los tonos graves de la conversación pero no entiendo las palabras...»

Poco más tarde, en junio de 1801, escribe otra carta, esta vez al Dr. Franz Wegeler, reconocido médico y amigo de la infancia de Beethoven:

«...ahora ese demonio envidioso, mi mala salud, me ha jugado una mala pasada, en los últimos tres años mi sentido del oído se ha debilitado progresivamente y se me dice que la causa principal de esto son mis intestinos, que tú bien sabes cuántos problemas me han causado en el pasado. Mi estado intestinal empeoró desde que llegué a Viena, pues he padecido constantes diarreas que me han dejado en una situación de extrema debilidad.

El pasado invierno fue terrible para mí, hasta que hace ahora cuatro semanas, acudí a ver a Werig, el cual casi ha conseguido parar esta violenta diarrea y me ha ordenado tomar baños calientes en las aguas del Danubio, régimen al que debo añadir algunas botellas de tónico.

Al principio no me dio ninguna medicina pero hace cuatro días me prescribió unas píldoras para el estómago y unos lavados de oído, el resultado es que, ciertamente, me siento fuerte y siento que mi salud mejora... a excepción de mis oídos, que no dejan de dolerme día y noche. Llevo una vida de ermitaño, durante casi dos años he tratado de evitar toda compañía, sencillamente porque no puedo decirle a la gente que estoy sordo. Si tuviera otra profesión, todo sería más fácil, pero en mi trabajo esta situación es terrible, y en cuanto a mis enemigos, que me consta que no son pocos, ¿qué dirían si supieran esto? Si estoy a cierta distancia de los instrumentistas o de los cantantes, no puedo oír las notas más agudas; en las conversaciones, es asombroso que todavía haya gente que no haya notado mi problema, habitualmente simulo estar ausente y ellos atribuyen esto a mis silencios. Aún más, debo decirte que apenas puedo oír a una persona si habla a media voz, es decir puedo escuchar el timbre de su voz pero no distingo las palabras, por otro lado, si alguien grita, el ruido me resulta insoportable. Lo que ocurrirá después de esto sólo Dios lo sabe. Werig dice que tiene que haber una mejora, o quizás una recuperación completa. En los últimos tiempos he maldecido mi vida a menudo. Plutarco me ha enseñado la resignación. Debo afrontar mi destino aunque en ocasiones me sienta la más infeliz de las criaturas de Dios. ¡Resignación! ¡Resignación!¡Qué miserable refugio es el que se me deja...!»

El Dr. Johann Adam Schmidt[1] aconsejó a Beethoven tomar un descanso alejado y en soledad en la temporada de verano para facilitar así su mejoría y recuperación. Sumamente deprimido por su condición de salud, se instaló en Heiligenstadt, un pueblo cerca de Viena donde solía descansar en los veranos, allí anotaría ideas musicales en cuadernos que elaboraría luego durante el año.

Pero ese año, 1802, el paciente pasó un período sumamente difícil al enfrentar la irreversibilidad de su sordera progresiva. Fue entonces cuando escribió un documento que guardó celosamente en un escondite secreto de su escritorio junto a la carta a la amada inmortal, el llamado «Testamento de Heiligenstadt».

Beethoven dejó en ese documento constancia de su ansiedad, sufrimiento y angustia frente a su enfermedad y la existen-

---

1 Reconocido médico. Fue uno de los primeros médicos que atendió a Beethoven por sus problemas auditivos. Fue médico cirujano militar y director del Instituto de Salud de los Hospitales de Viena. Comenzó su carrera como médico militar. Publicó numerosos artículos médicos. Beethoven confiaba en él y en su testamento de Heiligenstadt pide que luego de su muerte el Dr. Schmidt describa la enfermedad que padecía (sordera) a la posteridad.

cia de «pensamientos suicidas». También cedía sus pocos bienes a sus dos hermanos. El testamento, escrito el 6 de octubre de 1802, se completaba con una segunda parte escrita pocos días después, el 10 de octubre del mismo año. El testamento tiene un contenido emocional muy intenso.

El paciente recibió múltiples tratamientos para su sordera a lo largo del tiempo. Algunos de ellos le dieron mejoría transitoria a los dolores y a los acúfenos, aunque la evolución de la hipoacusia o sordera fue imparable.

Entre las múltiples prescripciones cabe citar gotas óticas de la más variada composición, como las de polvo de ajo fresco, té, distintas hierbas, aceites de distintos tipos, entre el que se destaca el aceite de almendras dulces. También recibió aplicaciones de corriente galvánica en los oídos.

Beethoven usó varios tipos de audífonos o trompetillas para amplificar los sonidos, pero con pobres resultados. Johann Maelze, quien patentó el metrónomo (inventado por Whikel) desarrolló al menos cuatro modelos especiales para Beethoven. Esas trompetillas eran como pequeñas cornetas, con forma similar a pequeños embudos que colocados en el oído amplificaban los sonidos, como cuando uno coloca la mano para escuchar mejor.

En los últimos años de su vida evidenció una clara declinación física. Hacia 1813, cuando el paciente tenía 43 años, la sordera del oído derecho era total y mantenía escasa audición en el oído izquierdo. En 1814, ya se le hacía difícil ejecutar el piano y dio su último concierto en público. Beethoven, en un mundo sin sonidos, siguió creando música en la abstracción de su mente.

La causa de la sordera

Sin duda, tratándose el paciente de uno de los genios de la música de todos los tiempos, la determinación causal de su sordera resulta de interés para sus biógrafos en general y para los médicos en particular.

Para entender las posibles causas o etiología de la sordera de Beethoven vamos a explicar brevemente cómo funciona la audición y luego analizar las posibles enfermedades que pudieron afectar al paciente y causar sordera. El sistema auditivo se compone de tres partes, el oído externo, el oído medio y el oído interno. Las vibraciones sonoras que llegan a nuestro pabellón u orejas ingresa a través del conducto auditivo externo y llegan al final del mismo impactando sobre una membrana semitranslúcida que se denomina membrana del tímpano. Ésta actúa así como el parche de un tambor, diríamos, exactamente igual. La vibración de este parche o membrana del tímpano es transmitida, ya en lo que se denomina oído medio, a una cadena de tres pequeños huesos. Estos huesecillos (martillo, yunque y estribo) amplifican y transmiten las vibraciones sonoras a otra pequeña membrana que se denomina membrana oval. De ahí en adelante comienza lo que se denomina oído interno. La membrana oval hace vibrar un líquido, perilinfa, que se distribuye en una parte del oído interno llamada caracol. Las vibraciones de este líquido activan y estimulan células sensoriales del oído interno en un sector —el «órgano de Corti»— generando un estímulo eléctrico que es transmitido por el nervio auditivo hasta el cerebro. Así, las vibraciones sonoras que ingresan por el conducto auditivo externo se amplifican mecánicamente en el oído medio y se convierten en un estímulo nervioso en el oído interno. Este estímulo viaja a través del nervio auditivo y llega a distintas áreas del cerebro para ser interpretado como sonido y comprenderlo.

Numerosas han sido las teorías y posibles explicaciones sobre el origen de la hipoacusia y luego sordera de Beethoven. Aunque difícilmente tuviera suficiente importancia clínica no puede dejar de mencionarse, dado el interés histórico y emocional, el trauma acústico que el paciente recibió de chico por su padre alcohólico que le pegaba en los oídos para exigirle que se esforzara en el estudio y desarrollara sus habilidades musicales.

Entre las posibles enfermedades causales debemos citar la sífilis (causa común en la época), la otosclerosis, las hipoacusias de percepción, la tifoidea, la laberintitis y otras mucho menos probables tales como la otitis media, la enfermedad de Whipple, la enfermedad de Paget, etcétera.

La sífilis es una enfermedad de transmisión sexual producida por una bacteria denominada *Treponema palidum*. En realidad, si uno quisiera buscar una sola enfermedad que justificase todos los síntomas presentados por el paciente, desde la cefalea, los problemas reumáticos, los trastornos digestivos, hepáticos, visuales y auditivos, la verdad es que estamos obligados a pensar en sífilis. Por otra parte, era muy común en aquella época. Asimismo, las costumbres del momento hacían muy frecuente la práctica de la prostitución y de hecho estaba aceptado socialmente. Beethoven era soltero y las biografías aluden a su personalidad débil frente a las atracciones sexuales.

El paciente, a medida que perdía la audición, comenzó a comunicarse por medio de la escritura con quienes lo frecuentaban; gracias a eso dejó valiosa información en los llamados «libros de conversación», los cuales no dejan dudas con respecto a esta conducta. En ellos se citan conversaciones acerca de prostitutas del distrito cercano a Haarmarket, incluso se identifica a Janitschele Karl Peters como proveedor de prostitutas. Lo que no puede precisarse es cuándo el paciente comenzó a valerse de estos servicios ni cuál fue la repercusión en su salud. En un «libro de conversación» usado cuando Beethoven tenía 49 años se cita un libro de texto titulado *Sobre el arte de reconocer y curar todas las formas de enfermedades venéreas*. No obstante la admisión social de la época, la información específica sobre el paciente, la opinión de muchos autores y la tentación profesional en encontrar una única enfermedad que explique toda la sintomatología, considero poco probable que el paciente presentara sífilis, al menos por dos motivos. El primero de ellos es que Beethoven ha tenido buena atención médica toda su vida, de hecho lo han visto en forma regular muchos médicos. La sífilis presenta una primera etapa en la cual aparece una lesión ulcerada en los genitales denominada «chancro-sifilítico» que puede durar hasta 6 semanas. Suponiendo que ningún médico hubiera hecho el diagnóstico porque, tal vez, el paciente lo hubiera ocultado, la segunda etapa de la enfermedad que aparece meses después de la curación espontánea del chancro se ve caracterizada por múltiples lesiones rosadas distribuidas en manos, pies y frecuentemente en pecho, cara y espalda. Esta etapa puede durar varios meses y es muy difícil de ocultar. El segundo motivo que va en contra del diagnóstico de sífilis es que de haber sido diagnosticada en su momento y aun cuando hubieran querido mantenerlo en secreto, el paciente habría sido tratado con mercurio. El mercurio era el tratamiento obligado en la era preantibiótica y de haber sido tratado con sales de mercurio habrían quedado rastros en sus cabellos. Los análisis de laboratorio de los cabellos de Beethoven que han sido realizados hace pocos años descartan, precisamente, la contaminación con mercurio. Queda una posibilidad para considerar esta enfermedad y es que la misma hubiera sido congénita, es decir que la madre hubiera contagiado al hijo. En este caso es posible que la enfermedad se presente con sordera bilateral que se desencadena luego de la pubertad. Esto es muy poco frecuente. Por lo tanto, no puede considerarse probable el diagnóstico de sífilis, aunque claro está, no puede excluirse totalmente.

Veamos otras posibles causas. La tifoidea, enfermedad infecciosa que aparentemente presentó en su juventud, puede provocar eventualmente sordera, pero es muy poco frecuente. La laberintitis es una enfermedad del oído en la cual se produce un proceso inflamatorio en el llamado «laberinto», que es un conjunto de cavidades y canales que contienen un líquido llamado endolinfa y que se encuentra ubicado en el oído interno. Incluye estructuras relacionadas con el sistema auditivo y con el sistema que sirve para mantener el equilibrio. En general, es causada por infecciones virales o bacterianas, tanto localizadas como generalizadas. El síntoma dominante es el vértigo o mareo al cual se puede agregar hipoacusia transitoria o permanente. Claramente no se ajusta a la descripción clínica del paciente. Beethoven no refería vértigos ni mareos como síntoma asociado a su hipoacusia, siendo que el vértigo es el síntoma dominante de la laberintitis ya que afecta al sector del oído interno relacionado con el equilibrio.

Lo que más probablemente explique de modo satisfactorio la sordera bilateral del paciente es un mecanismo de tipo mixto, en el cual intervenga un déficit de percepción neurológico con afectación del oído interno (hipoacusia de percepción) asociado a un déficit de conducción del sonido en el oído medio (hipoacusia de conducción). Beethoven dejó constancia de que su pérdida inicial de la audición era para los sonidos de tono alto y que los sonidos intensos le provocaban dolor de oídos u otalgia, son síntomas que concuerdan con el cuadro clínico de una «hipoacusia de percepción» por afectación del oído interno. El mecanismo comprometido es una dificultad en convertir las vibraciones sonoras en un estímulo nervioso que el cerebro pueda entender. En un mecanismo mixto, a esta hipoacusia de percepción se le asocia una «hipoacusia de conducción». En ésta, como su nombre lo indica, existe una dificultad para que el sonido sea «conducido» desde el conducto auditivo externo hasta el oído interno. Para ser aún más gráficos, un simple tapón de cera produce una hipoacusia de conducción porque al sonido se le hace difícil atravesar el conducto auditivo externo, sencillamente porque está tapado. En el caso del paciente, podría pensarse en que la enfermedad comprendida en la hipoacusia de conducción fuera una *otoesclerosis*. Ésta es una enfermedad ósea que afecta a la cadena de pequeños huesos del oído medio que se «pegan» entre sí perdiendo su normal movimiento dejando así de «conducir» adecuadamente las vibraciones sonoras. De ese modo, se produce la hipoacusia de «conducción» de sonido. La otoesclerosis produce una pérdida progresiva y lenta de la capacidad auditiva que puede llegar a ser total, y también produce acúfenos. Estos dos síntomas coinciden con el cuadro clínico del paciente en estudio. Juega en contra de este diagnóstico la falta de antecedentes familiares de hipoacusia ya que la otoesclerosis es una enfermedad con fuerte carga genética; sin embargo, hay muchos casos que se presentan sin antecedentes familiares.

Así, podemos sostener que la sordera del paciente bien puede atribuirse a un mecanismo de origen mixto, de «percepción y conducción», hipótesis que se ve apoyada por los hallazgos en la autopsia de Beethoven que analizaremos más adelante.

Hace pensar en un déficit de conducción de sonido el hecho de que el genio de la música mantuvo por un buen tiempo la percepción por vía ósea, es decir que las vibraciones en sus huesos eran percibidas por su oído interno. Beethoven se colocaba una «varilla de madera entre sus dientes y la apoyaba sobre el piano» y podía percibir así cambios en las vibraciones. De este modo, las vibraciones del piano iban directamente a su oído interno a través de los huesos.

Los especialistas en música afirman que Beethoven era poseedor del llamado oído absoluto, que es la habilidad para percibir un sonido y discriminar los tonos y notas que lo componen.

Paradoja e ironía del destino, Beethoven ya sordo siguió creando música en el silencio de su mente.

Zurdo

Beethoven sufrió muchas dolencias físicas y psicológicas en su vida. Tuvo una infancia difícil, un padre alcohólico y sobreexigente, una abuela alcohólica, la muerte de sus hermanos, la muerte de su madre por tuberculosis cuando él tenía 16 años y sus propias enfermedades físicas. Estas circunstancias seguramente condicionaron en parte su personalidad. Iracundo, malhumorado, con tendencia al aislamiento social y con una inestabilidad emocional que le ocasionó no pocos problemas en la elección de sus parejas, que no casualmente nunca llegaron a feliz término. A toda esta problemática se instala desde la primera infancia una característica que por entonces no era aceptada, y creo que no debemos dejar de considerar en nuestro análisis: Beethoven era zurdo.

Seguramente le trajo no pocos problemas a los que ya tenía en un entorno familiar difícil. Pero no es por este aspecto que señalo esta característica de nuestro paciente. ¿Entonces por qué? ¿Qué pensaría usted si le comento que un genio del Renacimiento como Leonardo da Vinci era zurdo? Hasta ahí seguramente nada. Pero si le comento que los otros dos grandes genios del arte del Renacimiento, Miguel Ángel y Rafael, también eran zurdos, la cosa ya cambia. Pero agregaría algo, Mozart y Bach, adivine, también eran zurdos. ¿Casualidad? Seguramente no. Resulta que hoy sabemos que los hemisferios cerebrales tienen cierta especialización en cuanto a las funciones. Es así que el hemisferio izquierdo se especializa en funciones relacionadas con el habla, la escritura, el entendimiento de la palabra oral y escrita, los razonamientos lógicos, matemáticos y el pensamiento secuencial o lineal. En cambio el hemisferio derecho tiene funciones relacionadas con la ubicación espacial, la comprensión emocional, la imaginación, la «creatividad» y la capacidad de meditar. De todos modos, hay que asumir que nuestras capacidades resultan de la sumatoria de todas nuestras funciones y por lo tanto de la integración funcional de ambos hemisferios cerebrales. La comunicación humana adquiere variables múltiples, la escritura y el habla son las primeras que emergen a nuestro entendimiento, pero también debe interpretarse como comunicación nuestras expresiones faciales, en tanto forman parte de nuestro mundo emocional. El arte como manifestación del consciente y del inconsciente es sin duda un emergente de la más profunda necesidad de expresión que adquiere modos diversos, poesía, música, pintura entre otros, que a veces incluso se adelantan al propio tiempo y época del artista. La pregunta que uno se hace, al notar tantos genios que usan predominantemente su mano izquierda, es si esto responde a una función cerebral que de algún modo los predispone a la expresión artística. En la población mundial, los zurdos representan aproximadamente un 10%, variando discretamente entre las distintas comunidades consideradas. Sin embargo, resulta revelador un estudio que muestra que la proporción de zurdos en la población de artistas plásticos en Estados Unidos es cercana al doble de la existente en la población general. Existen varias teorías con respecto a las razones por las cuales una persona es zurda, que no analizaremos ahora, pero sí cabe señalar aquellas que sostienen que los zurdos tienen facilidad para interconectar las funciones de ambos hemisferios cerebrales permitiendo así integrar más eficientemente las ventajas «creativas» que el hemisferio derecho aporta a nuestra mente. Así, la zurdera de Beethoven, que no pocos problemas debió traerle en la infancia, puede ser una manifestación más de una capacidad artística y creativa extraordinaria. La sordera como feroz castigo del destino y otras adversidades no pudieron doblegar la emergencia de la creatividad del genio y tal vez, hasta esa adversidad, fue sublimada en la partitura.

> *Plaudite, amici, comœdia finita est*
> *Aplaudan amigos, la comedia terminó*

Beethoven siempre convivió con problemas intestinales, su «enfermedad habitual», como repetía resignado. Cuando componía la sinfonía *Heroica* presentó cuadros clínicos de fiebre intermitente que se extendieron por mucho tiempo. A los 37 años, cuando terminó su 5ª y 6ª Sinfonías, se le infectó un dedo que afortunadamente curó luego de una cirugía que extirpó la uña infectada. Pasó largos períodos con episodios bronquiales, dolor de cabeza y fiebre a la edad de 40 años. Para cuando el paciente tenía 46 años se complicó su estado clínico con dolores torácicos y dolores articulares de probable origen reumático. Para entonces, ya estaba casi completamente sordo. Siempre tomó bebidas alcohólicas, pero no tanto como su padre o su abuela materna. Sin embargo, en las últimas dos décadas de su vida aumentó mucho el consumo alcohólico, incluso hasta llegar al punto de la embriaguez. Esta conducta seguramente perjudicó mucho su función hepática.

Fue a los 50 años cuando tenemos referencia del primer episodio de ictericia. A mi juicio, este episodio marca un antes y un después en la historia clínica del paciente. La ictericia es el color amarillento de la piel y de las mucosas, como ojos y paladar, que se produce cuando la bilirrubina aumenta en la sangre, debido en este caso a una insuficiencia hepática. El hígado es un órgano muy noble y para que aparezca ictericia el compromiso o fallo hepático ya tiene que ser de una magnitud importante. Cirrosis alcohólica. Si hoy hubiésemos tratado a Beethoven en el momento de su primer evento de ictericia, otro habría sido su destino.

Para cuando el paciente tenía 52 años su estado general se complicó con una inflamación en ambos ojos, que lo obligó a permanecer largos períodos aislado en una habitación a oscuras debido a la fotofobia o molestia visual frente a la luz.

Hay referencia de que permaneció con los ojos vendados por algún tiempo debido a la fuerte intolerancia a la luz. Los médicos le suspendieron el vino, el alcohol en general, el café y las especias. Por entonces, los episodios bronquiales y de vías aéreas superiores fueron más intensos y se les agregó sangrado por la nariz y, según las descripciones, también sangrado originado en tráquea y bronquios.

En esos momentos, en que los síntomas ya eran muy serios, el paciente estaba pasando un tiempo en la casa de su hermano Nikolaus Johann en Gneixendorf, cerca del Danubio. Su abdomen se encontraba dilatado y distendido, lo que lo obligaba a vendárselo. Los pies se le hinchaban por acumulación de líquido. Tenía mucha sed y dolor abdominal en el área superior derecha o región hepática. Mientras su estado físico se deterioraba, su creatividad iniciaba la composición de la 10ª Sinfonía.

Ante el creciente deterioro de su salud, Beethoven regresó rápidamente a Viena para ser atendido médicamente. El improvisado viaje se realizó en un carruaje descubierto y pasó una noche en una posada sin calefacción ni abrigo suficiente, donde su condición empeoró aún más, tanto desde el punto de vista digestivo como respiratorio. Ya en Viena presentó una mejoría parcial en una semana, pero luego comenzó nuevamente con un cuadro clínico que complicó definitivamente su salud: acusó una fuerte disminución de peso y presentaba el semblante propio de quien cursa una grave enfermedad. Por entonces, se reinstalan la ictericia por mala función hepática, el sangrado digestivo, los temblores y el dolor abdominal intenso en la región superior derecha, en el área hepática.

Su médico, el Dr. Andreas Ignaz Wawruch notó también la

gran hinchazón de sus pies, tobillos y miembros inferiores y ante la observación de la gran acumulación de líquido en su cuerpo hizo el diagnóstico de «hidropesía». La hidropesía o edema es un signo de acumulación de líquido, en este caso por anormalidad en la función hepática y muy probablemente también renal. El paciente presentaba una importante ascitis, que no es otra cosa que la acumulación de líquido en el abdomen, que al distender tanto la cavidad reduce por compresión física el tórax y con ello dificulta la función respiratoria. A ello obedece la disnea o falta de aire en esta fase de la enfermedad de Beethoven. Así coincidió su médico de cabecera con el Dr. Johann Seibert, médico cirujano, en realizar una operación denominada paracentesis abdominal. En esta cirugía se abre una incisión en el abdomen para insertar un tubo que permite salir o drenar líquido y así disminuir la ascitis, aliviando los síntomas respiratorios y abdominales. Esta primera intervención fue realizada el 20 de diciembre de 1826. Una segunda paracentesis abdominal se realizó el 8 de enero de 1827 ya que el abdomen del paciente había aumentado de tamaño nuevamente debido a la nueva acumulación de líquido en la cavidad peritoneal. Con el correr de los días el cuadro se agravaba, la respiración se tornaba superficial mientras el grado de conciencia disminuía. El habla se tornó dificultosa a la vez que la insuficiencia respiratoria aumentaba.

En este período, el paciente recibió medicación vía oral que incluía leche de almendras y otras preparaciones en polvo cuya composición farmacéutica son de difícil determinación, pero que seguramente no cambiaban la historia natural de la enfermedad. La tendencia a la retención de líquidos persistió y con ello la acumulación de líquido abdominal. Fueron realizadas dos cirugías más, en total cuatro, la última de ellas el 27 de febrero de 1827. Hay que asumir que seguramente estas intervenciones, aunque generaron un beneficio sintomático innegable, seguramente también condicionaron una infección en la cavidad peritoneal que debido a la inexistencia de antibióticos empeoró el cuadro clínico posibilitando el desarrollo de una sepsis o infección generalizada que comprometía la función del resto de los órganos. Por supuesto, el aspecto físico del paciente era ya de un deterioro más que evidente con mal aspecto general. Como se mencionó, el habla era dificultosa y por momentos sólo murmuraba palabras sueltas. Sobre el final de su pobre estado de conciencia y ya aceptando su destino, Beethoven miró a su médico y murmuró «*¡Plaudite, amici, comœdia finita est!*» *(*Aplaudan amigos, la comedia terminó). De algún modo, las personas saben cuando el final está cerca.

El paciente recibió la extremaunción y agradeció al religioso por haberlo reconfortado. En la noche del 24 de marzo perdió la conciencia y entró en coma. Dos días después, a las 17:45 de la tarde durante una tormenta con relámpagos, Beethoven hizo su último gesto: levantó su mano derecha para luego dejarla caer, luego abandonó este mundo. Era el 26 de marzo de 1827.

La autopsia de Beethoven

Una autopsia brinda mucha información a los médicos a los efectos de conocer las patologías que llevaron a la muerte del paciente, así como también otras enfermedades con las que el enfermo tuvo eventualmente que convivir. En las autopsias actuales, el médico patólogo describe los aspectos visibles del cuerpo y los órganos, es decir el aspecto macroscópico. Luego prepara muestras para ser observadas al microscopio (microscopia) y así precisar el diagnóstico. En la época en que falleció Beethoven no existían estudios microscópicos, por lo tanto sólo tenemos a disposición la observación «a simple vista» del aspecto del cuerpo y sus órganos. De todos modos, en este caso, la información de la autopsia es lo suficientemente detallada como para determinar la causa inmediata de su muerte aunque deja, por falta de precisión, algunos interrogantes médicos que aún se encuentran en discusión. Al día siguiente del fallecimiento de Beethoven, el Dr. Johann Wagner, patólogo del Museo de Patología de Viena, fue el encargado de realizar la autopsia acompañado por el joven médico Karl von Rokitonsky, quien fuera considerado más tarde como uno de los padres de la anatomía patológica.

Transcribimos aquí parte del informe de la autopsia para luego hacer algunas consideraciones diagnósticas sobre la base de la misma.

«El cuerpo mostraba signos de intenso enflaquecimiento con petequias negras, especialmente en las extremidades. El abdomen estaba distendido, hinchado con líquido y su piel estirada. La cavidad torácica y su contenido estaban normales. La cavidad abdominal estaba llena de líquido de color herrumbroso. El hígado estaba reducido a la mitad de su tamaño normal, con aspecto de cuero, duro y de color verde azulado, con nódulos del tamaño de un poroto.

Todos sus vasos estaban muy estrechos, engrosados y desprovistos de sangre. La vesícula biliar contenía líquido oscuro, y estaba llena de sedimento como gravilla. El bazo estaba grande más de dos veces lo normal, duro y de color negruzco. El páncreas estaba grande y duro, su conducto excretor permitía el paso de una pluma de ganso. El estómago y los intestinos estaban muy distendidos con aire.

Ambos riñones estaban pálidos y al seccionarlos, la corteza medía el largo de la última falange de un pulgar, cubierta con líquido oscuro. Cada cáliz está lleno de concreciones calcáreas como arvejas cortadas por la mitad.

El conducto auditivo externo, sobre todo al nivel del tímpano, estaba muy engrosado y recubierto de escamas brillantes, presentando una mucosa edematosa y un poco retraída al nivel de la porción ósea.

La trompa de Eustaquio estaba muy engrosada, presentando una mucosa edematosa y un poco retraída a nivel de la porción ósea.

Adelante de su orificio, en la dirección de las amígdalas, se nota la presencia de pequeñas depresiones cicatrizoides. Las células visibles de la apófisis mastoidea se presentaban recubiertas de mucosa fuertemente vascularizada, y la totalidad del yunque aparecía surcada por una marcada red sanguínea sobre todo a nivel del caracol cuya lámina espiral se apreciaba levemente enrojecida. Los nervios de la cara eran de espesor considerable.

Los nervios auditivos, al contrario, adelgazados y desprovistos de la sustancia medular. Los vasos que los acompañan, esclerosados.

El nervio auditivo izquierdo mucho más delgado, salía por tres ramas grisáceas muy finas mientras que el derecho estaba formado apenas por un cordón más fuerte y de un blanco brillante»

La descripción externa del cuerpo de Beethoven denunciaba claramente el proceso evolutivo de una enfermedad que deterioró lentamente al paciente y por lo tanto lo hizo sufrir. La pérdida de peso muestra el consumo de reservas de su cuerpo en un intento por seguir con vida. Las petequias (pequeños puntos negros) en el cuerpo y extremidades revelan problemas de coagulación sanguínea debido al mal funcionamiento del hígado que no producía los factores de coagulación sanguínea necesarios.

Acorde a lo que podría esperarse por su cuadro clínico, se constata una cirrosis macronodular. Esto es una lesión del hígado caracterizada por células muertas y nódulos de regeneración, acompañada de una disminución en el tamaño del órgano. La principal causa que provoca esta cirrosis es el alcoholismo, que es de por sí el responsable del 80% de los casos. No se puede descartar que una lesión similar hubiera sido producida por una hepatitis infecciosa por virus.

Sin embargo, si bien pudo el paciente presentar un cuadro de hepatitis, las características anatómicas del órgano descriptas por el Dr. Wagner, sumadas al antecedente de consumo alcohólico y a la evolución clínica del enfermo, hacen pensar en *cirrosis macronodular alcohólica*. La cavidad abdominal se encontraba llena de líquido ascítico infectado, seguramente como consecuencia de las cirugías que se realizaron para evacuar la acumulación de líquido en el abdomen. El páncreas era compatible con el diagnóstico de *pancreatitis crónica de origen alcohólico*. El bazo se encontraba agrandado, lo cual es común en un cuadro de cirrosis hepática como el del paciente. El contenido de las vías biliares y vesícula es compatible con barro biliar, que es una sustancia de aspecto mucoso y espeso constituida por bilirrubina, calcio y colesterol. Puede ser causa de dolor abdominal y condicionar la formación de *cálculos biliares*. La cavidad torácica y los pulmones se encontraban normales, lo cual descarta tuberculosis, enfermedad que Beethoven temía tener ya que de esa enfermedad había muerto su madre. Tampoco se observaron otras enfermedades pulmonares. El estómago y los intestinos se describieron como normales. Esto no descarta enfermedades intestinales que requieren diagnósticos microscópicos. La descripción de las lesiones renales es compatible con una enfermedad denominada *necrosis papilar renal*, cuya causa más frecuente es la *diabetes*. También el aspecto de cierta parte de los riñones podría ser compatible con enfermedad renal por excesivo uso de analgésicos suministrados por sus médicos y su hermano.

Con respecto a los oídos, se destaca la descripción de un «engrosamiento» del conducto auditivo externo, sobre todo en la membrana del tímpano que se encontraba recubierto por escamas brillantes: la trompa de Eustaquio, que es un conducto que une el oído medio con la garganta, también estaba engrosada y con edema. La apófisis mastoidea que es parte del hueso temporal y se encuentra cerca del conducto auditivo externo también presentaba un aspecto anormal. Lo mismo sucedió con el yunque (pequeño hueso del oído medio) y con el caracol (parte del oído interno), que tenían un aspecto anormal. A estas alteraciones anatómicas del oído externo y el oído medio de Beethoven debemos agregar el hallazgo que describe el Dr. Wagner sobre los nervios auditivos. El patólogo, que sin duda puso especial atención en los oídos de Beethoven, consignó en el protocolo de la autopsia que los nervios auditivos eran claramente anormales, se encontraban adelgazados y con ausencia del cordón central, o por él descripto como «sustancia medular». Agregó, asimismo, que los vasos sanguíneos que los acompañaban también eran anormales. Es interesante hacer notar que Wagner describe al nervio auditivo izquierdo de Beethoven como adelgazado y formado por tres ramas mientras que el derecho estaba constituido por un solo cordón blanquecino. Esto coincide con el cuadro clínico de la evolución de la sordera de Beethoven que afectó primero y más seriamente al oído derecho conservando la función del izquierdo por más tiempo.

No quisiera terminar esta descripción de la autopsia sin considerar una posibilidad diagnóstica que ha sido muy comentada por lo llamativo y novelesco del hallazgo. ¿Pudo Beethoven morir por *intoxicación crónica por plomo o saturnismo*? Lo que sucede es que llegó hasta nuestros días un mechón de cabello de Beethoven que fue analizado en su composición química y se comprobó que contenía una concentración de plomo 100 veces superior a lo normal. ¿Cómo pudo el paciente intoxicarse con plomo? Resulta que en la época, muchos medicamentos contenían sales de plomo. Recordemos que Beethoven decidió regresar desde la casa de su hermano a Viena para recibir atención médica. A su arribo a esta ciudad y pocos meses antes de su muerte, fue tratado por el Dr. Wawruch por un cuadro de neumonía. El colega administró un expectorante con sales de plomo. Si bien el paciente mejoró de su complicación pulmonar, éste podría ser el origen de la intoxicación por plomo. Sin embargo, aun sin descartar una intoxicación, la autopsia realizada por Wagner brinda información reveladora en este sentido. La intoxicación por plomo produce alteraciones gastrointestinales, en el hígado, en los riñones y en el sistema nervioso. No obstante, la afectación hepática por plomo es más bien leve y no una «cirrosis macronodular» como la descripta en la autopsia por Wagner. Tampoco coincide la lesión renal del saturnismo, en el cual se produce una «fibrosis» a nivel de los riñones y no una «necrosis papilar» como la consignada por Wagner en el informe de la autopsia. También debemos citar que en el saturnismo se producen alteraciones del sistema nervioso y de los nervios en general. A pesar de esto, los nervios auditivos se encuentran en general normales en el saturnismo mientras que en nuestro paciente eran claramente patológicos. También clínicamente el cuadro de saturnismo no coincide con el del paciente ya que si bien produce síntomas digestivos tales como dolor abdominal, náuseas y vómitos en general, va acompañado de constipación y no diarrea como en el caso de Beethoven. Por lo tanto, si bien el hallazgo de altas concentraciones de sales de plomo en el cabello de Beethoven resulta interesante, no es probable que esté relacionado con el motivo de fallecimiento.

Habida cuenta de los antecedentes del paciente, de los síntomas previos al fallecimiento y del análisis de la autopsia, estamos en condiciones como para determinar la causa de fallecimiento. El certificado de defunción de Ludwig van Beethoven expresaría lo siguiente:

CERTIFICADO DE DEFUNCIÓN

APELLIDO: Beethoven
NOMBRE: Ludwig van
EDAD: 57 años
LUGAR: Viena, Austria
DÍA: 26 de marzo
HORA: 17:45
AÑO: 1827

MOTIVO DE FALLECIMIENTO: Paro cardiorrespiratorio no traumático.
CAUSA INMEDIATA: Coma por insuficiencia hepática.
CAUSA MEDIATA: Cirrosis alcohólica.

Síntomas y enfermedades de Beethoven

Llegado este punto, y a manera de resumen, vamos a realizar una enumeración de los síntomas, enfermedades y/o posibles patologías del paciente.

Algunas de ellas resultan claras y otras, las consignadas con signo de interrogación, son probables desde el punto de vista clínico. Esto se debe a que para tener un diagnóstico de certeza son necesarios estudios complementarios y análisis

de laboratorio con los que no contamos por razones obvias.
Veamos:

Sordera
Miopía
Dolores reumáticos
Ataques de dolor ocular y fotofobia (rechazo a la luz)
Dolores abdominales
Náuseas – vómitos – diarrea
Episodios febriles frecuentes
Cuadros bronquiales
Viruela
Síndrome de colon irritable
Enfermedad inflamatoria intestinal
Cirrosis hepática (alcohólica)
Pancreatitis crónica (alcohólica)
Colangitis (inflamación de vías biliares)
Necrosis papilar renal
Nefropatía por analgésicos (enfermedad renal)
Episodios de depresión
Aislamiento social
¿Hepatitis viral?
¿Gota?
¿Fiebre tifoidea?
¿Diabetes?
¿Sífilis?

Yo soy yo y mi circunstancia

Al comienzo de este capítulo, hemos anticipado que la historia clínica de Beethoven era prácticamente un libro de patología. Esta circunstancia, y particularmente la sordera, hacen pensar en las características de un genio que en su horizonte de creación encontró numerosos impedimentos que su salud se ensañaba en presentarle. ¿Qué habría sido de un Beethoven sin enfermedades? ¿Habría sido el mismo músico, con la misma capacidad creativa por momentos hasta tormentosa, o por el contrario fueron esas mismas circunstancias de adversidad y dolor las que en un crisol del espíritu formuló su esencia en base a un carácter intransigente frente a la adversidad? El filósofo español Ortega y Gasset nos invita a pensar en los aparentes condicionamientos expresados en su famosa frase: «Yo soy yo y mi circunstancia», con los cuales sin duda Beethoven convivió. Tal vez la respuesta, siempre abierta, nos la brinda el mismo filósofo…

«…es falso decir que en la vida "deciden las circunstancias". Al contrario: las circunstancias son el dilema, siempre nuevo, ante el cual tenemos que decidirnos. Pero el que decide es nuestro carácter.»

José Ortega y Gasset, La rebelión de las masas

Charles Darwin:
el origen

La época del Renacimiento ya nos había golpeado. Copérnico primero y Galileo Galilei después probaron que los astros no giraban alrededor de la Tierra. La Tierra ya no era el centro del universo. Nosotros ya no éramos el centro de todas las cosas. Costó asumirlo. Esta vez sería aún más duro. Darwin postuló que todos los seres vivos son el resultado de la evolución a partir de un antepasado común. Para un anglicano que en principio creía en el dogma creacionista de la escritura bíblica, el cambio fue monumental.

Charles Robert Darwin nació en Shrewsbury, Shropshire, Inglaterra, el 12 de febrero de 1809. El padre, Robert Darwin, era un reconocido médico y hombre de negocios de muy buen nivel económico. Con su metro ochenta y ocho de estatura y 150 kg. de peso, su presencia se hacía sentir. Los Darwin poseían cuerpos voluminosos: el abuelo, también médico, llegaba a los 170 kg. La madre, Susannah Wedgwood, o simplemente Anna, era una mujer alta, como toda su familia. De muy buena presencia, delgada y frágil, falleció a los 53 años por un cuadro abdominal agudo con posible peritonitis, cuando su hijo Charles tenía sólo 8 años. Charles era el quinto de seis hijos, todos sanos y sin antecedentes médicos de interés. También era alto, con su metro ochenta y tres de estatura, pero no tuvo el sobrepeso de su padre y su abuelo. De joven fue una persona saludable, tenía ojos de un color azul grisáceo y piel rojiza. Con arrugas en la frente pero no en el resto del rostro, era una persona alegre, simpática, agradable, optimista, cortés, de buenos modales, tranquilo y apreciado por todos. Creció en un ambiente familiar cordial y apacible. Podría decirse que el clima de la familia Darwin era más bien intelectual y promovía el libre pensamiento. El abuelo, Erasmus, fue un médico prestigioso miembro de la Royal Society[1] y famoso en Inglaterra por sus poesías, escritos de medicina y biología. Sorprendentemente, y tal vez de modo premonitorio, el abuelo de Darwin había publicado un libro sobre una teoría natural del desarrollo de la vida. Tanto el abuelo como el padre de Darwin estaban en contra de la esclavitud y a favor de la independencia de los Estados Unidos. La lectura de poesía, novelas y libros científicos era un hecho corriente en la casa de los Darwin. La madre de Charles, quien había tomado clases con Chopin, tocaba el piano todas las tardes en un ámbito de armonía familiar.

Charles Darwin contrajo matrimonio con su prima, Emma Wedgwood, con quien tendría 10 hijos —dos morirían en la infancia y uno resultaría discapacitado mental—. Charles y Emma eran cristianos y asistían a la iglesia todos los domingos.

Quien desarrollaría la teoría de la evolución iba a estar decisivamente influido por un viaje alrededor del mundo. Sería en uno de los barcos más famosos de la historia, el *HMS- Beagle*[2] con el comandante Fitzroy al mando, quien cumpliría el periplo en cinco años. Entre los muchos destinos de la larga expedición se destacan Río de Janeiro, Montevideo, Buenos Aires, Bahía Blanca, las costas de la Patagonia, Tierra de Fuego y las Islas Malvinas. Por entonces, entre otras curiosidades de interés, Charles Darwin se entrevistó con el comandante Juan

1 La sociedad científica más antigua del Reino Unido creada para el desarrollo de las Ciencias Naturales. Los científicos más prestigiosos de Inglaterra han formado parte de ella.

2 *HMS*: Her Majestic Ship, embarcación, barco o buque de su majestad. Como *USS*: United States Ship, barco de la armada de los Estados Unidos o *ARA*: barco de la Armada de la República Argentina.

Manuel de Rosas. Es en la Argentina donde podemos rastrear el origen del diagnóstico presuntivo de una enfermedad crónica que lo acompañaría el resto de su vida. Luego de cruzar el Estrecho de Magallanes y el Cabo de Hornos, navega por las costas de Chile para poner proa a un archipiélago que cambiaría la historia de la Ciencia, las islas Galápagos.

El viaje en el *Beagle* fue una experiencia única y a la vez dramática, donde la observación de la naturaleza y el razonamiento científico reflexivo convertirían a un joven que se había embarcado cinco años antes en uno de los científicos más prominentes de la Historia. Pero ¿cuáles son sus antecedentes? ¿Cómo llega Darwin con sólo 22 años a embarcar en el *Beagle*, produciendo una revolución científica y a la vez el inicio de su historia clínica? Veamos.

Beagle: La vuelta al mundo en cinco años

Dijimos que Darwin provenía de una familia de médicos prestigiosos, era esperable que Charles siguiera el linaje familiar. Fue así como el Dr. Robert Darwin le indicó que iniciara sus estudios de medicina en la universidad de Edimburgo, junto a su hermano Erasmus. Los dos debían ser médicos. Charles se llevaba muy bien con su hermano y ambos mostraban interés por la ciencia. De chicos practicaban experimentos de química en un laboratorio improvisado que ellos habían montado. Antes de comenzar la Facultad, Charles practicó con su padre en calidad de aprendiz. Atendió muy bien a los pacientes, principalmente mujeres y niños carenciados que el padre le derivaba para que hiciera sus «historias clínicas». Ya aquí Charles mostró gran capacidad de observación. Durante las noches, Charles leía a su padre los apuntes sobre los síntomas y características físicas de los pacientes. El padre le hizo notar que sus observaciones eran meticulosas y exactas, que sería un buen médico. El Dr. Darwin estaba satisfecho. Pero éste no sería el destino de Charles. Apenas comenzó la facultad notó que las clases que tomaba de anatomía, química y clínica médica estaban a cargo de profesores muy aburridos y que los temas no le llamaban la atención. Pero también sucedió algo importante. Cuenta que cierta vez concurrió a presenciar dos cirugías, una en una niña. Por entonces, no existía la anestesia. Los gritos desgarradores de los pacientes sujetados por la fuerza hicieron que en ambas oportunidades Darwin «huyera» del quirófano. Charles refiere haber padecido pesadillas durante mucho tiempo por haber presenciado tales cirugías.

La medicina no era para él. Charles ya sabía, al promediar su segundo año, que ahí no estaba su futuro. Le escribía a sus hermanas haciéndoles saber su intención de dejar la carrera. No se animaba a decírselo a su padre, temía defraudarlo; además, para empeorar las cosas, Erasmus progresaba en la carrera. Hacia el final del segundo año de medicina fue cuando tomó coraje y se lo dijo a su padre. Fue difícil, pero Charles tenía una decisión alternativa para contentar al padre y disminuir su decepción. Le comentó su interés en concurrir al Colegio Cristiano de Cambridge para obtener ahí un título universitario y luego convertirse en pastor anglicano. Sería el primer pastor en la familia y teniendo en cuenta que se trataba de una familia cristiana la idea de tener un pastor como miembro de la misma fue aceptada finalmente por el padre. Por entonces, Charles tenía dos pasiones: coleccionar insectos y la caza. Fuera de ello, en realidad nada lo apasionaba y así comenzó en Cambridge su carrera como teólogo. Charles creía literalmente en la palabra de las Sagradas Escrituras y la Biblia era por entonces para él explicación suficiente sobre el origen del mundo y de todos los seres vivos incluido, claro está, el origen del hombre. Una anécdota cita Darwin en su autobiografía que vale la pena señalar aquí. En ese momento, existía una rama de la ciencia, en realidad una pseudociencia, que se denominaba «frenología». Los frenólogos estudiaban la personalidad de sus pacientes en base a las prominencias óseas de la cabeza. Esto es, según la forma de la cabeza podía conocerse qué emoción, sentimiento o característica estaba más desarrollada en la persona en cuestión. Cierta vez, los secretarios de una sociedad psicológica alemana solicitaron a Darwin una fotografía de su cabeza para así estudiarla desde la especialidad de la frenología. El diagnóstico fue llamativo. Uno de los estudiosos declaró que en la superficie de su cráneo estaba muy desarrollada la «protuberancia de la veneración», a grado tal como el equivalente de diez sacerdotes juntos. La frenología, claro está, sin ninguna base científica, fue perdiendo influencia paulatina hasta desaparecer, y ciertamente el «diagnóstico» en Darwin fue errado. Lo cierto es que después de dos años Charles dejó su carrera de medicina en la Universidad de Edimburgo y emprendió su nueva carrera en Cambridge. Ahí comenzó a estudiar en profundidad el relato bíblico que un día llegaría a cuestionar. Todo una paradoja del destino.

Darwin recuerda su paso por Cambridge como el período más feliz de su vida juvenil. Como era un apasionado de la caza y las cabalgatas, se integró a un grupo deportivo que según él incluía a jóvenes de «baja moralidad» con los que eran frecuentes las noches de cartas, canciones y bebida en exceso. Fue una etapa de la vida que el paciente cita con alegría.

Darwin pasaría tres años rodeado de teólogos en Cambridge. Entre las muchas materias que estudiaba en ese período de su vida se encontraban aquellas relacionadas con el arte, la música y la historia. Pero lo que ejerció una influencia particularmente especial fueron aquellas vinculadas con las ciencias naturales.

Le apasionaba leer los trabajos de Alexander von Humboldt[3], guiado por el reverendo Adam Sedgwick que era especialista en geología. Aquí comenzó a organizarse su aprendizaje de la geología con base científica. Estos conocimientos serían de gran importancia en su futuro. Pero la providencia pondría en su camino a otro sacerdote anglicano, el reverendo John Steven Henslow. Este joven profesor era experto en botánica. Se trataba de un profesional sumamente respetado. Las clases de Henslow eran dinámicas y claras, siempre acom-

---

3 Alexander von Humboldt (1769-1859). Naturalista, astrónomo, geógrafo, humanista y explorador alemán. Realizó viajes de relevamiento y estudió por Europa y América del Sur. Es considerado el «padre de la geografía moderna».

pañadas por muy buenas ilustraciones. Henslow solía organizar excursiones con los estudiantes para observar y recolectar plantas y los invitaba a su casa todos los viernes para discutir los hallazgos y leer estudios de botánica. Con el tiempo, se convirtió en amigo y mentor de Darwin. Éste empezó a superar la frustación vivida en su carrera de medicina cuando alcanzó el título de bachiller en Artes, para lo cual tuvo que estudiar en profundidad obras del cristianismo. Entre ellas, el trabajo del reconocido teólogo anglicano William Paley, cuya obra *Pruebas del Cristianismo* resultó del gusto e interés de Darwin.

Pero es importante agregar aquí, para así conocer los intereses y motivaciones del paciente, que la actividad que mayor placer le proporcionaba por su paso en Cambridge era la colección de escarabajos. Era una pasión. Salía a capturar cuanto ejemplar estaba a su alcance para compararlos con las ilustraciones de los libros y así clasificarlos y catalogarlos. La pasión era casi descontrolada, no quería que se le escapase ningún ejemplar que pudiera engrosar su colección. El paciente cuenta que su entusiasmo era muy grande y cita una anécdota: «Un día, mientras arrancaba cortezas viejas de los árboles, vi dos raros escarabajos y agarré uno en cada mano; y entonces vi un tercero de otra clase, que no me permitía perder así que me metí en la boca el que sostenía en la mano derecha. Pero ¡ay! Largó un fluido intensamente ácido que me quemó la lengua, por lo que me vi forzado a escupirlo, perdiendo este escarabajo y también el tercero». No tuvo una buena experiencia. Su pasión por los insectos lo llevó a encontrar especies muy raras. Cita Darwin que cierta vez capturó un insecto muy raro que luego fue incluido en el famoso libro de *Ilustraciones de los insectos ingleses,* de Stephen. Darwin cuenta que «jamás poeta alguno se maravilló tanto al ver su primer poema publicado como yo cuando vi en *Ilustraciones de los insectos ingleses* de Stephen, las palabras mágicas "Capturado por C. Darwin"». El interés profundo por las ciencias naturales, la geología, la botánica, la entomología, la biología y el coleccionismo era evidente en Darwin.

La carrera en Cambridge seguía avanzando cuando algo

crucial le sucedió. Es sorprendente cómo el destino del hombre está marcado por oportunidades que pueden resultar ampliamente positivas en caso de ser aprovechadas por quien las recibe o, caso contrario, desperdiciadas sin siquiera jamás imaginar lo que se perdió. El azar existe, pero aprovecharlo es una decisión. El afortunado, con trabajo y esfuerzo, puede convertir en realidad la oportunidad que el destino le ofrece. Pero antes que la oportunidad llegue, uno debe saber dónde quiere ir. «No hay viento favorable para quien no conoce su rumbo», sentenció Séneca. Éste fue el caso de Darwin.

La oportunidad llegó, él estaba ahí, en ese camino, y lo aprovechó. Habían pasado casi seis años, primero estudiando medicina en la Universidad de Edimburgo y luego teología en Cambridge, pero su norte eran las ciencias naturales. Fue entonces cuando recibió una carta de Henslow, su profesor de botánica de Cambridge y amigo. Abrió el sobre donde además de la carta de Henslow había una segunda carta del profesor George Peacock, del Trinity College y futuro titular de astronomía a quien ya había conocido en las reuniones de los viernes en la casa de Henslow. Comenzó por leer la de Henslow entusiasmándose a medida que las palabras avanzaban:

«Estimado Darwin:
Tengo la esperanza de verlo muy pronto, si como pienso acepta con entusiasmo la oferta que le harán en breve de viajar a Tierra del Fuego y de regreso a Inglaterra por las Indias Orientales. Me pidió Peacock, quien leerá esta carta y se la enviará desde Londres, que le recomendase un naturalista como colaborador del capitán Fitzroy, empleado por el Gobierno para realizar un estudio del extremo meridional de América del Sur. He manifestado que lo considero a usted el hombre más calificado entre los que conozco para aceptar el puesto. Lo afirmo basado no en la suposición de que sea usted ya un naturalista acabado, sino en que tiene todas las aptitudes necesarias para recolectar, observar y anotar todo lo nuevo que quepa consignar dentro de la historia natural. Peacock puede hacer este nombramiento

(...) El capitán Fitzroy necesita, según entiendo, más que un simple coleccionista un compañero y no llevaría a nadie, por buen naturalista que fuese, a menos que no tuviese como recomendación adicional la de ser como él, un caballero. El viaje durará dos años y si usted lleva bastantes libros, podrá hacer lo que le plazca. En resumen, creo que nunca se presentó una oportunidad mejor para un hombre lleno de entusiasmo y energía. No incurra en la falsa modestia de dudar de sus méritos, pues le aseguro que usted es el hombre que buscan. Estoy convencido de ello. Considérese como alguien que ha recibido el espaldarazo de su vagabundo mentor y afectísimo amigo.»

J. S. Henslow

Darwin no podía creer lo que había leído cuando pasó a la segunda carta, la del profesor Peacock que señalaba el interés científico de la expedición y las características humanas y profesionales del capitán Fitzroy.

«Estimado señor Darwin:
Acabo de recibir la carta de Henslow, demasiado tarde para enviársela por correo, circunstancia que no lamento, pues me dio la oportunidad de ver al capitán Beaufort en el Almirantazgo para mencionarle la oferta que hago a usted ahora. El capitán me ha dado su entera aprobación y puede considerar que el cargo ofrecido está a su disposición. Confío en que aceptará. Es una oportunidad que no conviene perder y yo contemplo con sumo interés los posibles beneficios que derivaremos de su tarea como recolector de material en su calidad de naturalista.
El capitán Fitzroy, sobrino del duque de Grafton, zarpará hacia fines de septiembre en barco, para realizar en primer término un estudio de la costa meridional de Tierra del Fuego y luego proseguir hacia las islas de los mares del Sur y regresar a Inglaterra por el Archipiélago Indio. La expedición tiene fines exclusivamente científicos y el barco se desplazará en general según sus necesidades en cuanto a las investigaciones de historia natural, etc. El capitán Fitzroy es un oficial de

gran espíritu público, competente, de excelente educación y muy amado por sus colegas. Ha contratado por su cuenta a un artista, por doscientas libras anuales, para que lo acompañe en el viaje. Puede estar seguro, en consecuencia, de contar con un grato compañero de viaje que participará con entusiasmo en todas sus iniciativas.

El barco parte hacia fines de septiembre y no debe perder tiempo en comunicar su aceptación del cargo a los miembros del Almirantazgo y al capitán Beaufort.

El Almirantazgo no está dispuesto a ofrecer un salario, pero le proporcionará su nombramiento oficial y todas las facilidades. Si solicitase un salario, no obstante, me inclino a creer que le sería acordado.

Quedo, señor Darwin, a su disposición y lo saludo muy atentamente.»

GEORGE PEACOCK

Simplemente no lo podía creer. La Marina Británica, gracias a la recomendación de Henslow y Peacock, le ofrecía un viaje alrededor del mundo y en la condición de «naturalista», era un sueño. Había leído el detallado escrito de Humboldt sobre América del Sur, Tierra del Fuego y los Andes y ahora el destino lo ponía en condición de conocer una región tan alejada del mundo y realizar un relevamiento de la geología, de la botánica, la entomología, de la flora y la fauna. No lo podía creer, pero ahí estaba. Claro, un «naturalista» no era un profesional, no era médico, no era teólogo, no era pastor anglicano. Debía hablar con el padre, con dos carreras frustradas por detrás y una, que por entonces no existía, la de naturalista, por delante. ¿Qué era un naturalista? Era simplemente alguien que observaba la naturaleza, que coleccionaba, que clasificaba. Pero no era una carrera. Al padre no le gustó nada. Temía que fuera el tercer intento por encontrar un camino y particularmente éste no le convenía. Era un viaje largo y a una región de América del Sur donde los naufragios eran moneda corriente y ni qué hablar de Tierra del Fuego, el Estrecho de Magallanes, el Canal de Beagle y el Cabo de Hornos. ¿De qué serviría? Era un nuevo cambio de profesión y con una gran incertidumbre. El padre no lo aprobó. Esgrimió numerosos argumentos razonables y concluyó que no era conveniente el viaje. Era irracional y lo expresó con la siguiente frase: «Búscame a cualquier hombre con sentido común que te aconseje aceptar y daré mi consentimiento». Charles aceptó la decisión de su padre y desilusionado se fue a dormir en una noche con emociones encontradas. Al día siguiente, montó su caballo y cabalgó treinta kilómetros hasta la casa de su tío Josiah Wedgwood, hermano de su madre. El tío «Jos», así lo llamaban en la familia de Darwin, era un hombre adinerado que heredó de su padre una importante fábrica de porcelanas y artículos de cocina. Hombre recto y criterioso, muy interesado en la literatura, el arte, las invenciones y los desarrollos técnicos, también se mostraba interesado en el mundo de las ciencias naturales. Era un personaje muy respetado en la familia y siempre tuvo una relación de especial afecto y diálogo con Charles. Su hija Emma Wedgwood, prima de Charles, un día se convertiría en su esposa, pero por entonces la posibilidad ni siquiera se vislumbraba. Josiah recibió a su sobrino en su escritorio, rodeado de una biblioteca de roble tapizada de libros de las más diferentes especialidades. Charles mantuvo una conversación con su tío Jos y leyeron las cartas de Henslow y Peacock. La aprobación del viaje por parte del tío Jos hubiera sido una carga de responsabilidad muy alta, era una empresa riesgosa y duraría mucho tiempo. Él era el último recurso de Charles y para su alegría éste rápidamente advirtió la oportunidad que representaba el ofrecimiento de la Marina Real. Josiah se alegró enormemente y felicitó a Charles haciéndole saber que sin duda merecía tal oportunidad. Era un verdadero reconocimiento a un joven de 22 años interesado en las ciencias naturales y la investigación. Charles le hizo saber a su tío que lamentablemente su padre no veía de igual manera la oferta y le había recomendado rechazarla. Fue entonces cuando juntos repasaron todos los argumentos esgrimidos por el padre de Charles para rechazar la propuesta. El tío Jos los fue derribando uno por uno. Incluso sostuvo que la formación en ciencias naturales sería de gran utilidad para un futuro pastor anglicano. Josiah escribió una carta a su cuñado recomendando que permitiera a Charles aceptar la propuesta de la expedición. Esa noche, Charles se quedó a dormir en la casa de Wedgwood. Al día siguiente, el compromiso del tío Jos fue aún mayor que la noche anterior. Decidió ir personalmente con su sobrino para hablar con el Dr. Darwin. Así fue. El plenario se realizó en casa de los Darwin. El Dr. Darwin respetaba mucho al tío Jos y analizó detenidamente todos los argumentos. En un momento dado, cuando los tres estaban reunidos, el Dr. Darwin miró a su hijo y le dijo: «Te dije ayer que si encontrabas a un hombre con sentido común que te aconsejase aceptar, daría mi consentimiento. No hay hombre a quien admire más que a tu tío Jos. Cuentas con mi permiso». El sueño de Charles se había iniciado.

El *Beagle* y el comienzo de la historia clínica

Con la aprobación de su padre y el agradecimiento a su tío Jos, Charles fue a entrevistarse con el capitán Fitzroy para que lo aceptara como miembro de su tripulación en calidad de «naturalista». Una de las tantas responsabilidades de un capitán es la adecuada selección de la tripulación. Tanto más cuando quien viajaría no sería un marino con experiencia, sino un joven de 22 años que nunca había navegado y mucho menos en una expedición que se extendería por cinco años. En otras palabras, la tripulación del *Beagle* iba a convivir, trabajar e intentar sobrevivir durante años compartiendo un barco que daría la vuelta al mundo.

La entrevista con el capitán también fue uno de esos momentos en que la historia se decidió y, en este caso, también la «historia clínica». Fitzroy adhería y cultivaba las teorías de los fisognomistas, especialmente la del suizo Johann Gasper Lavater. Éste aseguraba que por el aspecto físico externo de las personas se podía conocer su personalidad. Fitzroy hace uso de este método para conocer a las personas y reparando en la nariz de Darwin dudó, por sus características anatómicas, que este joven naturalista en etapa de formación estuviera en condiciones de soportar las exigencias de tan larga travesía. La nariz de Darwin casi lo deja fuera del *Beagle* pero ya el viaje estaba por iniciarse y no había tiempo para buscar otro candidato. Finalmente y con dudas, acepta a Darwin y a su nariz.

Aquí debemos señalar la primera referencia a síntomas del paciente que él mismo deja reflejado en su autobiografía y que debemos consignar como antecedente en la historia clínica, Darwin cita:

> *«También estaba preocupado por las palpitaciones y dolores del corazón y, como la mayoría de los jóvenes ignorantes, estaba convencido de que tenía una enfermedad cardíaca. No consulté a ningún médico, porque estaba seguro de que me diría que no me hallaba en condiciones para hacer el viaje, y yo estaba dispuesto a ir costase lo que costare.»*

El paciente refiere aquí síntomas específicos tales como «palpitaciones» y «dolor de corazón». ¿Será esto cierto? Sin duda, los síntomas existieron, simplemente porque el paciente los refirió. Sin embargo, es verdaderamente dudoso que tales síntomas, como «palpitaciones y dolor de pecho», fueran realmente por enfermedad cardíaca. No podía por entonces presentar una enfermedad coronaria que justificara el dolor de pecho o angina de pecho ya que sería excepcional a esa edad. Además, la evolución clínica no fue la que hubiera correspondido para una enfermedad coronaria. Por otro lado, Francis Darwin, hijo del paciente, deja constancia escrita que Darwin debió haber tenido muy buena salud durante el viaje en el *Beagle*. Al respecto, cita lo siguiente que agregamos a la historia clínica «de joven debe de haber tenido mucha resistencia, porque en una de las excursiones costeras hechas desde el *Beagle*, cuando todos estaban sufriendo por la falta de agua, él fue uno de los dos más capaces que tuvieron la fuerza necesaria para ir a buscarla. De joven era activo y podía saltar por encima de una barra colocada a la altura de la cabeza». Esta «resistencia», al esfuerzo físico sin la presencia de síntomas cardiológicos descarta enfermedad coronaria a esa altura de su vida.

Lo que sí podemos consignar con respecto a los síntomas que el paciente refirió antes de embarcar es que hay evidencia de tendencia a la sensibilidad emocional en Darwin y de cierto perfil hipocondríaco[4]. Esto sí es compatible con los síntomas que presentó antes de embarcar. Además hay varias descripciones, incluso de familiares, amigos y colegas que han dejado referencia sobre la tendencia a la hipocondría del paciente.

Como posibilidad podemos decir que los síntomas que presentó antes de embarcar se debieron a la intensa situación emocional que vivía, la expectativa por el viaje y la tristeza por alejarse de su familia por tanto tiempo. Darwin escribiría en el futuro algunos síntomas que en realidad lo acompañaron toda su vida, desde joven, y que de algún modo eran constitutivos en él, eran parte de su ser. De su puño y letra cita lo que él denominó «ataques de fatiga». Estos ataques de fatiga o cansancio eran desencadenados por experiencias estresantes fueran éstas agradables como la caza o una cabalgata, o por situaciones desagradables. Sería una suerte de somatización a través de la fatiga de una situación de estrés. También el paciente relata que desde temprana edad presentaba erupciones en la piel y los labios, que relacionaba con episodios estresantes. Ninguno de estos síntomas impedía el normal desenvolvimiento diario, es decir no eran incapacitantes.

Darwin preparó meticulosamente todo el material que requería para el viaje. Frascos de vidrio y cajas de madera para la recolección de muestras vegetales y animales, alcohol para preservar especímenes, un microscopio instrumental para disección y gran cantidad de libros de geología, botánica, zoología, entomología y su Biblia, que ocupaba un lugar privilegiado en su biblioteca. Al abordar el *Beagle* para subir su equipaje e instrumental, ya sintió mareos. El agua no era el mejor lugar para él, se mareaba con facilidad.

4 Hipocondría: condición en que las personas creen estar afectadas por alguna enfermedad en forma infundada o irracional. Es una enfermedad psiquiátrica y admite grados severos que dificultan el normal desenvolvimiento del paciente. También se presentan grados menores compatibles con la vida normal, esta última es la situación más frecuente.

El *Beagle* era un buque pequeño. Se trataba de un bergantín de 30 metros de largo y 240 toneladas de peso, con tres mástiles con sus respectivos pararrayos, 6 cañones, 6 botes salvavidas y 24 cronómetros. En el mascarón de proa lucía una cabeza decorativa de un perro de caza, el Beagle, de ahí el nombre del barco. La tripulación era de 74 hombres al borde del hacinamiento. Dos médicos: el Dr. Robert McCormick, como cirujano principal, y el Dr. Benjamin Byone, que terminó por ser uno de los mejores amigos de Darwin y lo atendió por sus mareos numerosas veces.

El barco ya había realizado un viaje previo de exploración por América del Sur. En la oportunidad regresó con Fitzroy al mando debido a que el capitán se había suicidado. En esta nueva expedición, el *Beagle* debía completar la exploración del primer viaje para perfeccionar el trazado de mapas, delinear las costas, tomar medidas de longitud exactas con sus cronómetros, estudiar las corrientes oceánicas y mediciones geofísicas entre otras cosas. El capitán Fitzroy había reservado el camarote de popa para Darwin que compartiría con dos oficiales. Tenía algo más de 3 metros de ancho. En el centro, una gran mesa de mapas que Darwin utilizaría para trabajar. Sobre la mesa colgaban tres camas tipo hamacas paraguayas para la hora de dormir. Entre la cabeza de Darwin y el techo del camarote quedaban sólo 50 cm. En las paredes había estantes que Darwin aprovechó para acomodar sus libros e instrumental. Tres claraboyas daban iluminación natural y el camarote tenía salida directa a la cubierta. En este pequeño camarote Darwin viviría, estudiaría, escribiría y analizaría muestras durante los próximos cinco años. Tenía una desventaja más. En popa el barco se mueve mucho, esto no fue auspicioso para los mareos de Darwin.

Llegó al fin el día para zarpar. El comienzo no fue el mejor, intentaron zarpar en dos oportunidades pero el mal tiempo los obligó a regresar a puerto. Finalmente, el 27 de diciembre de 1831 zarpa el *Beagle* para una expedición alrededor del mundo. Los primeros mareos del paciente no se hicieron esperar. El único tratamiento era una adecuada hidratación y la comida que se reducía a galletas y pasas. El Dr. Byone agregaría además una mezcla caliente de especias, tapioca y vino, sólo a esto se limitaba la terapéutica, no había otra medicación. Dado que no gran solución, en cierta medida Darwin logró acostumbrarse, pero los episodios de mareos fueron frecuentes. Quien más lo ayudaba en esos momentos era el capitán Fitzroy, que llevaba a Darwin a su camarote y le permitía usar su sofá. El camarote del capitán, al no estar en la popa, se movía menos que el suyo.

A los pocos días de navegación, llegaron a la isla de Santa Cruz de Tenerife. La idea era desembarcar allí y Darwin tomaría sus primeras recolecciones de material. No tuvieron suerte, una circunstancia sanitaria se los impidió. En la isla habían tomado conocimiento de que en Inglaterra había un brote de cólera. Sólo les permitirían desembarcar después de un aislamiento de doce días. Fitzroy no aceptó, tenían un mundo por delante y Darwin debió esperar para iniciar su tarea de campo. Continuaron navegando. Pero la navegación no era tiempo estéril para Darwin. Por medio de redes arrojadas desde el barco podían capturar muchas especies que Darwin comenzaría a estudiar y clasificar. Medusas, cangrejos, calamares, langostinos y numerosos invertebrados marinos. El *Beagle* pasó luego por las islas de Cabo Verde y desembarcaron en Bahía, Brasil. La selva brasileña fue para Darwin una fuente inagotable de escarabajos exóticos, hormigas, arañas, ciempiés, mariposas y todo tipo de insectos. Las plantas con sus flores eran interminables. Se dedicó a describir lo que se veía y a tomar muestras, luego a estudiarlas y clasificarlas con detenimiento durante los períodos de navegación. Pero fue aquí donde un hecho nuevo debe agregarse a la historia clínica. Recuerda el paciente que se pinchó la rodilla con las espinas de un arbusto mientras trabajaba recolectando muestras. Presentó una reacción inflamatoria intensa y muy dolorosa que le impidió caminar y lo obligó a guardar reposo por seis días. Fue tratado con compresas y antisépticos por el Dr. Byone, quien le advirtió que había que tener mucho cuidado, ya que las infecciones eran frecuentes y peligrosas.

En Brasil se produjo una discusión entre Fitzroy y Darwin. El motivo: la esclavitud. Resulta que Fitzroy estaba de acuerdo con la esclavitud e incluso consideraba que los negros esclavos en Brasil estaban felices de serlo, entendía que para ellos era la mejor opción. Este pensamiento conservador del capitán no era compartido en absoluto por Darwin, cuya formación familiar de librepensadores estaba radicalmente en contra de la trata de esclavos. El episodio no pasó a mayores y de hecho las relaciones interpersonales entre Darwin y Fitzroy fueron siempre buenas durante el resto de la expedición. El próximo puerto fue Río de Janeiro. Allí se encontraba una base de la Marina Real y era frecuente ver ancladas numerosas naves inglesas en ese puerto. Refiere el paciente que la belleza del puerto con el Pan de Azúcar era un espectáculo maravilloso. Para entonces habían transcurrido cuatro meses desde que salieron de Inglaterra. Darwin aprovechó el tiempo para la obtención de mucho material, incluyendo piedras para realizar descripciones geológicas. Luego dejaron Río y tras veintiún días de navegación llegaron al Río de la Plata. Llegaría entonces el turno para obtener muestras en Montevideo. Buenos Aires fue el próximo destino. Aquí nuevamente un hecho sanitario de interés. Antes de llegar a puerto, el *Beagle* fue interceptado por un guardacostas que les disparó para que se detuvieran. El motivo: la epidemia de cólera en Inglaterra. Impidieron el desembarco y debieron regresar a Montevideo. Luego de Montevideo y sin pasar por Buenos Aires siguieron rumbo sur, hacia las costas de la Patagonia. Llegaron a Bahía Blanca. Una de las varias misiones del *Beagle* consistía en preparar cartas de navegación con el mayor detalle posible de las costas. Para Inglaterra era muy importante conocer lugares donde pudieran establecerse puertos. América del Sur era una región políticamente convulsionada, los españoles y portugueses perdían en forma paulatina el control del territorio y para Londres era importante cargar materias primas en estas costas y llevarlas a Europa para permitir el desarrollo de la Revolución Industrial y luego exportar sus manufacturas. Fue en Bahía Blanca donde el capitán Fitzroy alquiló dos pequeñas embarcaciones para explorar con ellas las costas y los ríos más de cerca, ya que el calado del *Beagle* no lo permitía.

Cerca de Bahía, en Punta Alta, Darwin encontró abundante material fósil de animales ya extinguidos que sin embargo guardaban parecido con los del momento. La idea de la evolución iba germinando en su mente. Fue en Punta Alta donde encontró huesos fósiles de un perezoso gigante, el megaterio, que fue uno de los hallazgos que el paciente describe con mayor carga emocional. El hecho de encontrar restos de un animal extinguido era revolucionario y ni qué hablar del posible hecho de que ese animal hubiera «evolucionado» en otro que permaneciera con vida. ¿Cómo podría ser que un animal hubiera dejado de existir? La explicación que Fitzroy daba a la extinción de una especie animal era que «la puerta del arca era demasiado chica». Interesante. No era la misma que un día haría Darwin. Darwin y Fitzroy eran muy diferentes. Uno era militar, el otro científico; Fitzroy creía en el origen de la humanidad tal cual se relata en las Escrituras, Darwin plantearía una variable de las mismas. Fitzroy estaba de acuerdo en la esclavitud, Darwin no. Fitzroy era conservador y Darwin un librepensador. Así y todo siempre se respetaron mucho y mantuvieron buenas relaciones durante toda la travesía. Fitzroy disfrutaba de las conversaciones de Darwin.

A esta altura cabe señalar que en varias oportunidades Darwin desembarcaba y realizaba largas expediciones por tierra para luego reencontrarse con el barco en algún otro puerto. Más adelante, el *Beagle* navegó hacia el Norte llegando, esta vez sí, a Buenos Aires. Allí Darwin pasó un período de descanso. Aprovechó para comprar ropa en los comercios ingleses y buscar cajas de madera para guardar muestras y equipamiento científico. Fue en Buenos Aires donde Darwin se vio gratamente impresionado por la elegancia de las mujeres, con sus sofisticados vestidos, sus enormes peinetas, las ropas de seda y su sugestivo modo de caminar. Luego de conocer la ciudad, recolectó muestras y especímenes por la zona. Claro, el material de recolección era interminable y se iba acumulando cada vez más, agotando la capacidad de almacenamiento del *Beagle*. Es por ello que, de tanto en tanto, en puertos importantes, Darwin enviaba cajones con el material recolectado aprovechando algún barco inglés que regresaba a Londres.

Durante este período, en realidad durante todas sus estadías en tierra, Darwin tuvo la oportunidad de conocer las distintas poblaciones y sus características. Conoció a los gauchos, a bandidos, indios y soldados. Un encuentro que le resultó particularmente interesante.

Darwin y Juan Manuel de Rosas

Consultado el cronograma del viaje de Darwin en el *Beagle* y teniendo en cuenta que podemos asumir que la historia clínica comienza en lo que actualmente es el territorio argentino, es este período de la expedición el que tiene importancia en cuanto al inicio de la enfermedad. Darwin transitó en Argentina durante casi un año de la expedición que duró casi cinco. Además, un tercio de su «diario de viaje» corresponde a ese período que señala la importancia del mismo. La ruta del *Beagle* no fue exactamente la de Darwin, ya que el paciente transitó por tierra Buenos Aires, el norte de la Patagonia, Bahía Blanca, Mendoza y una expedición a Santa Fe. Muchas son las experiencias que Darwin cita haber vivido en la Argentina pero una es particularmente interesante en la riqueza de su descripción: su entrevista con el general Juan Manuel de Rosas. Por entonces, el *Beagle* debía navegar desde Bahía Blanca hasta Buenos Aires y Montevideo para reabastecerse, efectuar reparaciones y luego partir hacia el sur con destino a Tierra del Fuego e Islas Malvinas. Pero Darwin no haría este recorrido en el barco sino por tierra, desde Bahía Blanca hasta Buenos Aires, para poder así hacer un relevamiento de la flora y la fauna. Asistido por un comerciante inglés, James Harris, parte desde la casa de éste con un guía y cinco gauchos con sus atuendos típicos que Darwin describe, calzones anchos, botas blancas, chiripá rojo y con sus caballos y numerosos perros. Se dirigen hacia el río Colorado, hasta llegar al campamento de Rosas. La travesía hasta Buenos Aires sería peligrosa y Darwin necesitaba acompañamiento de soldados y un salvoconducto. Al llegar al campamento, Darwin describe que la caballería de Rosas estaba compuesta aproximadamente por seiscientos indios aliados y mestizos españoles, indios o negros. Para ese entonces Rosas ya había sido gobernador de Buenos Aires, había recibido el título de «restaurador de las leyes», obtenido el grado de brigadier y ostentado las llamadas «facultades extraordinarias». Cuando no se le renuevan esas «facultades extraordinarias», Rosas pasa a dirigir la Campaña del Desierto con el objetivo de alejar a los indios más allá del río Colorado y así proteger a Buenos Aires de sus incursiones, que azotaban las estancias. Darwin describe que el general lo recibe vestido de gaucho, que era portador de cierta cultura que había ganado informalmente y que además hablaba inglés. En su diario de viaje, relata el encuentro y describe a Juan Manuel de Rosas del siguiente modo:

«*El campamento del general Rosas estaba cerca del río. Consistía en un cuadrado formado por carros, artillería, chozas de paja, etc. Casi todas las tropas eran de caballería, y me inclino a creer que un ejército semejante de villanos seudobandidos jamás se había reclutado antes. La mayor parte de los soldados eran mestizos de negro, indio y español. No sé por qué razón los hombres de tal origen rara vez tienen buena catadura. Pedí ver al secretario para presentarle mi pasaporte. Empezó a interrogarme de manera autoritaria y misteriosa. Por suerte llevaba una carta de recomendación del gobierno de Buenos Aires [«Buenos Ayres» en el original] para el comandante de Patagones. Se la llevaron al general Rosas, quien contestó muy atento y el secretario volvió a verme, muy sonriente y amable. Establecimos nuestra residencia en el rancho o casucha de un viejo español muy curioso que había servido con Napoleón en la expedición contra Rusia. Estuvimos dos días en el Colorado... Mi principal diversión era observar a las familias indias que venían a comprar algunas menudencias al rancho donde nos hospedábamos. Se supone que el general Rosas tenía cerca de 600 indios*

aliados. Los hombres eran altos y de fina raza, pero poste-
riormente descubrí sin esfuerzo en el salvaje de la Tierra del
Fuego el mismo repugnante aspecto, procedente de la mala
alimentación, el frío y la ausencia de cultura. Algunos auto-
res, al definir las razas primarias de la Humanidad, han se-
parado a estos indios en dos clases; pero no puedo creer que
ello sea correcto. Entre las indias jóvenes o chinas, algunas
son realmente hermosas. Su cabello era crespo, pero negro
y lustroso, y lo llevaban tejido en dos trenzas que bajaban
hasta la cintura. Tenían ojos expresivos, tono subido de piel
y las piernas, pies y brazos eran pequeños y elegantemente
formados; adornaban sus tobillos y a veces la cintura, con
anchos brazaletes de cuentas azules. Nada podría ser más
interesante que algunos grupos familiares. Una madre con
una hija o dos hijas venía frecuentemente a nuestro rancho,
montando siempre el mismo caballo. Ellas cabalgan como
los hombres, pero con las rodillas más recogidas y altas. Este
hábito quizá provenga de estar acostumbradas a viajar en
caballos cargados. La obligación de las mujeres es cargar y
descargar los caballos; preparar las tiendas para la noche,
y en suma, como en todas las tribus salvajes, su condición
es la de esclavas. Los hombres pelean, cazan, cuidan de los
caballos y hacen aparejos de montar. Una de sus principa-
les ocupaciones cuando están en sus viviendas consiste en
golpear dos piedras una contra otra hasta redondearlas. Las
bolas[5] son un arma importante para los indios para cazar y
proveerse de caballos, tomando cualquiera de los que vagan
libres por el llano. En las peleas, su primera intención es
derribar la cabalgadura de su adversario con las bolas, y
cuando éste se encuentra enredado en la caída le da muer-
te con el chuzo. Si las bolas se enredan sólo en el cuello o
cuerpo de un animal, a menudo éste escapa con ellas y las
pierden. Como el trabajo de redondear las piedras lleva dos
días, la manufactura de las bolas es una ocupación habitual.
Varios hombres y mujeres tenían sus caras pintadas de rojo,
pero nunca vi las bandas horizontales, tan comunes entre

5   Hace referencia a las boleadoras.

los fueguinos. Su principal orgullo es tener objetos de plata y he visto un cacique cuyas espuelas, estribos y mango de cuchillo eran de ese metal, la cayada y riendas estaban hechas de alambre del grosor de la tralla de un látigo lo que otorgaba una elegancia especial en el manejo de los magníficos caballos.

El general Rosas insinuó que deseaba verme, circunstancia que me alegró mucho luego. Es un hombre de extraordinario carácter y ejerce una enorme influencia en el país, la cual parece probable usará para la prosperidad y progreso del mismo[6]. Se dice que posee 74 leguas cuadradas de tierra y unas 300.000 cabezas de ganado. Sus establecimientos están admirablemente administrados y producen más cereales que el resto. Lo primero que le dio gran celebridad fueron las reglas dictadas para sus propias estancias y la disciplinada organización de varios centenares de hombres para resistir con éxito los ataques de los indios. Hay muchas historias sobre el rigor con que hizo cumplir esas reglas. Una de ellas fue que nadie, bajo pena de calabozo, llevara cuchillo los domingos, pues como en estos días era cuanto más se comía y bebía y las consiguientes peleas con cuchillo al cinto, como era usual. El administrador le tocó en el brazo y le recordó la ley, por lo que Rosas le dijo al gobernador que sentía mucho lo que le pasaba, pero le era forzoso ir a la prisión y que no tenía ningún poder en su propia casa hasta que no hubieran salido. Luego de algún tiempo, el administrador creyó oportuno abrir el calabozo y ponerlo en libertad, pero tan pronto lo hizo, el prisionero le dijo: "Ahora tú eres el que ha quebrantado las leyes y por tanto debes ocupar mi puesto en el calabozo".

Acciones como éstas entusiasmaron a los gauchos, que poseen, sin excepción, en alta estima su igualdad y dignidad. El general Rosas es además un perfecto jinete, cualidad con no pocas consecuencias en un país donde un ejército eligió a su general mediante la siguiente prueba: metieron en un corral

6 En 1845, Darwin aclararía que su profecía sobre Rosas resultó una «completa y lastimosa equivocación».

una manada de potros sin domar dejando sólo una salida sobre la que había un travesaño sobre uno de esos caballos salvajes en el momento que salieran escapando y sin freno ni silla fuera capaz no sólo de montarle, sino de traerle de nuevo al corral, sería nombrado general. El que así lo hizo fue designado para el mando, e indudablemente no podía menos ser un excelente general para semejante ejército. Esta extraordinaria proeza también ha sido realizada por Rosas. Por estos medios, y de conformidad con los usos y costumbres de los gauchos, se ha granjeado una popularidad ilimitada en el país y como consecuencia un poder despótico. Me aseguró un comerciante inglés que en una ocasión un hombre mató a otro y al arrestarle y preguntarle el motivo respondió: "Ha hablado irrespetuosamente del general Rosas y por eso lo maté". En una semana, el asesino estaba en libertad. No cabe duda de que esto fue obra de los partidarios del general y no de él mismo. En la conversación es entusiasta, sensato y muy serio. Su seriedad rebasa los límites: escuché a uno de sus bufones referir la siguiente anécdota. "Una vez tenía muchas ganas de oír cierta pieza de música por lo que fui dos o tres veces a preguntarle al general, que me dijo: 'Vete a tus quehaceres, que estoy ocupado!' Volví nuevamente y entonces me dijo: 'Si vuelves, te castigaré'. La tercera que insistí, se echó a reír. Salí precipitadamente de la tienda, pero era demasiado tarde, pues mandó a dos soldados que me atraparan y me estaquearan. Supliqué por todos los santos del cielo que me soltaran, pero de nada me sirvió; cuando el general se ríe no perdona a nadie, sano o cuerdo". El pobre hombre se mostraba dolorido de sólo recordar el tormento de las estacas. Es un castigo severísimo, se clavan en la tierra cuatro postes y la persona es atada a ellos por los brazos y las piernas horizontalmente y se lo deja por varias horas. La idea está evidentemente tomada del procedimiento usado para secar las pieles.

Mi entrevista terminó sin una sonrisa y obtuve un pasaporte con una orden para las postas del gobierno, que me facilitó de muy buenas maneras. En la mañana partimos para Bahía Blanca, donde llegamos en dos días.»

El pasaporte estaba emitido a nombre del «naturalista del *HMS-Beagle*». Sin duda, las anécdotas relatadas son producto de la transmisión oral y seguramente exageradas, pero la riqueza de las descripciones de Darwin nos dan un claro semblante de Juan Manuel de Rosas y las condiciones de vida en aquel momento y lugar. Recordemos que una de las habilidades del paciente era la capacidad de observación. Darwin llegaría finalmente por tierra a Montevideo donde esperaba el *Beagle* acondicionado y reaprovisionado para zarpar hacia el sur, hacia Tierra del Fuego e Islas Malvinas.

Buenos Aires, Santa Fe, Montevideo, Tierra del Fuego y Malvinas

Desde Bahía Blanca, Darwin llega entonces por tierra hasta Buenos Aires y desde ahí emprendería una expedición hacia el Norte, por las costas del río Paraná siempre recolectando material geológico, de flora y fauna. Pasaría por Luján, San Nicolás, Rosario, Santa Fe y Entre Ríos. En Santa Fe el paciente enfermó y debió permanecer en cama al menos dos días, aunque describe una convalecencia de varios días más. Lamentablemente, no tenemos descripción sintomática suficiente como para hacer un diagnóstico, pero lo cierto es que el paciente se recupera por completo y luego, pasando por Entre Ríos, llega a Montevideo. Allí embarca en el *Beagle* que, ya aprovisionado, zarpa hacia el Sur.

Entre la tripulación del *Beagle* había tres personas que merecen ser mencionadas y que formaron parte de una suerte de ensayo antropológico. En el primer viaje del *Beagle,* Fitzroy toma o «secuestra» (o habría que definir el término), a cuatro indígenas fueguinos con la intención de educarlos en Inglaterra y así «civilizarlos» para luego devolverlos a sus respectivas tribus para que transmitieran la cultura inglesa. Fitzroy «bautizó» a los cuatro fueguinos con el nombre de Fuegia Basket a la mujer y York Minster, Jemmy Button y Bont Memory a los hombres. Bont Memory murió en Inglaterra por una complicación por la vacunación contra la viruela. Tiempo después los tres fueguinos fueron desembarcados en sus tribus originarias pero pronto volvieron a sus respectivas costumbres. El ensayo antropológico de Fitzroy había fracasado.

El *Beagle* pasó también por las Islas Malvinas donde Darwin relevó datos de geología, flora y fauna. Darwin desembarcó dos veces en Malvinas, la primera de ellas el 1º de marzo de 1833, apenas dos meses después de que los ingleses tomaran definitivamente las islas. Luego, el *Beagle* cruzaría al Océano Pacífico; se dirigía hacia el otro lado del mundo.

Mendoza y la historia clínica

El cruce al Océano Pacífico no fue fácil. Seguramente, Darwin recordó la advertencia de su padre cuando le daba argumentos para no realizar el viaje a una zona de naufragios. Así fue, una tormenta casi hace naufragar el *Beagle* al cruzar el Cabo de Hornos. Pero el peligro pasó y finalmente llegaron al otro lado del mundo y comenzaron a navegar por las costas de Chile. Recorrieron la isla de Chiloé, Puerto Valdivia, Santiago, Valparaíso y los Cauquenes, entre otros tantos lugares. En los Cauquenes Darwin examinó y analizó las fuentes termales, donde aproximadamente 18 años antes el Gral. San Martín había tomado baños terapéuticos para tratar los dolores reumáticos que tanto lo aquejaban. La historia clínica del paciente tiene aquí un antecedente que hay que consignar por su importancia clínica. En 1834, Darwin examinaba una de las minas de oro cerca de Valparaíso, cuando alguien lo convidó con «chicha», bebida alcohólica producto del fermentado del maíz. A las pocas horas, comenzó, con un cuadro febril, acompañado por diarrea, náuseas, vómitos, cefalea y dolor abdominal. El paciente no podía montar, por lo que mandaron a buscar un carruaje con caballos para transportarlo a Valparaíso. La noticia llegó al *Beagle* y el Dr. Byone fue a atenderlo. El cuadro clínico fue muy importante, tanto que permaneció enfermo por seis semanas.

Dadas las características de los síntomas descriptos por el paciente y la duración de los mismos, aun con la atención del Dr. Byone, habría que considerar como posible diagnóstico a la fiebre tifoidea[7]. No tiene que ver con el hecho de haber tomado chicha en ese momento, sino con la contaminación de los alimentos con la bacteria *Salmonella;* es decir, se trata de una toxinfección alimentaria. Las malas condiciones higiénicas y ambientales a las que estaban sometidos los mineros condicionaban la enfermedad. De hecho, no muy lejos de ahí, dos años después, es decir en 1836, enfermaría gravemente de fiebre tifoidea Domingo Faustino Sarmiento, cuando trabajaba en las minas de plata de Copiapó. Las toxinfecciones eran frecuentes en tales condiciones laborales y la enfermedad era común entre los trabajadores de las minas. Los síntomas de Darwin se prolongaron desde mediados de septiembre hasta fines de octubre, cuando finalmente mejora y logra una recuperación completa y sin secuelas. Tuvo suerte.

Fue en esta parte del planeta donde Darwin fue testigo de dos episodios naturales de gran importancia. El 19 de enero de 1835 estaban en la isla de Chiloé, al sur de Chile, cuando en lo cerrado de la noche ven la erupción del volcán Osorno en la cordillera de los Andes. Una nube de fuego trepaba al cielo y el intenso reflejo brillaba sobre el mar. Fue un espectáculo impresionante que Darwin describió en su diario de viaje abordándolo desde la geología. Pero lo más impresionante lo viviría el 20 de febrero del mismo año. Se encontraban en Puerto Valdivia cuando se produjo un gran terremoto que «barrió» la

---

7 Fiebre tifoidea: enfermedad infecciosa producida por la bacteria *Salmonella Typhi* o por la *Salmonella Paratyphi* A, B o C. El contagio es vía fecal-oral. La bacteria es eliminada por las heces de las personas contaminadas y por falta de higiene ésta llega al agua o a los alimentos. Así, ingresan al paciente por vía digestiva llegando a la sangre. El período de incubación es de una o dos semanas. Luego aparece el cuadro clínico con fiebre alta, diarrea, deshidratación, cefaleas, sudoración, gastroenteritis, sarpullido, etc. Puede comprometer la función del hígado, bazo, cerebro, pulmones, etc. También puede alterar la coagulación sanguínea y producir hemorragias intestinales, pulmonares, etc. Además puede complicarse con perforación intestinal y peritonitis. Sin tratamiento, produce la muerte en aproximadamente el 20% de los casos.

región. El movimiento telúrico principal fue acompañado por un tsunami con olas de siete metros. Le siguieron más de 300 réplicas durante los doce días siguientes. La destrucción y desolación se instalaron en la ciudad de Concepción, que literalmente desapareció.

Darwin, como naturalista, no desaprovechó la oportunidad. Para él, más allá de la fuerte impresión que le causó la muerte y el sufrimiento de los pobladores, fue una «experiencia geológica» que debió documentar. Estudió los fragmentos rocosos y la fauna marina adherida a las rocas que brotaba de las profundidades de la tierra, todo quedó registrado en sus notas y le permitiría realizar análisis y consideraciones científicas. Es a esta altura de la expedición del *Beagle* cuando la historia clínica acredita un hecho de gran importancia. Fue cuando Fitzroy ancla en Valparaíso para efectuar reparaciones y reaprovisionar el barco. Darwin tendría por delante varias semanas para realizar sus excursiones por tierra. Decidió cruzar la cordillera hacia Mendoza. El 13 de marzo de 1835 inicia el viaje. Podía elegir entre dos cruces, el del Aconcagua o Uspallata, que era el más comúnmente usado, o el Paso del Portillo, un poco más al sur, más alto y peligroso. Eligió el Paso del Portillo. Inició el cruce, siempre tomando nota de datos geológicos, de la flora y la fauna con la mayor meticulosidad. En la Sierra de los Peuquenes el camino cruza a 3.663 metros. Y en Mendoza la Sierra del Portillo se eleva a 4.290 m. El ascenso fue fatigoso. En la Sierra de los Peuquenes el paciente conoció lo que los chilenos llamaban la «puna». La puna es el comúnmente llamado mal de montaña, mal de altura, soroche o apunamiento. Es la sintomatología producida por la falta de oxígeno en la altura. Los síntomas dominantes son fatiga, cansancio, agotamiento muscular, mareos, cefalea, náuseas, vómitos, pérdida de apetito y alteración en el ritmo del sueño. Darwin refiere en su diario de viaje que hasta las mulas, acostumbradas a la montaña, paraban cada 50 metros durante algunos segundos para recuperarse. Darwin toleró muy bien la altura. Sólo refirió cierto embotamiento y malestar en el pecho. Es más, dejó escrito en su diario de viaje que casi no tenía síntomas debido al entusiasmo que vivía al encontrar fósiles de bivalvos marinos en las rocas, lo que le hizo pensar que esas altas montañas alguna vez habían estado bajo el mar.

Tras el Paso del Portillo, llega al cajón del río Maipú, donde el valle, rodeado de montañas áridas y secas, era fértil y tapizado de viñedos frutales, lleno de manzanas y duraznos. Atrás había quedado la puna. Fue cuando en las proximidades de Luján de Cuyo vio un espectáculo único, una manga de langostas, que como una nube negro-rojiza se posaba sobre la tierra y echaba a volar no dejando nada verde tras su paso. Lo describió como un evento impresionante.

Pero el antecedente más importante en el posible diagnóstico de la que sería la principal enfermedad del paciente y de hecho llevaría a la muerte a Darwin, sucedería durante una noche, mientras dormía en una casa de Luján de Cuyo. El paciente sería picado por una vinchuca. Darwin lo describe así:

«Cruzamos el río Luján, que es un río de considerable tamaño, aunque hoy no se conoce bien su curso hacia la costa del mar y aún es dudoso si en su trayecto por las planicies no se evapora y desaparece. La noche la pasamos en Luján, pequeña población rodeada de jardines, cuya comarca es la más meridional de todas las cultivadas en la provincia de Mendoza, situada a cinco leguas al sur de la Capital.
Durante la noche sufrí el ataque (no merece menos que ese nombre) de la Benchuca[8], una especie de Reduvius, la gran chinche negra de las Pampas. Es de lo más repugnante sentir estos insectos, blandos y sin alas, de cerca de dos centímetros y medio de largo, arrastrarse por nuestro cuerpo. Antes de succionar son muy delgados, pero después se redondean y llenan de sangre y en ese estado se los aplasta con facilidad. Uno que atrapé en Iquique (también están en Chile y Perú)

8 Benchuca: Darwin lo escribe así en su diario por haber escuchado el término, es decir por fonética. Se refiere a la vinchuca. Nombre científico *Triatoma Infestans*, insecto de la familia *Reduvidae*. Se alimenta de sangre (hematófago), es responsable de la transmisión de la enfermedad de Chagas-Mazza o *Tripanosomiasis Sudamericana*.

estaba muy vacío. Puesto sobre una mesa y aunque rodeado
de gente, si se le presentaba un dedo, el atrevido insecto sa-
caba inmediatamente su chupador y atacaba sin vacilar y si
se le dejaba, sacaba sangre. La herida no causaba dolor. Era
curioso observar su cuerpo durante la succión y ver cómo éste
en menos de diez minutos se cambiaba de plano a redondo
como una esfera. El festín que una Benchuca debió a uno de
los oficiales la conservó gorda durante cuatro meses comple-
tos, pero después de los quince primeros días estuvo dispuesta
a volver a chupar sangre.»

Después de este episodio, al que Darwin no le dio más importancia que la descripta en términos de haber recibido un
«ataque repugnante» por parte de la vinchuca, regresa a Santiago de Chile, pero esta vez por el cruce de Uspallata. A los
pocos días, el paciente presentó un cuadro febril con escalofríos y malestar general, pero clínicamente poco importante
y no impidió que siguiera su travesía. Al llegar a Santiago el
paciente ya había mejorado por completo. Este cuadro febril
leve bien pudo haber correspondido a la fase aguda de la enfermedad de Chagas, que por otra parte algunas veces pasa
inadvertida, es decir sin síntomas y otras con sintomatología
frondosa con fiebre alta, dolores musculares, cefalea, fatiga,
pérdida de apetito, náuseas, vómitos y diarrea. La enfermedad
final había comenzado.

Otro aspecto relacionado con la actividad del paciente en
su calidad de naturalista era observar y consignar los problemas sanitarios. Darwin era un agudo observador de los fenómenos naturales. Para él tampoco pasaban inadvertidos los
temas de salud. De hecho recordemos que había practicado
como aprendiz de médico con su padre formulando historias
clínicas y había comenzado a estudiar medicina.

Por lo tanto, los aspectos relacionados con la salud también fueron consignados por Darwin. Merece mencionarse su
comentario sobre las numerosas muertes que se habían producido en el Valle de Copiapó, en Chile, por causa de la hidro-
fobia o rabia. De hecho, existía la orden sanitaria de matar a

todos los perros para evitar la propagación de la enfermedad. Darwin cita la gran cantidad de perros muertos que vio por el camino. Otro dato médico de interés es cuando describe los numerosos casos de «ataques febriles» en el puerto de Lima, en la bahía de Callao, Perú. Darwin lo relaciona con el agua y sobre todo con los depósitos de agua estancada que da lugar a lo que se conocía como «teoría de las miasmas». Esta teoría sostenía que las enfermedades se producían por las emanaciones fétidas que se desprendían del suelo y del agua en estado de putrefacción. En realidad, se trataba de los gérmenes que producían las enfermedades (bacterias, virus, parásitos) y no de un influjo misterioso, pero era correcta la observación que relacionaba a la putrefacción con la producción de enfermedades. A esta teoría adhería un médico destacado, el Dr. Joseph Redhead, que durante veinte años realizó estudios climatológicos, geológicos y botánicos en la zona. Fue, y merece destacarse, el médico que asistió al Gral. Belgrano durante sus últimos siete años de vida y luego médico del Gral. Güemes. Redhead era meticuloso con la higiene, para eliminar toda posibilidad de enfermar en base a la teoría de las miasmas, arbitrando los cuidados higiénicos en la atención de los heridos de guerra en el ejército de Belgrano para evitar infecciones de cualquier tipo. De hecho, Darwin padeció en su expedición en el *Beagle* varios episodios infecciosos relacionados con la falta de higiene y la teoría de las miasmas. Recordemos la posible fiebre tifoidea que presentó cuando examinaba las minas de oro en Valparaíso y que no era otra cosa que una infección bacteriana.

Darwin dejaría luego el continente para navegar hacia las islas Galápagos. Atrás quedaría la vinchuca, pero no las consecuencias de su picadura.

Enfermedad silenciosa... y silenciada

La picadura no fue una picadura más: es la punta de un ovillo que invita al diagnóstico médico para explicar, al menos en parte, los enormes padecimientos del paciente. Digo enormes, porque, como veremos, no fueron pocos y condicionaron su vida, física, emocional y socialmente y también su producción científica. La vinchuca[9] llamada por Darwin «Benchuca» es un insecto que se alimenta de sangre[10]. Es de hábitos nocturnos. Vive en grietas, agujeros, techos de paja, rendijas en maderas de casas humildes, y ranchos en condiciones sanitarias precarias. Es una enfermedad de la pobreza. La vinchuca es en realidad el vehículo o vector del verdadero causante de la enfermedad que es un parásito *Tripanosoma Cruzi*[11]. El mecanismo es el siguiente: La vinchuca un día chupa sangre de un animal infectado con el parásito y así este parásito se reproduce dentro de la vinchuca. Por las noches, este insecto busca alimentarse picando así al hombre mientras duerme. La picadura no duele, por lo que la víctima sigue durmiendo. En pocos minutos, la vinchuca se llena de sangre en tal cantidad que al hincharse tanto se ve obligada a defecar. Las heces están repletas de parásitos que quedan así en la piel contaminando la herida. La picazón que produce hace que luego la persona se rasque y así se ve favorecido el ingreso del parásito a la sangre[12].

La vinchuca se alimenta toda su vida de sangre, por lo cual una vinchuca adulta ha succionado la sangre de tantos animales que seguramente está infectada y resulta así ser el transportador o vector del parásito, diseminando la enfermedad.

9   Vinchuca: *Tripanosoma cruzi*, insecto triatomino de la familia *Reduvidae* del orden *Hemiptera*.

10   Insecto hematófago, es decir que se alimenta de sangre.

11   Protozoo flagelado agente responsable de la enfermedad de Chagas. El reservorio natural del protozoo son los armadillos, roedores, ratas, murciélagos, perros, gatos, etcétera.

12   El rascado facilita el contacto de las heces contaminadas con la sangre. Otras vías de ingreso son las eventuales lesiones en la piel. También resulta una vía de ingreso los ojos, la boca o nariz. El lugar de ingreso del parásito puede dar una reacción inflamatoria local, que cuando es en los ojos puede producir una inflamación importante y característica que se denomina signo de Romaña. Importante: la mujer embarazada puede transmitir la enfermedad al hijo por vía placentaria.

La vinchuca que picó a Darwin era adulta ya que medía dos centímetros y medio según su propia descripción. La región de Luján de Cuyo es zona endémica y sabemos que muchas personas estaban enfermas. Por lo tanto, la vinchuca que picó a Darwin estaba seguramente infectada y lo contagió.

El parásito se reproduce en el cuerpo humano y se localiza fundamentalmente en el corazón, en el sistema digestivo y en el sistema nervioso. Algunas veces, hay síntomas generales en la fase aguda de la enfermedad con fiebre, fatiga, dolores musculares, cefalea, náuseas, vómitos, diarrea, etc. Muchas otras, el paciente no presenta ningún síntoma. Luego la enfermedad permanece asintomática, es decir «latente», durante años o incluso décadas. Cuando finalmente se manifiesta en la fase crónica, produce complicaciones cardíacas, digestivas y neurológicas. Estas complicaciones explican los síntomas que en el futuro presentaría el paciente y también la causa de la muerte. Ahora bien, ¿por qué decimos que es una enfermedad silenciosa... y silenciada? Porque, como en el caso de Darwin, la enfermedad pasa por un período asintomático, es decir el paciente no presentó enfermedad por un tiempo, que puede ser muy largo, incluso de 10, 20 o hasta 30 años, por eso se dice que es una enfermedad silenciosa, porque tarda en manifestarse. ¿Por qué silenciada? Porque no se habla de ella lo suficiente, debería hablarse más, se la silencia. En América Latina se estima que hay más de diez millones de infectados. En la Argentina entre uno y medio y dos millones de personas están infectadas. La forma de combatir el Chagas es combatiendo la pobreza, las condiciones precarias de vida. Donde no hay vinchuca, no hay Chagas. Muchas provincias argentinas tienen alta tasa de transmisión de la enfermedad. Mendoza, como ejemplo, donde Darwin fue picado por una vinchuca en 1835, sigue siendo una provincia de alta tasa de infección. Precisamente, entonces, porque se habla poco de ella, la enfermedad de Chagas es una enfermedad «silenciada». El viaje del *Beagle* continuaría dejando atrás las costas de América para poner proa a las Islas Galápagos. Algo importante estaría por suceder. Darwin pasó 20 días en tierra.

Este tiempo bastó para una observación trascendente. Fue cuando al clasificar dos pinzones[13] de islas diferentes comprobó que tenían picos distintos. Los pinzones, aun siendo de la misma especie, habían desarrollado picos de diferente forma conforme a los alimentos que consumían, ya fueran insectívoros o herbívoros. Es decir, los picos se adaptaban según las características de sus presas. Así, los pinzones de una isla tenían picos diferentes a los pinzones de otras. Cuenta el paciente que Nicholas Lawson[14], el gobernador británico de las islas, le había dicho con respecto a las tortugas gigantes: «Yo soy capaz de decir de cuál de estas islas proviene cualquiera de estas tortugas». En efecto, cada isla tenía un tipo de tortuga que se diferenciaba por el tamaño, el caparazón, el color, el dibujo, los bordes del caparazón, la longitud de las patas, el cuello y la forma de la cabeza. En otras palabras, cada isla tenía animales que, siendo de la misma especie, tenían características propias y distintivas.

Este hallazgo, y el de los pinzones, fue analizado por Darwin a su regreso a Londres. Fue el sustento de lo que sería su teoría sobre las especies y, más adelante, daría lugar a la teoría de la evolución por medio de la selección natural. Galápagos sería una bisagra en la explicación del pensamiento evolutivo.

El *Beagle* se alejaría de las Galápagos, no sin antes llenar sus bodegas con tortugas para la tripulación. Navegaría luego hacia Tahití, Nueva Zelanda y Australia. En Australia, Darwin hizo una descripción de orden social que da para pensar: «Los colonos británicos habían alcanzado en pocos decenios en esta región, mucho más que los conquistadores españoles durante siglos en Sudamérica». Luego seguiría Tasmania, Isla de Cocos con sus inmensos arrecifes de coral, Capetown en Áfri-

---

13 Aves del género *Geospiza*. En las Galápagos hay 13 especies diferentes de pinzones que se diferencian por su tamaño y fundamentalmente por la forma de sus picos.

14 Nicholas Lawson, nombrado por Londres como gobernador del archipiélago dos años antes que Ecuador reclamara la soberanía de las islas.

ca, la isla de Santa Elena[15] y la isla de la Ascensión[16]. Para dar finalmente la vuelta al mundo, navega nuevamente hasta las costas de Sudamérica para luego Fitzroy poner proa final hacia Inglaterra, donde anclan el 2 de octubre de 1836. Habían cumplido con un fantástico viaje de casi cinco años.

Darwin había partido en el *Beagle* a los 22 años con una Biblia bajo el brazo y regresaba a los 27 con el embrión de una nueva teoría y con dudas sobre el Nuevo Testamento. Durante este último período de navegación, no se consignan datos clínicos de interés para la historia clínica, sólo lo acompañaron sus habituales mareos.

Regreso a casa

Una vez en Inglaterra, Charles Darwin se dirige rápidamente a su casa natal en Shrewsbury. El padre, ya avejentado, se alegró inmensamente del regreso del hijo pródigo. La alegría familiar fue enorme. Volvía después de una expedición de exploración de tierras y mares lejanos, desconocidos. Cinco años en el más allá del horizonte, una suerte de «Viaje a las estrellas». Ésta fue la verdadera revelación del paciente. Esos cinco años habían acompañado el crecimiento cronológico de Darwin con su expansión personal, observando un mundo que comenzaba a entenderse desde la futura teoría de la evolución. El cambio de paradigma ya se había iniciado. El aprendizaje del paciente no fue en las aulas, fue en el campo, en el lugar donde las cosas suceden efectivamente y dejan su huella fósil que Darwin empezaba a revelar. El paciente comenzaba a leer el pasado en el libro de la naturaleza en búsqueda de la respuesta al «origen» de las «especies». Poco después de su llegada, Darwin se

15 Isla de Santa Elena: ubicada a 2.800 km al oeste de Angola en África, donde en 1821 había fallecido Napoleón prisionero de los ingleses.

16 Isla Ascensión: ubicada en el Océano Atlántico a medio camino entre África y América. Isla donde reabastecieron combustible los bombarderos ingleses *Vulcan* al atacar en 1982 las Islas Malvinas.

dirigió a Cambridge, a la casa de Henslow, su profesor y amigo, responsable del viaje. En los sótanos de la casa de Henslow se encontraban agrupados todos los cajones, cajas de madera, frascos y barriles que Darwin enviaba periódicamente desde el *Beagle*. Era momento de un trabajo intenso, fecundo: la clasificación cuidadosa de todas las especies recolectadas alrededor del mundo, el trabajo de laboratorio. A mediados de septiembre de 1837, a casi un año de su regreso, el paciente refiere un episodio de enfermedad agudo con malestar de estómago y palpitaciones. Superó el cuadro clínico espontáneamente pero tal vez sea ésta la primera referencia concreta a lo que sería su enfermedad en el futuro. Lo cierto es que transitoriamente Darwin mejoró. Los dos primeros años en Londres, el paciente llevaría una vida social y científica intensa, sumamente productiva y de rédito académico. Darwin ya era reconocido como naturalista en los círculos científicos.

Pero también le llegaría el tiempo de la familia. Después de pensar casi de modo científico los pros y los contras del matrimonio, concluyó en la conveniencia de la vida matrimonial y en formar una familia. Meditó y pensó mucho. Llegó a escribir en esa suerte de balance: «¿Acaso no es insoportable la idea de pasar toda la vida trabajando y trabajando como una abeja obrera? ¿Acaso no es sumamente deprimente imaginarse una vida solitaria en este humeante y sucio Londres? En cambio, imagínate una gentil y dulce esposa en el sofá frente a una linda chimenea, con buenos libros y tal vez música. Debo casarme, casarme, casarme».

Recordó a su prima Emma, amiga de la juventud y quien había apoyado con alegría su viaje en el *Beagle*. La fue a ver. Le declaró su amor. Ella le correspondió con alegría. Se casaron el 29 de enero de 1839. Una semana de luna de miel y nuevamente al trabajo científico. El paciente refiere que su matrimonio no pudo haber sido mejor. Una atmósfera de armonía coronaba la familia que llegó a ser numerosa. La atmósfera de paz doméstica incluía todas las tardes alguna pieza que su esposa tocaba en el piano. Emma había tomado clases nada más y nada menos que con Chopin. La tranquilidad y la vida familiar sin sobresaltos jugó a favor en el trabajo de Darwin. El paciente era una persona sencilla y de carácter humilde. El ambiente competitivo y estresante de Londres no era de su gusto. Luego de vivir en Londres, decidieron mudarse al pueblo de Down, a dos horas de la capital londinense, lugar tranquilo y apacible donde pasaría el resto de su vida. Sería la casa conocida como Down House. Fue ahí donde el paciente realizó prácticamente todos sus escritos científicos.

La historia clínica de Darwin comienza a cargarse de síntomas hacia 1839, cuatro años después de la picadura de la vinchuca en Luján, Mendoza. El paciente, que ya venía con síntomas mínimos e intermitentes de malestar, presenta un cuadro clínico febril con palpitaciones, náuseas y vómitos. Poco después, el paciente va a visitar a su padre y éste examina médicamente a su hijo. El Dr. Darwin hizo su diagnóstico: «la sintomatología de Charles era consecuencia del trabajo excesivo y de los rigores del viaje». El Dr. Darwin consideró que llevaría años la recuperación completa del cuadro clínico de su hijo. Charles, por su parte, no coincidía con el diagnóstico de su padre. Se había sentido razonablemente bien en la expedición del *Beagle* y también en su estancia en Londres. Cabe señalar que la enfermedad, posiblemente transmitida por la vinchuca, no sería científicamente conocida hasta 1909 cuando la describe el médico brasileño Carlos Chagas. Ni el Dr. Darwin ni ningún médico en 1839 conocían la enfermedad. Darwin seguía trabajando con intensidad. Su hermano Erasmus, quien ya era médico, reprendió a su hermano «por el excesivo trabajo que hacía una virtud de algo que en realidad era un vicio». Cabe señalar que Erasmus no ejercía como médico y vivió el resto de su vida de la herencia económica de la familia Darwin.

El cuadro clínico de trastornos digestivos, malestar general y palpitaciones se repetía en Darwin. Dos años más tarde, el paciente comenzó a sufrir episodios de escalofríos por la tarde. El padre del paciente, en su condición de médico, insistía en que el cuadro clínico se debía al exceso de trabajo y al agotamiento del viaje en el *Beagle*. Darwin comenzó a pensar en la cronicidad de su mal y temía ser un inválido el resto de su vida. Por momentos, el cuadro clínico de palpitaciones, náuseas, vómitos, dolor abdominal, distensión abdominal, flatulencia, diarrea y malestar general era realmente invalidante. Pasaba días en los que no podía siquiera trabajar leyendo un libro y otros días, con una leve mejora, apenas podía trabajar dos o tres horas. Sin duda, la enfermedad era por momentos invalidante y afectaba su producción científica. La vida social también se resentía, Darwin salía cada vez menos de su casa. La casa de la alejada aldea de Down era su refugio y muy pocas veces viajaba a Londres para participar de alguna actividad científica. Con el tiempo y paulatinamente, la casa de Down iba constituyéndose en el lugar de reunión de familiares y amigos debido al encierro obligado del paciente. Mientras tanto, Darwin seguía trabajando y dando forma a su revolucionaria teoría que dejaría atrás la idea de la invariabilidad de las especies. El mundo contaba una historia donde la constante era el lento, muy lento, pero inexorable cambio. Hacia 1849, comenzó a sentirse aún más mal; el paciente presentaba mareos, depresión, temblores, náuseas, vómitos, flatulencia, dolores abdominales, palpitaciones, taquicardia, y refería por momentos ver puntos negros delante de sus ojos. Fue cuando en 1849, como buen científico y observador, decidió abrir un nuevo cuaderno de notas, sumado a los numerosos con los cuales trabajaba. Esta vez, el nuevo cuaderno sería un «Diario del estado de salud», donde el paciente anotaría todos sus síntomas y evolución de los mismos. La esperanza era encontrar una pista para hacer un diagnóstico, contribuir a la información de los médicos que en su vida fueron más de veinte y observar qué tratamiento era más efectivo. El «Diario del estado de salud» de Darwin es fuente muy importante de datos médicos como para confeccionar la historia clínica y a él le debemos la riqueza de datos y síntomas con que contamos para hacer el diagnóstico. Darwin fue insistente con su «Diario del estado de salud», pero tras cinco años y ningún resultado, decidió abandonarlo en 1855, ya no esperaba que las descripciones clínicas que anotaba fueran de alguna utilidad en el futuro, había asumido la cronicidad de su enfermedad.

Más historia clínica

La enfermedad del paciente era en verdad invalidante; por momentos la sintomatología era tan intensa que lo convertía literalmente en un «inválido». Para darse una idea basta ver el estudio de Darwin en su casa de Down. El paciente no escribía en un escritorio. Escribía en una tabla forrada de tela roja que apoyaba en los apoyabrazos de su sillón. El sillón, a su vez, tenía ruedas que facilitaban el movimiento del paciente por su escritorio para disminuir el esfuerzo físico. A un lado de la chimenea del escritorio, una cortina daba a un cuarto de baño que facilitaba el aseo de Darwin sin necesidad de desplazarse a otro sector de la casa. Tal era su limitación física. Sucede que un paciente puede presentar, obviamente, más de una patología o enfermedad. Éste parece ser el caso de Darwin. Ya hemos mencionado la sintomatología de tipo psicosomática que presentó desde su juventud. Los «ataques de fatiga» desencadenados por el estrés así como también las erupciones en la piel[17], los labios y sensación de hormigueo o «parestesias» en las manos. Recordemos también como antecedente bien documentado las palpitaciones y el dolor de pecho que el mismo paciente consiguió antes de iniciar su viaje alrededor del mundo, sintomatología fácilmente relacionada con la influencia física de un cuadro emocional.

Algunos médicos han creído también ver en el paciente un cuadro clínico de ansiedad y posiblemente algunos episodios compatibles con lo que hoy conocemos como «ataques de pánico». La depresión en grado leve es también un cuadro posible de diagnosticar en algún período de la frondosa historia clínica. Varios familiares de Darwin, tanto por vía paterna como materna, presentaron cuadros depresivos. Éste es un antecedente familiar de importancia ya que la depresión tiene componente familiar. Otro cuadro clínico que debiera consi-

17 Dermatitis atópica o eczema: reacción de hipersensibilidad similar a una alergia, muchas veces desencadenada por estrés.

derarse como posible acompañante y causa de trastornos digestivos en el paciente es la enfermedad de Crohn. Se trata de una enfermedad inflamatoria de origen autoinmune en la cual se producen lesiones en el intestino delgado o en el colon. Los síntomas digestivos de la enfermedad de Crohn son compatibles con el cuadro digestivo del paciente. Sin embargo, no explican la sintomatología cardiológica que presentaba (taquicardia y palpitaciones) ni el desenlace fatal de la historia clínica. Otro diagnóstico posible para explicar los síntomas digestivos de Darwin es el síndrome de intolerancia a la lactosa. En esta enfermedad, el intestino del paciente produce de modo insuficiente una enzima, la lactasa, necesaria para degradar la lactosa de los lácteos y de algunos alimentos procesados. Es posible pero, como en el caso de la enfermedad de Crohn, esta afección no explica todos los síntomas. Algo más debemos considerar, hipocondría.

La hipocondría es aquella circunstancia en la cual el paciente «cree» padecer una enfermedad. En realidad, se trata de una creencia sin razón valedera alguna. Pero en la práctica sabemos que un fantasma en la mente es tan real como un tren que efectivamente viene de frente. El ejemplo descriptivo de este cuadro en el cual una creencia se convierte en síntomas está magistralmente representado en *El enfermo imaginario* de Molière. En alguna medida es posible este diagnóstico si recordamos, entre otras cosas, la afirmación que Darwin hizo sobre sus palpitaciones y dolor de pecho antes del viaje en el *Beagle*. El paciente afirmó que los síntomas que presentaba, a su juicio, eran frecuentes en muchos jóvenes de la época que creían falsamente tener una enfermedad al corazón. Darwin establece cierta relación entre sus posibles síntomas cardiológicos, a la temprana edad de 22 años, y la creencia infundada de enfermedad orgánica real. También hay evidencia escrita por varios colegas, amigos y familiares del paciente que afirmaban que Darwin era un hipocondríaco. Como hemos dicho, es posible. También hay que considerar que la hipocondría, como cualquiera de las otras enfermedades consideradas en Darwin, admiten grados que pueden ir de síntomas mínimos o leves a cuadros graves. Su sintomatología clínica justifica la posible asociación de enfermedades. Si bien la enfermedad de Crohn y la intolerancia a la lactosa son diagnósticos posibles, teniendo en cuenta la evolución de la historia clínica me inclino a pensar que Darwin era primariamente un paciente de naturaleza psicosomática, susceptible a los cambios emocionales y el estrés, y con un perfil hipocondríaco mínimo. Sobre esta base constitutiva que acompañó al paciente desde joven, el agregado de una infección por *Tripanosoma Cruzi* por medio de la picadura de una vinchuca en Mendoza justifica el diagnóstico de enfermedad de Chagas. Sucede, y es momento de decirlo, que en la enfermedad de Chagas el parásito afecta la función del sistema digestivo y del corazón. En el sistema digestivo[18], la enfermedad puede afectar el normal funcionamiento del intestino, alterando su movilidad. De este modo, los movimientos intestinales se tornan anormales y dificultan el proceso digestivo, lo cual produce dolor, distensión abdominal, flatulencia, náuseas, vómitos y diarrea. Por otro lado, el parásito también afecta al corazón alterando su función eléctrica, lo que causa arritmias cardíacas. Además, y esto es lo más grave, produce agrandamiento del corazón con insuficiencia cardíaca, causa posible de desenlace fatal en un paciente con enfermedad de Chagas no tratada. Es claramente el caso de Darwin, por la época la enfermedad no se conocía; en consecuencia, claro está, no tenía tratamiento.

Hablando con Darwin

Darwin concentra su revolucionaria obra científica cuando publica en 1859 *El origen de las especies*[19]. Fue un latigazo

18   La destrucción del plexo nervioso que inerva el sistema digestivo puede producir una deformación con agrandamiento importante del colon, del esófago o de otros órganos del sistema digestivo. El agrandamiento del colon o el esófago se denomina megacolon o megaesófago.

19   *El origen de las especies mediante la selección natural o la preservación de las razas favorecidas en la lucha por la vida*, Londres, 1859. Título original: *On the Origin of Species by means of natural selection or the preservation of favoured races in the struggle for life.*

científico, pero también social. La obra fue verdaderamente popular y generó acalorados comentarios en los más distintos ámbitos. Si el hombre descendía del mono, no era un tema menor. El viaje de Darwin en el *Beagle* ya lo había catapultado en los ámbitos y sociedades científicas, pero *El origen de las especies* era tema de conversación popular. Escuchar por boca de Darwin el fundamento de la teoría que desbarrancaría al creacionismo y la explicación literal de los relatos bíblicos del Antiguo Testamento sería sin duda una oportunidad. Claro está que esa oportunidad seguramente se dio con algunos de los más de 20 médicos que, tenemos referencia, atendieron a Darwin a lo largo de su vida. De tal suerte, podemos conjeturar el tenor de la conversación entre un médico y su paciente, en este caso Darwin, con relación a su teoría. El tema en sí tiene numerosos aspectos para analizar y varios de ellos, como los biológicos, anatómicos, fisiológicos y antropológicos, tienen que ver con la medicina. Por lo tanto, es natural que un médico en la consulta con Darwin se viera tentado a que éste le explicara, aunque sea brevemente, el fundamento de la revolucionaria teoría. Para el médico tratante sería además una oportunidad que contribuiría al conocimiento íntimo del paciente y a su problemática emocional. Podemos entonces imaginar esta conversación de un médico con Darwin, digamos aproximadamente hacia el año 1862 del siguiente modo:

MÉDICO: Sr. Darwin, pasando ahora a otro aspecto de la historia clínica, si usted me permite, quisiera hacerle una pregunta.

DARWIN: Por supuesto doctor. ¿De qué se trata?

M: Estoy al tanto de la publicación de su libro sobre el origen de las especies y…

D: Adelante, doctor, ya he recibido muchas críticas… no me voy a ofender.

M: No, no se trata de eso, no estoy en contra de su teoría, sólo quisiera que usted me la explique, aunque más no sea en escasas palabras y sobre todo el porqué del rápido éxito de su publicación, todos mis colegas leyeron *El origen de las especie.*

D: Para empezar, doctor, creo que si bien se trata de una teoría científica, está escrita en un lenguaje directo, simple y llano. Cualquiera puede leerla, es popular.

M: ¿Pero cómo comenzó la historia?

D: Bueno, cuando embarqué en el *Beagle* yo llevaba mi Biblia bajo el brazo, es más, estudiaba para recibirme como pastor anglicano.

M: Sí, Sr. Darwin, eso me dijeron.

D: Es más, le hablaba a la tripulación sobre los relatos bíblicos, lo que me generó alguna que otra resistencia y no pocas bromas.

M: ¿Entonces, Sr. Darwin?

D: Durante los cinco años de la travesía tuve mucho tiempo para observar la naturaleza, recolectar especímenes y sobre todo para pensar. ¡Pensar mucho! doctor, ¡mucho!

M: Me imagino, ¿y fue entonces cuando se le ocurrió la teoría?

D: No, doctor, bueno posiblemente algo de la teoría iba apareciendo en mi mente sobre el final del viaje. Verá, hasta ese entonces se aceptaba la idea de la «fijeza de las especies».

M: Es decir que cada ser viviente fue siempre igual, desde el momento de la creación.

D: Exactamente, pero acorde avanzaba mi viaje, acumulaba observaciones que más adelante reforzarían la idea de la mutabilidad de las especies.

M: ¿Es decir que iban cambiando con el correr del tiempo?

D: Y..., doctor, vi muchas cosas. Recuerdo que en Punta Alta, Argentina, encontré gran cantidad de huesos fósiles. Descubrí, entre otras cosas, restos de armadillos enormes en comparación con los que actualmente viven en la región. Sin embargo, el parecido entre los ya desaparecidos en el rincón del tiempo y los actuales era enorme.

M: ¡Como que existe un lazo en el tiempo que une ambas especies!

D: Exactamente, mi estimado doctor, incluso el dibujo de los caparazones fósiles era muy similar a los actuales, diría casi iguales.

M: Interesante, y ¡todo estaba en las rocas!

D: Sí, es que en las rocas y sus fósiles está escrito el pasado de la historia de la vida. Es como un libro que hay que aprender a leer, está ahí.

M: Y, Sr. Darwin, lo que usted encontró en Argentina ¿se repitió en otras partes del mundo?

D: Constantemente, en el futuro ya no podría mantener la idea de la «fijeza de las especies». Todos los animales tenían un pasado físicamente muy parecido, pero que ya no vivía, era como un recuerdo fósil de un pasado ancestral.

M: Pero, Sr. Darwin, ¿por qué cambiarían las especies?

D: Bueno, ésa es la pregunta y ése ha sido mi aporte. Vea, para cuando se publicó mi teoría, la idea del cambio, en realidad, ya estaba instalada; la pregunta era justamente por qué las especies cambiaban con el tiempo.

M: Y entonces, ¿cuál es la respuesta?

D: Bueno, hasta el viaje del *Beagle* la teoría más aceptada para explicar el porqué del cambio de las especies era de Lamarck.[20]

M: ¡Ah, el famoso naturalista francés!

D: Sí. Él sostenía que las especies se adaptaban al medio ambiente en forma activa por las necesidades que ese medio les imponía.

M: ¿Cómo?

D: La jirafa, el ejemplo de la jirafa. Lamarck sostenía que la jirafa tenía el cuello largo por estirarse cada vez más para alcanzar hojas de árboles más altos. Los cambios del medio ambiente la obligaban a buscar alimento donde había, en lo alto de los árboles.

Paulatinamente el cuello se fue alargando en un esfuerzo adaptativo y esa virtud fue heredada a la descendencia. El cuello de la jirafa se fue modelando con el esfuerzo a través de generaciones.

M: Lógico. ¿No?

D: ¡No! No, doctor.

M: ¿Cómo no?

D: Bueno, mire doctor, pensé que no era así. Primero pensé en los criadores.

20   Jean-Baptiste Pierre Antonie de Monet de Lamarck (1744-1829). Naturalista francés que desarrolló la primera teoría de la evolución biológica.

M: ¿Los criadores?

D: Sí, los criadores de animales, por ejemplo de caballos. Un criador selecciona los ejemplares de las características predeterminadas que quiere obtener, los más veloces para las carreras o los más robustos para la carga. Así toma parejas con particularidades que quiere obtener repitiendo la selección durante varias generaciones. Así selecciona intencionalmente las características que quiere desarrollar en la raza. El criador ejerce así una selección a su gusto, es una suerte de «selección artificial», que va modelando la especie.

M: Bueno, pero qué pasa en la naturaleza, ¿cuál es el criador?

D: Bueno, me llevó tiempo pensar en quién reemplazaba al criador en la naturaleza hasta que casualmente, y sólo por descansar un poco, leí el brillante tratado del economista inglés Malthus[21].

M: ¿Un economista?

D: Sí, pero un economista que escribió mucho sobre demografía y en su *Ensayo sobre la población* encontré la punta del ovillo a mi problema. Resulta que Malthus sostiene que mientras la población crece en forma geométrica (2-4-8-16-32, etc.) la oferta de alimentos sólo lo hace en proporción aritmética (1-2-3-4-5, etc.). Inexorablemente, llegaría el momento en que los alimentos no alcanzarían para una población determinada. Se generaría así de manera inevitable una lucha encarnizada por los alimentos cada vez más escasos. Lo único que podría detener ese proceso hacia la escasez de alimentos es la aparición de mecanismos que limiten el tamaño de la población, como guerras, desastres naturales, epidemias, etc. La consecuencia natural de esta situación es una lucha por la supervivencia, «una lucha por la vida».

M: Entiendo. ¿Pero cómo se aplica ese principio de la lucha por la supervivencia en la naturaleza?

D: Bueno, doctor, yo tenía bien claro la lucha por la super-

21 Thomas Robert Malthus (1766-1834). Pastor anglicano inglés muy destacado por sus aportes en economía y demografía.

vivencia que se da en la naturaleza pero fue cuando leí a Malthus que pensé en cuál sería el mecanismo de supervivencia; simplemente aquellos seres, animales o plantas que nacieran con pequeñas variaciones físicas favorables serían los que triunfarían en la lucha por la existencia y aquellos cuyas variaciones fueran desfavorables morirían, como el caso de la jirafa de Malthus pero de un modo distinto.

M: ¿Cómo sería entonces?

D: ¿Recuerda? Lamarck decía que las jirafas se «esforzaban» en alargar sus cuellos mínimamente más largos que las otras, son variaciones mínimas, pero variaciones al fin. Resulta que las jirafas con cuellos más largos tienen una ventaja competitiva en la lucha por la supervivencia y su descendencia hereda esa ventaja competitiva. Las que tienen cuellos más cortos tienen desventajas en esa lucha y en consecuencia van desapareciendo. Así, las jirafas con ventajas competitivas sobreviven y las que no, simplemente desaparecen. Es de algún modo la lucha del más fuerte que termina adaptándose a las necesidades. De este modo, el papel del criador en la «selección artificial» de las crías de los caballos es reemplazado por la «selección natural» en la naturaleza, ése es el motor del cambio de las especies y la explicación de por qué algunos viven y otros, simplemente, quedan en la historia fósil del pasado. La «selección natural por sí misma resulta el verdadero mecanismo creador de nuevas formas de vida».

M: Y eso pasa en cada parte y región del planeta.

D: Sí. Recuerdo el típico caso de las islas Galápagos, un archipiélago tapizado por reptiles y pájaros y sin un solo mamífero, como si fueran parte de un pasado prehistórico que permaneció intacto. Ahí unas aves, los pinzones, tenían picos diferentes en las distintas islas y estaban adaptados para capturar el alimento preferido, semillas, insectos, plantas. Todos los pinzones tenían un antecedente común, pero con el tiempo los pinzones de una isla determinada se fueron «adaptando» a la oferta de alimentos de esa isla, desarrollando un pico que fue seleccionado por la naturaleza para poder sobrevivir. Lo mismo sucedió con las tortugas gigantes, cuyas características físicas estaban adaptadas a la isla particular donde vivían. Cada isla tenía un tipo particular de tortuga.

M: Ahora entiendo, Sr. Darwin, «la selección natural» es la modeladora de las especies. ¿Pero cuándo fue que desarrolló su teoría? ¿Hay un momento clave, un momento digamos de revelación?

D: No, fue paulatino, pero la idea primaria ya la tenía hacia 1839, después del viaje en el *Beagle*; luego escribí un breve resumen de unas 30 páginas, muy incompleto, en 1842 y lo mejoré mucho en un ensayo hacia 1844.

M: Sr. Darwin, tengo presente que *El origen de las especies* fue publicado en 1859, una fecha para recordar en la historia de la biología, pero usted me dice que tenía un buen ensayo en 1844. ¿Por qué tardó 15 años en publicar el libro?

D: Doctor, muy buena pregunta. No sé si tengo la respuesta, puede ser una mezcla de cosas que debí madurar.

M: ¿Como cuáles?

D: Bueno, por un lado, la teoría desafiaba el creacionismo y a las escrituras bíblicas. Sería muy polémico, yo soy más bien retraído y no me siento cómodo con las luchas, los conflictos y las discusiones. Por eso me fui a vivir a Down, lejos de las tensiones, ataques y envidias de los colegas de Londres. Además, mi esposa, Emma, a quien quiero como a nadie, es profundamente creyente y ha sufrido mucho las consecuencias de mi teoría. Aun así, debo aclararle, que mientras trabajaba en la recopilación de datos para mi libro, mi creencia en un Dios personal permanecía vigente. Por otra parte, necesitaba recolectar cada vez más datos y argumentos que sustentaran la teoría para que resultase valedera desde el rigor científico. Pero sí hubo una fecha que recuerdo con precisión, fue como un rayo del cielo.

M: ¿Cuál, Sr. Darwin?

D: El 18 de junio de 1858. Ese día es imposible de olvidar. Resulta que recibí una carta de un joven naturalista, el Sr.

Alfred Russell Wallace[22], quien había trabajado en el Archipiélago Malayo, viajó a Sudamérica en misión de estudios y sorprendentemente también había leído a Malthus. Resultó que me enviaba un escrito con una teoría que sostenía que «la selección natural» era la causa del desarrollo de las especies vivientes. ¡A ver si me explico! En pocas hojas exponía la misma teoría que la mía respecto a la «selección natural» como mecanismo del cambio progresivo de las especies. Era corta, con pocos fundamentos y elementos de prueba, pero era asombrosamente parecida.

M: Increíble, y ¿qué hizo usted, Sr. Darwin?

D: Ambos hicimos lo que hacen los caballeros ingleses, publicamos en conjunto nuestros trabajos en la sociedad Lineana, la sociedad científica que se ocupa de la clasificación de las especies.

M:¿Y qué sucedió, Sr. Darwin?

D: Bueno, en realidad no hubo muchos comentarios. Lo cierto es que mi trabajo era mucho más extenso y con fundamentos y lo que en definitiva sucedió es que me puse a reunir los datos de 20 años de estudios hasta que por fin en poco más de un año publiqué *El origen de las especies*, que resulta ser el trabajo científico más completo.

M: La publicación del libro, más allá de los conflictos científicos y sociales que le provocó, debió haber sido tranquilizador en términos de haber podido concretar su trabajo.

D: Sí, doctor, sin duda, y como usted dice, yendo a la historia clínica, eso también tiene que ver con mi salud. Mire, cuando hace 20 años escribí ese ensayo desarrollando la teoría que después se concretaría en mi libro, yo ya tenía muchos problemas con mi salud. Tal es así que por entonces dejé una carta a mi esposa autorizando a Charles Lyell, geólogo prominente y gran amigo, a que publicara mis trabajos inéditos en caso de que yo muriese en forma prematura.

---

22 Alfred Russell Wallace (1823-1913). Biólogo, naturalista, geógrafo y antropólogo británico. Trabajó recolectando material en el Amazonas, Brasil y en el Archipiélago Malayo. Propuso independientemente de Darwin su teoría de la evolución en base al mecanismo de «selección natural».

Yo tenía por entonces 35 años, pero mi salud me tenía a muy mal traer y la muerte era una posibilidad cierta.

M: Afortunadamente, Sr. Darwin, eso no sucedió.

D: Sí, es verdad, pero la realidad es que sigo con mis dolencias crónicas y hasta ahora ningún médico ha dado con el diagnóstico y el tratamiento correcto.

M: Sr. Darwin, como la biología, la medicina tiene sus alcances y limitaciones, haremos todo lo posible para mejorar su estado de salud.

D: Gracias, doctor. Coincido en que la ciencia tiene enormes limitaciones.

M: Sr. Darwin, volviendo a esas palpitaciones que me contaba...

El final de la historia clínica y Dios

El paciente presentó durante casi toda su vida los síntomas que comenzaron en la adolescencia. Debemos asumir que los distintos síntomas descriptos a lo largo de esta historia clínica han reconocido distintos orígenes, es decir distintas enfermedades. A partir del fuerte perfil de orden psicosomático que explica las crisis sintomáticas que las situaciones de estrés y emocionales causaban en el paciente, es que podemos citar tres claros ejemplos, entre muchos otros. Uno es el aumento de los episodios de vómitos severos hacia 1859, como resultado del período en el que escribió el *El origen de las especies*, tema conflictivo por motivos científicos, sociales, familiares y religiosos. Otro, hacia 1848 y 1849, período en el cual enferma y fallece el padre del paciente, el Dr. Robert Darwin. El tercer período estresante que podemos mencionar en el cual aumentó mucho la sintomatología digestiva, fue hacia 1863 y 1864, cuando para decepción y tensión de Darwin, su amigo y geólogo Charles Lyell no apoyó completamente la teoría de las selección natural. En los tres episodios, la sintomatología de orden digestivo, con predominio de náuseas y vómitos, se relacionó claramente con períodos de estrés sostenido.

Numerosos fueron los tratamientos a los que fue sometido el paciente, sobre una base que debemos señalar enfáticamente: ¡No tenía diagnóstico! La enfermedad de Chagas no se conocía entonces. Es decir, los tratamientos siempre apuntaron a los síntomas y no a la causa de los mismos. La sintomatología del paciente fue cada vez mayor, con períodos de peoría y de mejoría durante los últimos 44 años de su vida.

Entre los tratamientos que recibió cabe señalar la hidroterapia. Hacia 1849, cuando comienza a escribir su *Diario del estado de salud* toma contacto con el establecimiento de «hidroterapia» del Dr. James Gully, en Malvern. El tratamiento consistía en una suerte de internación en lo que había sido en un comienzo un monasterio benedictino. El Dr. Gully examinó a Darwin y formuló un plan terapéutico que consistía en internación, un plan de alimentación y en lo relativo a la hidroterapia le indicó un baño de agua fría con frotado del cuerpo, dos baños de pies con agua fría por día y paños de agua fría en el abdomen. El tratamiento se completaba con largas caminatas por el campo. La internación duró casi cuatro meses en los que su familia lo acompañó. El paciente mejoró. Darwin refirió mejoría en sus síntomas y aumento de peso. Una aclaración, la mejoría no fue, claro está, por la llamada «hidroterapia», sino por el descanso y el estilo de vida, no por otra cosa. El paciente repitió el tratamiento de hidroterapia en varias oportunidades, el descanso siempre viene bien.

Mientras tanto, continuaba el debate que el libro de Darwin provocaba, y sin duda él mismo se había convertido en la piedra angular de la polémica, que no casualmente originó por entonces un nuevo término: «Darwinismo». No fue la única palabra que el revolucionario científico dejó como legado. Hay otra que tiene relación con Dios. Fue el término «agnóstico». La palabra «agnóstico» fue concebida no casualmente por Thomas Henry Huxley, quien fuera discípulo y amigo de Darwin. El significado de la palabra hace referencia a la posición de aquella persona que «no admite soluciones a problemas que no puedan ser respondidos por recursos científicos». Con respecto a Dios, tres años antes de su muerte, Darwin deja escrito en una carta lo siguiente: «Lo que pueden ser mis propias ideas es una cuestión que no tiene ninguna importancia para nadie, excepto para mí mismo. Pero como usted pregunta, puedo afirmarle que mi juicio fluctúa a menudo. En mis fluctuaciones más extremas nunca he sido ateo, en el sentido de negar la existencia de Dios. Creo que generalmente (y tanto más cuando envejezco), pero no siempre, el agnosticismo sería la descripción más correcta de mi estado de ánimo».

En 1863, el paciente se deja la barba y el bigote cuidadosamente recortado. Continuó con sus «curas de aguas». Emma describía a su marido como con un estado de gran «ansiedad». Darwin había envejecido más rápido que Emma, el paciente era unos meses menor que su esposa pero lucía mucho más viejo. Emma lo obligaba a tomar períodos de descanso, lo quería mucho.

Durante la década de 1870 a 1880, el paciente presentó períodos de aumento de toda su sintomatología digestiva y cardiovascular. Fumaba poco, uno o dos cigarrillos diarios. Pero en este período se acentuaron los episodios de depresión.

Darwin ya había escrito muchos artículos científicos y muchos libros de lectura popular. A *El origen de las especies* se había agregado *La expresión de las emociones en el hombre y los animales*, *El origen del hombre*, su *Autobiografía* y muchos otros.

Hacia el mes de febrero y marzo de 1882, la historia clínica se complica. Aumentan los episodios de angina de pecho, es decir dolor de pecho de origen coronario. Su corazón dolía. También se registró un pulso irregular, dejando constancia de arritmia cardíaca. El cuadro clínico se completaba con tos de difícil tratamiento. Emma le insistía para que tomara quinina, medicamento usado para el tratamiento de la malaria pero que también tiene efecto en arritmias cardíacas. El paciente mejoraba con quinina. Próximo a su casa estaba el por él llamado «camino de arena». Era un sendero pedregoso por el que había caminado siempre desde que se mudó a su casa de Down. Era una caminata que le permitía pensar, meditar. Cuando lo necesitaba, iba al «camino de arena». Fue justamente ahí, el 7 de marzo, cuando presentó un síncope. Un episodio de pérdida de conocimiento de causa cardíaca. Lo atendió el Dr. Andrew Clark, que venía desde Londres y jamás aceptó honorario alguno. El 15 de abril, el paciente estaba sentado en la mesa cuando sintió mareos. Se levantó y perdió el conocimiento. Tardó en recuperarse. La noche del 18 de abril el paciente presentó un dolor de pecho intenso. Darwin le pidió a Emma sus cápsulas de «nitrito de amilo», medicación de reciente incorporación al arsenal médico y que sirve para mejorar la circulación coronaria y disminuir el dolor cardíaco. Emma fue al estudio a buscar las cápsulas. Al volver, su marido estaba inconsciente. Nuevamente, tardó en recuperarse. Al hacerlo le dijo a su esposa «no temo morir»… En Mendoza, Argentina, una vinchuca había iniciado el final. Al día siguiente, el 19 de abril de 1882, a las cuatro de la tarde termina la historia clínica de Darwin. Sus restos descansan en la abadía de Westminster, el panteón británico, a pocos metros de Isaac Newton. Newton revolucionó la física, Darwin revolucionó la biología. Uno podría imaginar la conversación entre ambos, cada noche, cuando la abadía de Westminster cierra sus puertas a los turistas.

Discépolo

Uno busca lleno de esperanzas
el camino que los sueños
prometieron a sus ansias...
Sabe que la lucha es cruel y es mucha
pero lucha y se desangra
por la fe que lo empecina...

Enrique Santos Discépolo nace el 27 de marzo de 1901 en el barrio de Balvanera en la ciudad de Buenos Aires. Muere joven, a los 50 años, en vísperas de Navidad, el 23 de diciembre de 1951. En el medio artístico, intelectual, político y también en el colectivo popular, queda instalada la idea de que Discépolo muere de «tristeza». La formulación de esta historia clínica apunta a analizar ese posible diagnóstico. ¿Se puede morir de tristeza? Acudiremos a la extensa bibliografía con la que contamos, así como también a elementos de su autobiografía, y al análisis de su obra en busca de información que permita arribar a un diagnóstico, para determinar la posible influencia de la «tristeza» como emoción condicionante del prematuro final.

Hijo de un músico italiano, Santo Discépolo y de Luisa Deluchi, quien fuera afectuosamente recordado como «Discepolín», pierde a sus padres muy tempranamente, en la primera infancia. Su padre muere joven, a los 55 años, por complicaciones cardíacas. Discépolo tenía por entonces cinco años. Su madre también muere joven, a los 46 años, cuando él no había cumplido aún los nueve. Estos hechos no pueden dejar de considerarse en la historia clínica. Al morir su madre, la familia se separa. Enrique y su hermana Otilia fueron a vivir con unos tíos adinerados que se encargaron de ellos. Los hermanos mayores, Armando y Rodolfo, vivieron juntos de forma sencilla y bohemia. Enrique estudió en un colegio religioso, el Guadalupe en el barrio de Palermo. Pero dos años después de la muerte de la madre, Armando, catorce años mayor, se casa y lleva a Enrique a vivir con él. Así, Armando se convierte en una suerte de hermano y padre al mismo tiempo, teniendo en el futuro una fuerte influencia sobre Enrique. Armando fue un importante dramaturgo, autor de más de treinta obras de 1910 a 1934, que de algún modo marcó huella en su hermano menor.

Enrique continuó sus estudios en el Colegio Normal Mariano Acosta para ser maestro. Pero al poco tiempo, descubrió que su verdadera vocación era el arte. Faltaba con frecuencia al colegio para ir a una librería donde, a cambio de mate y bollos, el librero le permitía leer libros de aventuras, comedia, cuentos y teatro. Su futuro estaba marcado. Se lo pasaba de café en café, o mejor dicho, en los «cafetines de Buenos Aires». A los 15 años, debuta en un escenario en la obra *El Chueco Pintos,* de su hermano Armando y Rafael José de Rosa[1], estrenado por el actor Roberto Casaux[2] en 1917. De ahí en más, Discépolo desplegaría una carrera polifacética como escritor de obras de teatro, actor, director de cine, compositor musical y, en forma determinante, como compositor de letras de tango. Desde el comienzo, mostró un fuerte interés y compromiso por los temas sociales, socioeconómicos, políticos y culturales. Conformó un grupo de afinidad con artistas con los cuales compartía ideales, tales como Benito Quinquela Martín[3] y Juan de Dios Filiberto[4].

1 Rafael José de Rosa (1884-1955). Guionista de teatro argentino.

2 Roberto Casaux (1885-1929). Su verdadero nombre fue Roberto de Cazaubon, actor de teatro argentino. Filmó películas mudas. Se destacó por la representación de personajes cómicos.

3 Benito Quinquela Martín (1890-1977). Pintor popular, pintor de puertos y de «La Boca». Hijo de madre desconocida, abandonado en la casa de los niños expósitos, adoptado a los 7 años por los dueños de una carbonería, la familia Chinchela.

4 Juan de Dios Filiberto (1885-1964). Célebre músico de tango argentino, autor de *Caminito, Quejas de bandoneón* y *Malevaje,* entre otros.

La relación con su hermano Armando siempre fue importante para Enrique y la futura ruptura de esa relación afectaría de manera significativa su vida afectiva, y por lo tanto su historia clínica. Armando Discépolo, ayudado por Enrique, estrena la obra *Mateo* en 1923. La obra trataba de un cochero, Miguel, que enfrenta estoicamente la llegada de un competidor implacable, el automóvil. El caballo del carruaje se llamaba Mateo. A partir de la obra, los coches tirados por caballos se llamarían «mateos». Poco después, ya con la firma de ambos hermanos, se estrena *El Organito*, obra teatral que consolida el interés de Discépolo por el mundo de los marginales y los desclasados. Los tangos, siempre tristes, de Discépolo darían testimonio en el futuro del carácter melancólico del paciente y centro del análisis de esta historia clínica. Su emocionalidad coincidía con la depresión vivida en las décadas del '20 y del '30, período en el que se registra un aumento de suicidios, entre los cuales figuran paradigmáticamente los de Horacio Quiroga, Alfonsina Storni, Leopoldo Lugones y Lisandro de la Torre.

Esas décadas fueron las peores para la situación económica de Discépolo. En esos momentos, el sufrimiento fue tierra fértil para la composición de letras de tango. Nacen así *Que Vachaché*, que resultó un éxito en la voz de Tita Merello, *Esta noche me emborracho* y *Chorra*. También comienza a ser reconocido como actor, al tiempo que Azucena Maizani[5] canta *Malevaje*. Sin embargo, llega entonces la censura. El Ministerio de Marina prohibió la difusión radial de *Chorra*, *Que Vachaché* y *Esta noche me emborracho* por considerarlas de lenguaje vulgar y concientizar a la ciudadanía sobre la dura realidad argentina. El paciente no paraba de recibir contratiempos que lastimaban su sentir. Llegaría el año 30 cuando compone *Yira Yira*, tango de fuerte contenido emocional:

---

5 Azucena Maizani (1902-1970). Cantante y compositora de tangos argentina. Actuó en teatro y radio.

Yira Yira

Tango 1930
Música: Enrique Santos Discépolo
Letra: Enrique Santos Discépolo

Cuando la suerte que es grela[6],
fayando y fayando
te largue parao;
cuando estés bien en la vía,
sin rumbo, desesperao;
cuando no tengas ni fe,
ni yerba de ayer
secándose al sol;
Cuando rajés los tamangos[7]
buscando ese mango
que te haga morfar...
la indiferencia del mundo
—que es sordo y es mudo—
recién sentirás.

Verás que todo es mentira,
verás que nada es amor,
que al mundo nada le importa...
¡Yira¡... ¡Yira!...
Aunque te quiebre la vida,
aunque te muerda un dolor,
no esperes nunca una ayuda,
ni una mano, ni un favor.

Cuando estén secas las pilas de todos los timbres
que vos apretás,
buscando un pecho fraterno

---

6   Grela: del lunfardo, mugre, suciedad, mujer perteneciente a un rufián, en este tango es sinónimo de mala suerte.

7   Tamangos: del lunfardo, zapatos.

para morir abrazao...
cuando te dejen tirao
después de cinchar[8]
lo mismo que a mí.
Cuando manyés[9] que a tu lado
se prueban la ropa
que vas a dejar...
Te acordarás de este otario[10]
que un día, cansado,
¡se puso a ladrar!

Discépolo diría de este tango:

«*Ese tango nació en la calle, precisamente, me lo inspiraron las calles de Buenos Aires, el hombre de Buenos Aires, la rabia de Buenos Aires... Yo no escribí esa canción con la mano. La padecí con el cuerpo. Quizás hoy no la hubiera escrito porque los golpes y los años serenan. Pero entonces tenía veinte años menos y mil esperanzas más. Grité el dolor de muchos, no porque el dolor de los demás me haga feliz, sino porque de esta manera estoy más cerca de ellos y traduzco ese silencio de angustia que adivino. Usé un lenguaje poco académico porque los pueblos son siempre anteriores a las academias. Los pueblos claman, gritan y ríen sin moldes*».

La vivencia emocional fuertemente melancólica y por momentos de perfil depresivo hacía que Discépolo viviera intensamente el dolor en sus descarnadas letras. Respecto al sentir emocional de sus letras, dijo: «No he vivido las letras de todas ellas... pero las he sentido todas, eso sí. Me he metido en la piel de otros y las he sentido en la sangre y en la carne... yo vivo los problemas ajenos con una intensidad martirizante impropia de estos pocos kilos que visto y calzo...»

---

8   Cinchar: del lunfardo, trabajar, esforzarse.

9   Manyar: del lunfardo, comer, conocer, saber, tomar conocimiento.

10 Otario: del lunfardo, tonto, cándido.

Llegaría el tiempo de *Cambalache*, inmortalizada por Julio Sosa[11], «el mundo fue y será una porquería ya lo sé, en el quinientos seis y en el dos mil también...»

La vida afectiva, sexual y de pareja de Discépolo fue poco conocida, incluso sus amigos se extrañaban por su carencia en ese sentido y su falta de experiencia. La situación cambia cuando unos amigos lo invitan a un cafetín donde, decían, una cantante española interpretaba tangos de su autoría. Así, hacia 1928, a la edad de 27 años, Discépolo conoce a Ana Luciano Divis, conocida como Tania. En menos de un año, comienzan a convivir. Tania acompañó a Discépolo hasta el último de sus días. Pero la relación fue muy particular y tormentosa. Eran de conocimiento popular los amoríos de Tania, incluso, se decía, frecuentaba a conocidos de Discépolo. Esta situación agregó no pocos conflictos al sufrido paciente, aunque de todos modos la relación fue duradera.

Otra situación de pareja ejercería fuerte influencia emocional en Discépolo. Hacia 1946, la relación con Tania no pasaba por un buen momento. Discépolo con 45 años de edad, conoce en México a una actriz y periodista hermosa, Raquel Díaz de León. Esta relación, que duró poco tiempo, aumentó la autoestima de Discépolo y fue acompañada por un embarazo. El hijo de Discépolo, no reconocido, nace en 1947. Por entonces, trabajaban en México Luis Sandrini y Tita Merello. Ambas parejas salían con frecuencia y Sandrini y la Merello fueron padrinos del hijo de Discépolo. Tania, de carácter fuerte y dominante, estaba decidida a no perder a Enrique y fue a buscarlo. Amenazó con quitarse la vida si Enrique no volvía con ella a Buenos Aires. Discépolo decidió volver con Tania y continuaron así juntos hasta el último momento. Discépolo y Tania se mudan del departamento de Capital a una casa en La Lucila. El alejamiento del centro porteño le resultó adverso a su emocionalidad. Fue en la casa de La Lucila cuando compone *Uno*, un tango desgarrador de intensa emocionalidad. Sobre este tango diría Discépolo: «Muchos amigos

---

11 Julio Sosa: Julio Sosa Venturini (1926-1964). Cantante uruguayo, apodado «el varón del tango». Muere a los 38 años en un accidente de tránsito en Palermo, Buenos Aires.

dijeron que la amargura de *Uno* resulta tremenda y desoladora... pero yo estuve muchas veces "solo en mi dolor y ciego en mi penar". Y aquello de "punto muerto de las almas" no es pura invención literaria como tampoco lo de «llorar mi propia muerte», quizás sea exagerada la imagen de "si yo tuviera el corazón", pero hay que vivir para entender eso y vivir intensamente». El contenido de esta letra revela la sensibilidad y vulnerabilidad de un temperamento triste, melancólico y sufrido. Pero sobre el tango *Uno* volveremos más adelante, pues esconde la clave de la relación entre la emoción y la razón.

La pasión del cine también alcanzó a Discépolo. Actúa en la película *Mateo*, dirigida por Daniel Tinayre[12]. También le pone música a la película *Alma de bandoneón*. Como director, dirige las películas *Cuatro corazones*, *Caprichosa y millonaria*, *Un señor mucamo*, *Fantasmas de Buenos Aires* y también la película de la reconocida Nini Marshall[13], *Cándida, la mujer del año*. Llegaría hacia 1950 un homenaje al fanático del fútbol en la película *El hincha*, interpretado por él, con la recordada imagen del hincha de fútbol con la mano sobre el corazón para transmitir la intensidad de su pasión, este gesto de Discépolo, fuertemente emocional, guardaría relación con el futuro de su historia clínica.

Esta breve referencia biográfica tal vez permita introducirnos en la causa de muerte del paciente que con escaso peso corporal muere repentinamente por la llamada «muerte súbita».

La muerte de Discépolo
Muerte súbita

La muerte súbita es una situación clínica, es decir médica, en la cual se produce una detención «súbita o repentina» del

12   Daniel Tinayre (1910-1994). Guionista, productor y director de cine francés nacionalizado argentino. Casado con la actriz y conductora Mirtha Legrand.

13   Nini Marshall (1903-1996). Famosa actriz y humorista argentina.

accionar o trabajo cardíaco. Es decir que de un momento a otro el corazón deja de latir. La consecuencia directa e instantánea de esa situación es la pérdida inmediata del conocimiento, el paciente ingresa en un estado de «inconsciencia» y no responde a los estímulos. Al mismo tiempo, desaparece el pulso de las arterias, ya que simplemente el corazón no bombea sangre. También, y esto es muy importante para el diagnóstico, el paciente deja de respirar o la respiración se torna insuficiente, espaciada, como por bocanadas poco frecuentes, se denomina a esta última situación «respiración agónica». En resumen: el corazón se detiene repentinamente, la persona pierde la conciencia y deja de respirar o presenta respiración agónica. Ahora bien, para que consideremos a esta situación como una verdadera muerte súbita deben agregarse otras tres características que la definen: debe ser de causa «natural», «rápida» e «inesperada». «Natural» significa que es producida como consecuencia de una enfermedad y no, como por ejemplo, consecuencia de un accidente de tránsito o suicidio. «Rápida» significa que se produce sin síntomas previos, es decir que la persona estaba bien y muere repentinamente o a más tardar en una hora desde que se inician los primeros síntomas[14]. «Inesperada» hace referencia a que se produce en personas que están hasta ese momento sanas o que aún estando enfermas nada hace suponer un desenlace fatal en ese momento.

Ahora bien, y para aproximarnos un poco más a nuestro paciente Discépolo, veamos cuáles son las causas más comunes que pueden desencadenar o producir una muerte súbita. Por muy lejos, la principal causa de muerte súbita es la enfermedad cardíaca. Dentro de ellas, a su vez, la más frecuente es la enfermedad coronaria, es decir cuando las arterias coronarias, que son las que irrigan sangre al corazón, se tapan produciendo un infarto cardíaco. Las arritmias cardíacas, que son alteraciones de la función eléctrica del corazón, también

---

14 Algunos autores consideran que ese período puede ser de dos horas e incluso más.

pueden desencadenar una muerte súbita. También es posible que aun con arterias coronarias sanas el músculo cardíaco en sí mismo presente alguna enfermedad[15] propia que condicione la muerte súbita. También conviene citar que las afectadas pueden ser las válvulas del corazón y resultar ser ésta la causa de la muerte súbita. La edad del paciente, el género y la genética también influyen en esta enfermedad. El síndrome del estrés también resulta ser un condicionante y/o desencadenante de muerte súbita. En la formulación de la historia clínica de Enrique Santos Discépolo encontramos varios factores que abonan el diagnóstico de muerte súbita cuando el paciente fallece en su sillón acompañado por Tania, por su gran amigo el actor Osvaldo Miranda[16] y por Aníbal Troilo[17], alias «Pichuco», amigo de interminables noches.

Pero más allá del hecho de que nuestro paciente es una persona de sexo masculino, donde estadísticamente la enfermedad cardíaca es más frecuente o el hecho de ser un fumador (fumaba un cigarrillo tras otro), debe considerarse la tristeza. No es, y que ya quede claro, la tristeza o melancolía, un factor de riesgo cardíaco en sí mismo. Pero tampoco podemos desvincularla y no considerarla en este estudio. Los factores emocionales influyen claramente en la salud y ése es uno de los focos en esta historia clínica. Con el objetivo de vincular la emocionalidad, el perfil melancólico y episodios transitorios relacionados con períodos depresivos es que acudiremos a un recurso imaginario. Una consulta médica hipotética con el paciente en cuestión, una entrevista de consultorio con Enrique Santos Discépolo.

15 El músculo cardíaco puede presentar diversas enfermedades que se denominan miocardiopatías.

16 Osvaldo Miranda (1915-2011). Actor argentino de cine, teatro, televisión y radio.

17 Aníbal Troilo (1914-1975). Compositor, director de orquesta de tango, brillante bandoneonista argentino, conocido como «Pichuco». La fecha de su muerte fue declarada como el Día Nacional del Bandoneón.

Una consulta médica con Discépolo

Teórica y virtualmente, haremos de todos modos un esfuerzo biográfico de interpretación para vivir una consulta médica imaginaria con el paciente. Será una consulta diferida en el tiempo y espacio y construida en base a evidencias y respuestas reales de Discépolo a preguntas realizadas por el médico. Preguntas que nunca existieron, pero son sin duda posibles y concordantes con la vida del paciente. El objetivo: conocer aspectos psicológicos y emocionales que aproximen a un diagnóstico. Aclaramos que las respuestas entrecomilladas son declaraciones y testimonios reales de Discépolo.

Fecharemos entonces nuestra consulta imaginaria el 24 de diciembre de 1951, es decir al día siguiente de la muerte de Discépolo, veamos:

MÉDICO: Buenos días, Sr. Discépolo, adelante, pase, ¡se lo ve elegante con ese traje blanco!

DISCÉPOLO: Y... tordo, aquí me ve, desde ayer que visto así.

M: Bueno, Sr. Discépolo, si le parece, como para hacer la historia clínica, comencemos con su familia. Sr. Discépolo, ¿qué fue de la vida de sus padres?

D: Mire que venir a contar esto al matasanos. Bueno, vea, tuve una infancia muy triste, o más bien no tuve infancia y eso, estimado amigo, tiene que ver con su pregunta, mis viejos.

M: Bueno, justamente, los antecedentes familiares y su infancia son importantes en esta historia clínica.

D: Mire, doctor, mis viejos se fueron pronto, pobre mi vieja. Mi padre ya venía chueco con una neumonía y muere del corazón; la vieja, que quedó sola, enflaqueció en su salud, tuvo depresión y un buen día muere de tuberculosis, común por entonces. «*Tuve una infancia triste yo nunca pude decir aquellos de 'cachurra monta la burra' ni hallé atracción alguna en jugar a las bolitas o a cualquiera de los demás juegos infantiles. Vivía aislado y taciturno. Por desgracia no era sin motivo. A los cinco años quedé huérfano de padre y antes de cumplir los nueve perdí también a mi vieja. Entonces mi timidez se volvió miedo y mi tristeza, desventura. Recuerdo que entre los útiles del colegio tenía un pequeño globo terráqueo. Lo cubrí con un paño negro y no volví a destaparlo. Me parecía que el mundo debía quedar así para siempre, vestido de luto.»*

M: Y, Sr. Discépolo, ¿el colegio?

D: Los primeros grados del primario fui bastante bueno en el exigente colegio de curas, el Guadalupe, en Palermo. Pero después en el Mariano Acosta quería ser maestro. Pronto descubrí que era bueno pasando al frente, no estudiaba mucho pero era bueno dando la lección; ¿sabe, tordo?, ya actuaba y a mis compañeros les gustaba.

M: Parece, por lo que me cuenta, que descubrió su vocación de actor cuando hacía su magisterio...

D: Sí, mire... «*mientras estudiaba para maestro descubrí mis facultades de actor. Fue en los ejercicios prácticos cuando daba lección a los chicos. Explicando mi clase, más que un profesor, parecía un monologuista. Recitaba, accionaba y hasta les marcaba el tipo...»*

M: Y dígame, Sr. Discépolo, ¿cómo cree que nació esa vocación?

D: «*...esta vocación me la despertó y desarrolló el ambiente que respiraba en mi casa, vivía por entonces con mi hermano Armando, que era y es bastante mayor que yo. Ambiente bohemio de gente de teatro: Autores, actores y músicos eran visitas constantes en nuestra casa. Aquello me quita pronto la escasa vocación que sentía por la enseñanza.»*

M: Ya veo, y así dejó el Mariano Acosta.

D: Fue de a poco «*...empecé por hacerme la rabona. En vez de ir al normal, me iba a una librería que había frente al colegio. Llevaba el mate y bollos para convidar al librero y él me prestaba libros. Pero no eran libros de texto, sino de teatro, de viajes, de aventuras, de cuentos. Así seguí haciendo el cuento unos meses hasta que un día le dije a mi hermano que no quería ser maestro de escuela sino actor. Y antes de los dieciséis años debuté con Roberto Casaux».*

M: Y su hermano, ¿cómo reaccionó? ¿Cuál era la relación con él desde que vivieron juntos?

D: Y... lo aceptó, creo que se la veía venir. Mi hermano fue siempre para mí más que un hermano. Armando era hermano y padre al mismo tiempo. Éramos distintos, él mayor que yo. Era grande de cuerpo, fuerte, seguro de sí mismo, mandón, un duro y hasta autoritario. Tordo, yo lo quería mucho hasta que la vida complicó las cosas. Yo, en cambio, aquí me ve, más que flaco, chiquito y raquítico. Casi diría débil y siempre, siempre melancólico...

M:¿Melancólico?

D: Le digo lo que me decían, fui un hombre bueno, necesitaba que me quisieran, que me reconocieran, que me tuvieran en cuenta, el dolor de los otros siempre lo hice carne en mi cuerpo... Siempre me dolía el dolor de los necesitados como si fuera propio... Sabe, tordo, lo que pasa es que en mis letras y guiones *«grité el dolor de muchos, no porque el dolor de los demás me haga feliz, sino porque de esta manera estoy más cerca de ellos y traduzco ese silencio de angustia que adivino»*.

M: Entiendo, y Sr. Discépolo, ¿cómo lo escribió?

D: *«Usé un lenguaje poco académico porque los pueblos son siempre anteriores a las academias. Los pueblos claman, gritan y ríen sin moldes»*

M: Sr. Discépolo, ¿usted fue siempre un melancólico o cree que se fue haciendo con la vida?

D: No sé, doctor, creo que siempre fui igual, sufrí mucho, mucho y desde chico, como con un corazón vacío siempre con necesidad y fue escribiendo que intenté llenarlo. Siempre sentí con profundidad. Mi mano era una prolongación de mi necesidad, de mi corazón... mire, doctor, *«el tango es un pensamiento triste que se baila»* de mis tangos diría que *«no he vivido las letras de todas ellas... pero las he sentido todas, eso sí, me he metido en la piel de los otros y las he sentido en la sangre y en la carne... yo vivo los problemas ajenos con una intensidad martirizante impropia de estos pocos kilos que visto y calzo...»*, tordo, ¡la miseria me llega, y la ajena tanto como la propia! Doctor, sabe... yo fui un anarquista.

M: Sr. Discépolo, ¿así fue en todos sus trabajos?

D: Sí, como director de cine, actor, guionista, compositor de tangos, músico, siempre lo mismo, siempre igual, diría, siempre melancólico. Pero guarda, tordo, melancólico, pero siempre sociable, siempre con gente, con amigos y siempre con un cigarrillo en la mano. Y doctor, sabe lo que fue escuchar a Gardel cantando mis tangos, ah, eso sí...no me lo voy a olvidar nunca.

M: Sabe, Sr. Discépolo, me gustó su película *El hincha*.

D: Ah, sí, la pasión del fanático cuando el fútbol no era un hecho comercial, pasión pura, sabe... por eso me agarraba el pecho, me tomaba el corazón, por la emoción. Yo no era fanático, sólo un humilde seguidor de Boca Juniors, pero lo que sí me impresionaba era la pasión popular, la pasión del hincha, siempre fui igual, siempre muy sensible a lo popular, creo que hasta tanto que me ha hecho mal.

M: Usted lo dice como si casi fuera un compromiso.

D: Sí, doctor, un compromiso social, un no estar al margen, comprometerse. Lo mismo que hice en la comisión directiva de la Sociedad de Actores y Compositores, SADAIC. Siempre comprometido y eso, ahora veo, tiene un costo.

M: Y otra cosa, Sr. Enrique, cómo fue la relación con su pareja [esta vez el médico lo miró con cierta complicidad].

D: Ah, bueno... Tania. Sabe, no fui un hombre de experiencia con las mujeres. Fui mas bien retraído, si se quiere hasta con baja autoestima en ese sentido. Pero a los 27 años la conocí a ella. Tania tenía su pasado y que no era poco. Antes mi vida con las mujeres fue un enigma para todos, algo indescifrable, Tania cambió todo.

M: ¿Y cómo fue?

D: Tania se enamoró de mi forma de ser, de mi personalidad. Le dije, doctor, siempre quise que me quisieran y para eso hice todo lo posible, incluso querer a todos, *«siempre he deseado que me quisieran... soy de los que quieren sin discriminar a la guía telefónica entera. Quiero a los que me saludan y quiero hasta a los que me estafan»*. Tania captó esa necesidad y me quiso cuidar. Porque en más de un sentido, éramos distintos.

M: ¿En qué, Sr. Discépolo?

D: Ella era una mujer de experiencia, yo no, aunque parezca raro. Yo era un bohemio, no cuidaba el dinero, las cuentas, gastaba lo que me llegaba. Ella era más racional, administraba y lo hacía bien. Se lo debo agradecer. Tania se enamoró de mí. De mí y de mis defectos, mis letras, de mis tangos que los cantó con intensidad, con emoción, diría con pasión y así, doctor, en un año ya vivíamos juntos en un departamento de la calle Cangallo.

M:¿Y su hermano que dijo, Sr. Discépolo?

D: Cuando le conté a mi hermano y a su esposa, Armando me criticó, no aprobó que me fuera a vivir con una mina de cabarute, ¿pero sabe qué? ¡era «mi mina»!

M: Enrique, ¿qué quiere decir con «mi mina»?

D: Se dijeron muchas cosas. Que era calculadora, que le interesaba el dinero, y qué, ¿está mal? Porque otarios no le faltaban, pero conmigo era diferente. Estuvo en la mishiadura y en las buenas, siempre hasta el final. Tanto que fue una fiera defendiendo lo nuestro, yo, en cambio, en mi bohemia no servía para eso.

M:¡Tania era la pensante!

D: Sí, pero con mi labia le daba vuelta la cabeza, le sulfataba las pilas. Algo más, doctor, porque aunque no me lo pregunte lo debe estar pensando. Mucho se habló de su vida, de sus cosas, de sus secretos, de sus salidas.

M: Y sí... algo oí, Enrique...

D: Fue cierto, no tanto como dicen, pero fue cierto. Pero una cosa, doctor, cuando estábamos juntos, la intensidad era absoluta, en ese instante, en ese momento de plenitud, ¡Tania era solamente mía! ¡Mía con toda el alma! ¡Espero que me entienda, doctor!

M: Claro, sí que lo entiendo, créame que sí, Enrique. Además, soy sólo médico, no soy ni juez ni cura. Lo entiendo, y además, Enrique, me parece bien, sólo estoy haciendo una historia clínica.

D: La vida, doctor, tiene sus reglas, y cada pareja es un mundo.

M: Y ahora, Sr. Discépolo, si me permite pasar a otro tema, ¿siempre fumó?

D: Sí y mucho. Un faso atrás del otro, como un compañero,

fumaba cuando estaba solo, con amigos, con un whisky, con un vino, cuando componía... cuando estaba con ella, siempre fumaba. No sabía que hacía tan mal.

M: Y cuándo notó que le hacía mal y con qué síntomas, Sr. Discépolo.

D: Y en los fueyes[18]. Los pulmones acusaron el golpe rápido. Diría que a los 26 o 27 años comencé con problemas respiratorios que no me abandonarían nunca. Bueno, siempre fui débil de físico... bueno, para qué contarle, tordo... acá me ve.

M: Y Sr. Discépolo, ¿tomaba algún medicamento en forma regular?

D: Más que tomar, diría que consumía «emulsión de Scott»[19]. Un tónico para mis muchos males físicos, cansancio, debilidad, la anemia de siempre, pulmonías, para el pecho, la garganta y los huesos. Lo recuerdo bien «agítese antes de usar» y tomaba, dos o tres cucharadas por día. Si hasta lo puse en el tango *Victoria*, «*Gracias a Dios que me salvé de andar toda la vida atao llevando el bacalao de la emulsión de Scott*». Siempre fui de una salud débil, siempre comí poco, al dolor de mi alma siempre lo acompañaron los achaques del cuerpo.

M: El alma y el cuerpo, de eso se trata, Enrique, una historia clínica. Un hombre comprometido con su tiempo, un tiempo difícil, la Argentina sufría y también el mundo. Usted vivió y sintió la depresión del '30, la Segunda Guerra, Hitler, Mussolini y Stalin. Y pensando en aquello que antes dijo, que fue como un anarquista.... ¿Cuál fue su compromiso político?

D: Sí, doctor, creo que fui un anarquista. Siempre buscando un camino mejor. Una esperanza, una salida y la justicia que no llegaba.

M:¿Y llegó?

18 Fueyes: del lunfardo, pulmones.

19 Emulsión de Scott: jarabe muy utilizado en la época de Discépolo. Preparado con aceite de hígado de bacalao, rico en vitaminas A, D y adicionado con calcio y fósforo y rico en ácidos grasos omega-3. Se presentaba con sabor a naranja o cereza.

D: Bueno, siempre busqué quien representara a los necesitados, a los desposeídos, a aquellos que me hacían doler el
alma con su dolor. A aquellos a quienes oían mis letras,
mi canción. Por eso se iluminaron mis ojos cuando llegó
Perón.

M: Enrique, ¡entonces quiere decir que fue usted peronista!

D: Cómo decirle. Yo no creía en nadie. Mire que hasta lo he
hablado con un psicólogo, un psicólogo social.

M:¿Psicólogo social?, por favor, Enrique... siéntase cómodo,
cuénteme...

D: Pichon-Rivière[20]. Mantuve con él algunas sesiones, digamos,
terapéuticas. A él le conté mi relación con el peronismo.
Por momentos conflictiva, como le dije yo era más bien un
anarquista. Pero lo cierto es que Perón me cautivó, me llegó. Una avalancha de votos y la gente estaba contenta, eso
me impresionó. Se me iba algo de la tristeza que siempre
tuve y que nunca me abandonó.

M:¿Y conoció a Perón personalmente?

D: Sí, lo conocí personalmente. Y eso me acercó a Evita, ¡qué
mujer! Con ambos conversé mucho. En la quinta de San Vi-
cente las charlas con Evita fueron interminables. Así aparece en mi vida una esperanza. A Tania también les gustaba.

M:¿Por qué, Enrique?

D: Creo que por otros motivos, ya le dije cómo era Tania... un
amor. Pero siempre más pensante que yo. Cómo decirlo...
mi otra mitad. Por eso funcionamos siempre.

M:¿Qué quiere decir, Enrique?

D: Tania entendía que estar cerca del poder era bueno. Además el gobierno promovía el proyecto de ley de divorcio.
Tania veía una oportunidad para desvincularse legalmente
de su ex marido y así formalizar lo nuestro.

M:¿Y a usted?

D: Y yo veía que aparecían derechos sociales que antes eran
sólo un sueño. De algún modo, no podía dejar de encan-
tarme. Pero a medida que me acercaba al peronismo, iba

---

20 Pichon-Rivière (1907-1977). Médico psiquiatra suizo nacionalizado argentino. Miembro fundador de la Asociación Psicoanalítica Argentina que
desarrolló la Psicología Social en nuestro país.

apareciendo lo que no esperaba, lo que no quería. Algunos me daban vuelta la cara. Me negaban. Se alejaban de mí. Yo que quise que siempre me quisieran y de pronto algunos comenzaban a dejar de quererme. Y no era lo único que agregaba de carga en la mochila.

M:¿A qué se refiere, Enrique?

D: Ya había sufrido mi infancia, la pérdida de mis padres, la pobreza, más de un fracaso y algún tardío reconocimiento. En las buenas, cuando hice guita, diría que hasta la viví con culpa. Mi hermano, casi padre, desaprobaba mi relación con Tania y con el peronismo. Algunos se alejaban de mí por mi cercanía al peronismo y, como si fuera poco, lo que dejé en México.

M:¿Qué fue lo que dejó en México, Enrique?

D: En un momento de mi vida la relación con Tania fue conflictiva. Fue cuando conocí a Raquel en México. Tuvimos un romance intenso y corto. También tuvimos un hijo. Sabe, doctor, un hijo que no reconocí. No imagina la cruz que llevo, y la llevo en silencio. La mochila estaba llena de tristezas y melancolías. Yo sufría las letras de todos mis tangos como una sola. A esa altura de mi vida, había un antes y un después. El peso era demasiado para este cuerpo minusválido cansado de sufrir. Y para colmo llegó Mordisquito[21].

M: Ah, sí... Mordisquito. Fue célebre...

D: Sí, pero muy caro a mis sentimientos, demasiado, creo que ahí, tordo... comenzó el final de mi historia clínica.

M:¿Por qué, Enrique?, por favor, ¿me cuenta?

D: Hacia junio del '51 se jugaban muchas cartas. Y una audición radial invitaba a personajes del arte y la cultura a manifestarse políticamente. Se llamaba «Pienso... ¡y digo lo que pienso!» La verdad es que la audición duraba sólo cinco minutos y estaba guionada. Lo pensé mucho y luego acepté. Pero que quede claro, muy poco guión, dije lo que me salía. Lo que sentía. Lo que quería. Y fue un éxito.

M:¿Cómo fue, Enrique?, ¿me cuenta un poco?

21 Mordisquito: personaje imaginario creado por Discépolo, portavoz de los contras antiperonistas.

D: Y, tordo, fue un tema. Lo pensé mucho. No sabía si debía aceptar. Para entonces ya estaba alejado de mi hermano y él ya no me podía ayudar. Tampoco me quería convertir en opositor. ¿Y qué pensaría Perón si yo no aceptaba? ¿Se pone en mi lugar, tordo? Una semana entera lo estuve pensando.

M:¿Fue entonces cuando aceptó?

D: Sí. La emisión duraba sólo cinco minutos. Pero yo le ponía mi voz, mi fuerza, mi sello personal, yo decía lo que sentía. Yo no seguía el guión, decía lo que quería con mis palabras y de a poco me fui ganando a la audiencia y todos hablaban del programa. Cuando yo hablaba, me escuchaba todo el país.

M:¿Y de qué hablaba, Enrique?

D: Bueno, vea, era un monólogo, corto pero fuerte, intenso. Sabe, doctor, le daba con todo al opositor, atacaba sus críticas, pero para hacerlo, lo ridiculizaba.

M: Sr. Discépolo, ¿y recuerda algún monólogo?

D: Sí, escuchate éste, tordo, un día dije… «*Resulta que antes no te importaba nada y ahora te importa todo. Sobre todo lo chiquito. Pasaste de náufrago a financista sin bajarte del bote. Vos, sí… vos, que estabas acostumbrado a saber que la patria era la factoría de alguien, y te encontraste con que te hacían el regalo de una patria nueva… y entonces, en vez de dar las gracias por el sobretodo de vicuña, dijiste que había una pelusa en la manga y que vos no lo querías derecho, sino cruzado. ¡pero con el sobretodo te quedaste! Entonces…, ¿Qué me vas a contar a mí? ¿a quién le llevás la contra? Antes no te importaba nada, y ahora te importa todo… y protestas. ¡Ah!, no hay té. Eso es tremendo. Mirá qué problema. Leche hay, leche sobra. Tus hijos que alguna vez miraban la nata por turno, ahora pueden irse a la escuela con la vaca puesta… ¡pero no hay té! Y según vos, no se puede vivir sin té…*» Se da cuenta cómo era la audición, doctor. Todos los argentinos hablaban de mis monólogos. Al día siguiente salían publicados en los diarios. ¿Me entiende, tordo?

M: Sí, fue muy provocativo, pero a la vez creo entender, Enrique, que resultó ser fuertemente partidario, muy identificado con Perón.

D: Sí, y así provocó un profundo malestar en muchos sectores. En mucha gente que se sorprendía al escucharme, se
escandalizaba y para peor más de una vez terminaba di-
ciéndole al opositor peronista... «*Pero a mí, a mí no me la
vas a contar. ¡Hasta mañana! ¿Sí?*» La audiencia se partió
en dos, los que pensaban como yo y los que no. El problema es que sin quererlo muchos de los que me querían me
dejaban de querer. Fueron treinta y siete programas que
causaron tanta polémica como enemigos. Ahí, tordo... ¡ahí
sufrí! Yo que quería a la guía telefónica entera, cada vez
eran más los que hablaban mal de mí. Y entre ellos algunos
grandes amigos. Mi compromiso social no fue entendido
por muchos, no fue entendido por todos...

M: ¿Y qué pasó, Discépolo?

D: Mire, le cuento. El 26 de julio pasado, hace apenas cinco meses atrás, inventé un nombre para identificar al opositor.

M: Ah, sí, fue famoso Discépolo... Mordisquito.

D: Sí, lo llamé «Mordisquito». El nombre que cambió el nombre
del programa. El programa era desde entonces el programa de Mordisquito. ¡Para qué!... Cada vez más enemigos
entre los «contras». Me empezaron a atacar cada vez más
fuerte. Decían, para denostarme, que estaba haciendo «guita» con mi trabajo doctrinario. Doctor, me trataban de un
miserable «vendido»... «*¿vendido yo? Inocente; si sabés que
comprarme a mí es un mal negocio... y vaya en broma...
como también –y ya en serio– vos y el país saben que yo
soy un hombre intocable. Intocable como pocos. Que desde
que nací hasta ahora vivo de mí y de mis obras (...) No hay
gobierno que pueda darle más o menos éxito a una película
mía... el éxito, cuando lo tengo, lo tengo yo solo, y el pueblo
es quien me lo decreta. Yo no puedo deberle nada en lo propio a ningún gobierno...*»

M: ¿Y cómo siguió el tema, que veo tanto conflicto emocional
le causó?

D: De lo peor. No me la perdonaron. Un día en el teatro, en
el Politeama, hubo una devolución masiva de entradas.
Quedó vacío y después se levantó la función. Comenzaron
a enviarme anónimos por todos lados. Algunos terribles,

«*E.S.D. que en paz descanse*», insultos de todo tipo y hasta paquetes con excrementos. Algunos se cruzaban de vereda al verme. Alguna vez me tuve que ir de un restaurante por los silbidos. Y el teléfono... ¡no imagina los llamados! Recuerdo que en una disquería de Cerrito y Sarmiento algunos clientes compraban mis discos, *Cambalache* y *Esta noche me emborracho* y los rompían en la puerta. No sabe todo lo que me dolía, me partía el corazón... yo que siempre busqué que me quisieran.

M: Y Discépolo, ¿apareció algún síntoma, algo físico, algo emocional?

D: Me derrumbé, me deprimí, sufrí todos los tangos en uno solo. Ya no comía, fue una depresión. Un dolor. No quería vivir. Perón ganó las elecciones y a la semana nomás me agarré una gripe que me volteó. Estaba débil. Sólo tomaba whisky con algún pedazo de ajo. Siempre fui flaco, pero bajé mucho más, llegué a decir «*estoy tan flaco que las inyecciones me las tienen que dar en el sobretodo*». Cada vez peor, se venía la noche, tordo... ninguno de sus colegas pudo saber bien qué tenía, me daban cada vez más antibióticos y yo cada vez estaba peor.

M:¿Y cómo siguió, Enrique? ¿Qué síntoma tuvo?

D: Y, tordo... Mal. Estaba en el sillón del departamento de Callao. Me vino un frío por todo el cuerpo, me faltaba el aire y cuando dolió el pecho me abracé a la muerte, y acá me ve, tordo, después de haber sufrido tantos tangos, aquí estoy con estos 37 kilos que me quedaron y este traje blanco que tanto le gustó...

Este diálogo imaginario con Discépolo, acudiendo a los hechos reales que emocionalmente alcanzaron al sufrido paciente, nos acerca al diagnóstico. Diagnóstico donde la tristeza, la melancolía y los episodios de depresión merecen analizarse desde la medicina actual. El perfil emocional del paciente, como agregado a los factores de riesgo previos, condicionaron el final. El perfil melancólico y sufrido de Discépolo puede también analizarse desde sus letras. Veamos.

Tristeza, melancolía, depresión

No es casual que el tango, según Discépolo, «ese pensamiento triste que se baila», fuera la forma de expresión emocional del paciente. El perfil temperamental y su susceptibilidad al sufrimiento propio y ajeno determinaban su «vulnerabilidad». Como siempre, la letra de sus composiciones nos ayuda a entender la psicología, el mundo afectivo del paciente. Citemos por caso el tango *Cambalache*. Para Discépolo, el mundo, en el tiempo que le tocaba vivir, planteaba problemas críticos y existenciales. Este tango permite analizar la noción en perspectiva de su entendimiento moral de los acontecimientos mundiales que se sucedían, así como también, del futuro histórico por recorrer. Una suerte de reflejo de la realidad interpretada desde los propios procesos psíquicos del paciente. Esta situación nos permite una doble evaluación, la del mundo según el tango, pero también la visión u óptica con la cual Discépolo observaba la realidad. Nos habla del mundo pero también de él.

Cambalache fue escrito en 1934 para la película *Alma de bandoneón*. Cabe señalar que Discépolo en su tango nunca nombra a la Argentina, sino al mundo. La observación de la realidad era de hecho una observación universal y su análisis hace referencia a la humanidad en su conjunto y la realidad que le tocaba vivir, analizada críticamente desde el aspecto moral. Por eso, como en un cambalache, negocio de ventas de artículos diversos, usados y de poco valor, la vida se ve reflejada en sus contradicciones. Todo mezclado y sin relación con sus verdaderos valores. Que «El mundo fue y será una porquería ya lo sé... en el quinientos seis y en el dos mil también. Que siempre ha habido chorros, maquiavelos y estafaos... pero que el siglo veinte es un despliegue de maldá insolente, ya no hay quien lo niegue. Vivimos revolcaos en un merengue y en un mismo lodo todos manoseaos...» Es la descripción del mundo pero como un cambalache y agrega «...hoy resulta que es lo mismo ser derecho que traidor... ¡ignorante, sabio o chorro, generoso o estafador! ¡Todo es igual! ¡Nada es mejor! ¡lo mismo un burro que un gran profesor!» y así junta personajes de disímil jerarquía moral cuando dice «…¡Qué falta de respeto, qué atropello a la razón! ¡Cualquiera es un señor, cualquiera es un ladrón! mezclao con Stavisky va Don Bosco y la Mignon», Stavisky el célebre estafador francés junto a Don Bosco y una prostituta «La Mignon». Mezcla a «Don Chicho», el mafioso siciliano Juan Galiffi, conocido como el «Al Capone argentino» que controlaba el crimen en Rosario en la década del treinta, con Napoleón. Y va por más… compara a Primo Carnera (boxeador italiano que en 1934 defendía su título frente al argentino Victorio Campolo en el Club Atlético Independiente) con nada más y nada menos que con el Gral. San Martín. La letra nos permite comprender el pensamiento, el sentimiento y la concepción moral del paciente que era extensiva al mundo y al siglo XX entero, adelantándose a su tiempo.

Son los últimos diez años de su vida cuando su temperamento triste y melancólico da lugar a períodos de depresión. La soledad que siente se manifiesta en sus conductas y sus letras. Por entonces, en *Martirio* escribe:

> *¡Solo!*
> *¡Pavorosamente solo!…*
> *como están los que se mueren,*
> *los que sufren,*
> *los que quieren,*
> *así estoy…¡por tu impiedad!*

Así manifiesta Discépolo en soledad, lo que siente, esta vez encarnada su letra en una soledad de amor. Y más aún cuando dice:

> *«Soy un hombre solo, ¡solo! Porque pasé de la sencilla soledad de una infancia triste a esta madurez de hombre parado en la esquina, también solo y sin tener con quién trenzar prosa… en el largo y penoso diálogo de mi vida no he tenido más interlocutor que el pueblo. Siempre estuve solo con él. Afortunadamente con él. El pueblo me devolvió la ternura*

que le di y yo –fulano de tal–. Soy el hombre que conversa
con la multitud como con su familia y cuenta en voz alta lo
que la multitud –que es él o igual a él– ansía que le digan»[22].

Esta manifestación radial del paciente da cuenta de su realidad emocional, y como ésta hay tantas otras del mismo sentido y tenor. Durante sus últimos diez años, no faltaron fraca-
sos profesionales que contradicen el éxito alcanzado hasta ese
momento. En cine, los resultados fueron malos. Igual suerte
corrieron las obras de teatro. Las obras musicales tampoco
resultaron exitosas. Todo se conjuga en un período donde la
situación real juega en contra de la estabilidad emocional del
paciente, situación que se agrega al temperamento melancólico condicionando la presentación de períodos depresivos.
Los ahorros económicos le permiten construir una casa en La
Lucila, en la zona norte del conurbano bonaerense. Paradóji-
camente, al mudarse a La Lucila y dejar la ciudad de Buenos
Aires, se condiciona una tristeza aún mayor. El alejarse del
centro porteño afectó negativamente su estado de ánimo[23]. El
paciente permanece en soledad y alejado de sus afectos, lo que
complica aún más el cuadro emocional. Por entonces, en otra
declaración radial, expresa su tristeza y melancolía:

«...Estaba raro. Me había entrado de pronto una melancolía
inexplicable. El médico –pobrecito – me aconsejó lo de siem-
pre: que dejara de fumar, que dejara de beber, que dejara de
acostarme tarde... y yo seguí fumando, bebiendo, acostán-
dome tarde. Porque lo que yo tenía era vejez... cansancio...
cansancio de vivir»[24].

Nuevamente, dejamos constancia en su historia clínica
sobre numerosas expresiones que revelan el período depresivo que vivió Discépolo. Es un paciente de sexo masculino,

22   Enrique Santos Discépolo, emisión de Radio Belgrano, 15/09/1947.

23   Norberto Galasso, *Discépolo y su época*, Corregidor, 1995.

24   Enrique Santos Discépolo, emisión de Radio Belgrano, 1/11/1947.

fumador y con antecedentes paternos de enfermedad cardíaca y maternos de depresión. Los factores de riesgo se iban acumulando en un cuerpo naturalmente susceptible y con una debilidad física manifiesta a la simple observación. Llegaría, entonces hacia 1943, la concreción de un tango que podríamos considerar «diagnóstico» de su emocionalidad, *Uno*. Pero este tango, a mi juicio, posee un contenido que relaciona lo emocional con lo racional, con un claro desequilibrio a favor de la emocionalidad que se expresa en Discépolo. En algún sentido, también puede advertirse en su letra puntos de conexión con la teoría psicoanalítica formulada por Sigmund Freud. Ambas concepciones se entrelazan y superponen a interpretar el cuadro emocional del paciente. Veamos.

Discépolo y Freud

Sigmund Freud desarrolla su revolucionaria teoría psicoanalítica planteando un antes y un después en la psicología. Formula así una serie de postulados que sustentan su teoría, entre ellas, las llamadas Tópicas Freudianas; conceptos por demás interesantes. Freud, tal vez promovido por un pensamiento como médico, propone «lugares» en la mente, que en realidad conceptualiza como «instancias» donde se desarrollan los procesos psíquicos. La palabra «tópicas» deriva del griego (*topos*, lugar), como acercándonos a una localización anatómica donde los procesos mentales se desarrollan efectivamente. En realidad, Freud no quiere decir que exista un lugar específico o anatómico, pero ayuda a comprender los procesos dinámicos del funcionamiento de la mente agrupando funciones como si fueran «idealmente lugares». Podríamos decir que las Tópicas Freudianas son un esfuerzo de comprensión metafórica que ayuda a explicar las funciones mentales del «aparato psíquico» descripto por Freud.

Consideremos las llamadas primera y segunda tópicas. La primera hace referencia a tres niveles o instancias: el consciente, el inconsciente y el preconsciente. El consciente, para Freud, es sólo una parte de la vida mental. Es el área relacionada con la percepción de sí mismo y del mundo real. Está relacionada con la razón y el pensamiento. El inconsciente, en cambio, es toda aquella área del mundo psíquico que se mantiene oculto y/o reprimido al mundo de la conciencia. Es lo instintivo, lo pulsional, lo arcaico y lo ancestral. En él habita lo oculto y prohibido. Se rige por el principio de placer, como el placer sexual. El preconsciente hace referencia al contenido del inconsciente, que, como contenido latente, puede hacerse presente a nivel de la conciencia en un momento determinado. Es una suerte de mediador entre el consciente y el inconsciente. La segunda tópica, que como hipótesis explica la naturaleza del «aparato psíquico», es el «Ello», el «Yo» y el «Superyó». El «Ello» es aquella parte o instancia del aparato psíquico más profunda y arcaica donde habita lo instintivo o pulsional. Fuertemente relacionado con la energía erótica. Es lo más antiguo de los impulsos de la personalidad. Es en el «Ello» donde residen los instintos básicos. Su única lógica es la del principio de placer, como el placer sexual. El «Yo», por su parte, es la instancia que nos relaciona con el mundo exterior y es la manifestación «racional» de nuestra conducta. Es, diríamos, cómo somos para los demás, cómo nos vemos y cómo nos ven. El «Superyó», por su parte, es la instancia inconsciente de la personalidad que controla y rige al «Yo». Es el sensor, el principio moral, una suerte de juez interno que señala al «Yo» lo que está bien y lo que está mal. En definitiva, podríamos decir en un esfuerzo de síntesis, que el «Ello» es el instinto, por ejemplo el sexual, lo que deseo y quiero hacer. El «Superyó» el principal rector moral, es decir, lo que «debo» hacer y el «Yo» es lo que soy como resultante de la interrelación del «Ello» y el «Superyó».

Ahora bien, esta breve reseña del «aparato psíquico freudiano» guarda alguna relación con la concepción de la personalidad puesta de manifiesto en la creatividad de Discépolo en el tango *Uno*. Es en la primera estrofa del tango donde se revelan algunos puntos de interés con respecto a la integración de la personalidad concebida por el paciente y, por otro lado, a mi juicio, una relación interesante entre el mundo de lo emocional y el principio racional. Veamos:

Uno...
busca lleno de esperanzas
el camino que los sueños
prometieron a sus ansias.
Sabe
que la lucha es cruel y es mucha
pero lucha y se desangra
por la fe que lo empecina.

Analicemos esta estrofa.

Uno: es la expresión máxima de la integración del ser. Incluye en la menor cantidad posible, e imaginable de letras, sólo tres, «uno», la síntesis del inconsciente, el preconsciente, el consciente y el «Ello», el «Yo» y el «Superyó» freudianos. Pero esta interpretación, que podría asumirse como un tanto forzada, adquiere valor cuando, en el tango, Discépolo articula la emoción con la razón de manera magistral. Resulta que el hombre tiene millones de años de evolución biológica. En esos millones de años, la emoción nos ha acompañado desde nuestros orígenes más ancestrales. Desde el inicio del inicio. La emoción estuvo siempre, durante millones de años. En cambio, la razón es un fenómeno de aparición reciente en la historia de la evolución del hombre, quizás de apenas alrededor de 150.000 años. Podríamos decir, en algún sentido, que no somos seres racionales, somos más bien, y será más justo sostenerlo así, seres emocionales que razonan. Y esa relación entre la emoción y la razón se articula desequilibradamente en el tango, donde la emoción predomina claramente. Discépolo luego de presentarse, «uno», continúa: «...busca lleno de esperanza...» Buscar es movimiento, emoción, necesidad, propensión, intento por encontrarse, conseguir. Y dice «lleno», como por completo, como con toda intensidad, plenamente, con necesidad por satisfacer, de calmar, es emocional «...esperanza...», ilusión, necesidad, deseo, confianza. Nuevamente lo emocional; «...sueños...», nada más alejado del principio de la razón, de lo razonable, de lo lógico, es sí, en cambio, el deseo, la aspiración, la necesidad, la fantasía, la utopía, quimera, alucinación, anhelo... nuevamente lo emocional. «...Ansias...» de ansiedad, angustia, intranquilidad, congoja, inquietud, desazón, desasosiego, continúa lo emocional. Y entonces, aparece esa palabra: «...sabe...», la única palabra que en la estrofa hace referencia al conocimiento, a la razón, la comprensión, el discernimiento, el entendimiento... y como el eje de una bisagra articula con el resto de la estrofa que nuevamente continúa emocional hasta el final.

Sigue Discépolo, «...lucha...», pelea, riñe, batalla, pugna, combate; y «...cruel...», lo desalmado, despiadado, atroz, brutal, insoportable, así «...lucha cruel...» que además es «mucha», es sentencia fuertemente emocional. Y «...se desangra...», quizás la expresión mas potente y arcaica del morir. El color rojo de una luz de alarma de emergencia no es rojo por convención. Lo es por aprendizaje ancestral emocional. El rojo es la muerte que sobreviene a la pérdida de sangre que se lleva consigo la vida y lo aprendimos en los albores de la existencia emocional de la historia del hombre. Y la «...fe...» que además lo «...empecina...». Nuevamente:

Integración del «ser»	Uno...
Emoción	busca lleno de esperanzas el camino que los sueños prometieron a sus ansias
Razón-conocimeinto	Sabe
Emoción	que la lucha es cruel y es mucha pero lucha y se desangra por la fe que lo empecina

La inspiración de Discépolo tiene raíz en un temperamento fuertemente triste y melancólico, que justifica y explica su sufrimiento vital y la aparición de períodos de perfil depresivo sobre los últimos años de la historia clínica. Sucede, en definitiva, que depresión y enfermedad cardíaca guardan relación directa y esta relación debe considerarse en el cuadro clínico del paciente y queda registrada en sus letras como un recurso diagnóstico más.

Pero si algo aún necesitamos para hacer el diagnóstico del paciente, contamos con una suerte de «biopsia emocional» que nos deja Homero Manzi.

Discepolín
Una biopsia emocional

Homero Manzi[25] fue muy amigo de Discépolo. Se querían. Manzi fallece en el Instituto del Diagnóstico, luego de varias cirugías que no lograron detener al cáncer. Esto sucede apenas siete meses antes del fallecimiento de Discépolo. Para nuestro paciente, sin duda, representa un golpe emocional que impactaría en su ya deteriorada salud psicofísica. Manzi, durante sus últimos días de internación, escribiría un tango a su amigo, *Discepolín*. Todo un hecho emocional y dramático. El tango nació cuando Manzi desde su cama en el sanatorio dictó por teléfono la letra a Aníbal Troilo. Troilo agregó la música. El tango, que Manzi bautizó cariñosamente *Discepolín*, era una despedida a su amigo, a la vez que una descripción del perfil emocional de Discépolo. En su letra se pone de manifiesto en forma patente la tristeza que dejaba traslucir Discépolo a simple vista. *Discepolín* es, a los efectos de esta historia clínica, metafóricamente hablando, una suerte de «biopsia emocional».

25 Homero Manzi (1907-1951). Letrista, autor de tangos y milongas, político y director de cine argentino. Perteneció a las filas de la Unión Cívica Radical, seguidor de Hipólito Yrigoyen. Compuso los tangos *Sur*, *Malena*, *Milonga Sentimental*, entre otros.

Discepolín

Tango
Música: Aníbal Troilo
Letra: Homero Manzi

*Sobre el mármol helado, migas de medialuna
y una mujer absurda que come en un rincón...
Tu musa está sangrando y ella se desayuna...
el alba no perdona ni tiene corazón.
Al fin, ¿quién es culpable de la vida grotesca
y del alma manchada con sangre de carmín?
Mejor es que salgamos antes de que amanezca,
antes de que lloremos, ¡viejo Discepolín!...*

*Conozco de tu largo aburrimiento
y comprendo lo que cuesta ser feliz,
y al son de cada tango te presiento
con tu talento enorme y tu nariz;
con tu lágrima amarga y escondida,
con tu careta pálida de clown,
y con esa sonrisa entristecida
que florece en verso y en canción.*

*La gente se te arrima con su montón de penas
y tú las acaricias casi con un temblor...
Te duele como propia la cicatriz ajena:
aquél no tuvo suerte y ésta no tuvo amor.
La pista se ha poblado al ruido de la orquesta
se abrazan bajo el foco muñecos de aserrín...
¿No ves que están bailando?
¿No ves que están de fiesta?
Vamos, que todo duele, viejo Discepolín...*

Hacia el final del tango

Enrique Santos Discépolo llevaba cincuenta años de vida y una historia clínica con constantes consultas médicas. Portador de un físico desaventajado, bajo peso y predisposición a enfermedades, acumuló varios factores de riesgo coronarios. Paciente de sexo masculino, de hecho un factor de riesgo en sí mismo, antecedentes familiares de enfermedad cardíaca y depresión, mala alimentación, muy bajo peso, ritmo de vida nocturno, importante fumador, problemas bronquiales crónicos, posiblemente portador de enfermedad pulmonar obstructiva crónica (EPOC) como consecuencia directa del cigarrillo, anémico crónico, y una vulnerabilidad emocional manifiesta. Su temperamento triste y melancólico resultaron fuente inspiradora para sus tangos y su conducta, pero también para la depresión y el sufrimiento. Hoy sabemos que si a estos factores de riesgo se le suma la depresión, se podría condicionar aún más la posibilidad de la aparición de un infarto agudo de miocardio. Numerosos estudios relacionan las emociones negativas con la predisposición a enfermar. La depresión es una de ellas, puede actuar como condición para la enfermedad, ya sea en forma directa, es decir por la presencia en sí misma, como así también por el cambio de conductas y cuidados de vida. A esta situación se agregan a la historia clínica del paciente los eventos de vida que resultaron ser fuente de carga emocional negativa. No fueron pocos. Perdió a sus padres desde chico, sufrió la disgregación familiar, atravesó épocas de depresión económica en Argentina y en el mundo, mostró alta empatía con el sufrimiento social, soportó complicaciones sociales y familiares por su relación con Tania (sobre todo el distanciamiento de su hermano a causa de sus diferencias políticas y su relación de pareja), su amorío en México y el nacimiento de un hijo no reconocido, su acercamiento político al peronismo que le generó un rechazo personal de un sector de la sociedad, con fuerte repercusión emocional (Mordisquito radicalizó aún más el número de quienes dejaban de quererlo lo cual aumentaba el costo afectivo) y la muerte de Homero Manzi entre otras tantas situaciones condicionantes. No resulta llamativo entonces el desenlace de la historia clínica con un episodio de muerte súbita por infarto agudo de miocardio. Estos hechos llegarían hacia el final del año 1951.

El final de la historia clínica

Durante las últimas semanas de 1951, el cuadro clínico comenzó a complicarse. La anemia crónica se hacía sentir. Siempre la tuvo, tal es así que llegó a afirmar «*que podía contar sus glóbulos rojos uno por uno*». Pero el comienzo del final fue después de las elecciones generales del 11 de noviembre. La fórmula Perón-Quijano se imponía con el 62,49% de los votos frente a la fórmula Balbín-Frondizi. La mujer votaba en el país por primera vez. La participación popular fue del 88%. Mordisquito y los contras habían sido vencidos, pero la batalla de Discépolo ya era otra. Una semana después de las elecciones, Discépolo presenta un cuadro gripal importante, de gravedad en un paciente debilitado y con enfermedad pulmonar crónica. La pérdida del apetito aumentaba día tras día. Se había dicho que lo había atacado la fiebre de Malta[26], tal como era conocida la brucelosis. El cuadro clínico del paciente no coincidía con esa enfermedad. El paciente recibía inyecciones con antibióticos, como la terramicina. Su peso era tan bajo que Discépolo llegó a afirmar «*...Estoy tan flaco, que las inyecciones me las tienen que dar en el sobretodo...*» Por entonces llegó a pesar 37 kilos. Tania se preocupó y consultó a varios médicos. El paciente no mejoraba y llamaron al Dr. Dominicis, médico de cabecera del paciente que en los exámenes previos no había encontrado ningún foco infeccioso. Ningún médico tenía un diagnóstico. Dominicis no estaba en Buenos Aires y en su lugar lo atendió un prestigioso médico

26 Fiebre de Malta: enfermedad bacteriana con cefalea, neumonía, dolores articulares y musculares, fiebre y complicaciones neurológicas y digestivas. Producida por bacterias del género *Brucella*, que llegan al hombre a través de la leche no pasteurizada y otros productos lácteos.

español, el Dr. Juan Cuatrecasas que sólo constató un «estado de debilidad»[27].

Ya habían pasado cinco semanas desde el episodio gripal y el Dr. Cuatrecasas revisó al paciente nuevamente en la mañana del 23 de diciembre. Ese mismo día, a las 14 horas, fue atendido por un médico de la Asistencia Pública. Por la noche, el cuadro se agravó. Acompañaban a Discépolo, Tania, su gran amigo Osvaldo Miranda, las hermanas de Tania y Luis Luciano, sobrino de Tania. Discépolo le pidió a Tania su pulóver de vicuña. A las 23:15 del 23 de diciembre de 1951, en vísperas de Navidad y sentado en su sillón frente al balcón de la avenida Callao, Enrique Santos Discépolo danza su último compás. Troilo no dejaba de llorar sobre el cuerpo de su amigo. El Dr. Dominicis aprueba al día siguiente el certificado de defunción... Diagnóstico: infarto agudo de miocardio.

Entre la gente quedó la idea de que «Discepolín» había muerto de «tristeza». Desde la medicina, no podríamos negar ese diagnóstico.

---

27 Sergio Pujol, *Discépolo, una biografía argentina*, Emecé, 1996, pág. 341.

Tutankamón
Oro macizo

En Egipto, desde el 2500 A.C. durante la IV dinastía en el período del Imperio Antiguo, ya existían las tres pirámides de Giza[1]: Keops, Kefrén y Micerino. Erguidas, como si siempre hubieran estado allí, como si fueran a estarlo para siempre. El hombre le teme al tiempo y el tiempo sólo le teme a las pirámides, eternas.

Por entonces, los faraones eran momificados y alojados en tumbas con inmensas riquezas y pertenencias personales para que usaran en el más allá. Por supuesto, las riquezas eran demasiadas como para que las tumbas no fueran saqueadas en algún momento. Sin embargo, algo sucedió el 4 de noviembre de 1922. El egiptólogo inglés Howard Carter descubrió en el Valle de los Reyes una tumba real casi intacta. Poco después, el 16 de febrero de 1923, junto a quien financiara la expedición, Lord Carnabon, abrían la cámara funeraria del Rey. Así, con una máscara de oro macizo cuya belleza supera infinitamente su valor económico, volvía a ver la luz, después de más de 3.300 años, el último Rey de la XVIII dinastía egipcia, *Tutankamón*.

---

1 Giza: ciudad en las afueras de El Cairo donde se encuentra la Necrópolis con las tres grandes pirámides: Keops, Kefrén y Micerino.

Sangre real

Tutankamón fue de sangre real, y con esa sangre no sólo iba a heredar el trono, sino también enfermedades transmitidas por los genes. Su padre fue Amenofis IV, un revolucionario que en el 1353 A.C. comenzaría su reinado con la más profunda de las reformas concebidas: el cambio de los Dioses. Amenofis cambió su nombre por el de Akenatón hacia el cuarto año de su reinado. Akenatón significa «útil a Atón[2]» o «agradable a Atón». Inicia así una reforma religiosa profunda donde se reemplaza el culto al Dios «Amón»[3], y al panteón de los dioses que hasta el momento coexistían, por el culto a «Atón». El padre de Tutankamón buscaba desplazar al clero y el poder de los sacerdotes y ubicarse asimismo como único interlocutor entre el Dios único, el Dios Atón y el pueblo. De este modo, impulsó una religión monoteísta, quizá la primera en la historia, sin imágenes humanizadas de los dioses, que eran muy comunes hasta entonces en relieves y esculturas.

El faraón modificó así en forma dramática la estructura tradicional de creencias en la cual los egipcios representaban a sus dioses con imágenes antropomórficas o con la figura de animales. Una revolución que sólo un faraón podía imaginar. De ahí en más, se representó al Dios Atón con la imagen de un disco solar, con sus rayos a manera de brazos que terminaban en manos que sostenían el símbolo de la vida o Ank.

Akenatón pasó su infancia en la ciudad de Tebas, en cuyo templo de Karnak[4] convivían la adoración a distintos dioses y el culto a Amón y a Atón. Ya como faraón, y con la intención

---

2 Atón: Dios de bondad infinita de la justicia y del orden cósmico. El faraón era así profeta en la tierra y su intermediario ante el pueblo.

3 Amón: Dios venerado en Tebas, ciudad militar y económicamente importante.

4 Karnak: era el complejo de templos religiosos más grande de Egipto, cuya divinidad principal era Amón, aunque se veneraron ahí muchas otras divinidades.

de romper con el pasado, decidió mudar la capital del imperio a un lugar nuevo, virgen, donde desde el comienzo sólo se adorara al único dios, Atón. Fundó así la nueva capital en un lugar en el desierto entre Menfis y Tebas, la llamó Aketatón que significa «horizonte de Atón» (la actual ciudad árabe de Tell-el-Amarna). Naturalmente, los cambios de culto y ciudad trajeron aparejados un sinnúmero de transformaciones en costumbres y cultura. Por supuesto, la reforma alcanzó al arte, forma de perpetuar el nuevo orden. Nuevas instrucciones fueron impartidas a los talleres de artesanos, nuevas normas artísticas se establecieron. De la rigidez, la frialdad y la oscuridad de los antiguos templos se pasó a construir amplios espacios abiertos y muy luminosos para la práctica del ceremonial. Así, los rayos de sol, la luz de Atón, alcanzaría a todos. El estilo artístico cambió en forma radical. En escultura, relieves y pintura las imágenes humanas adquirieron morfología muy particular. Las cabezas eran ovaladas, los labios carnosos, el mentón y el vientre abultados. Cualquiera puede reconocer una obra artística de la época de Akenatón, el llamado período amarniense. La reforma religiosa, cultural, artística y política impulsada por Akenatón fue enorme y revolucionaria en un período en que Egipto era una gran potencia militar y económica como consecuencia de las dinastías anteriores, quizás haya sido esta circunstancia lo que permitió a Akenatón imaginar y propulsar semejante cambio. Sin embargo, estos cambios resultaron intolerables para parte de la estructura del clero, los jerarcas políticos y militares.

Akenatón falleció por motivos que se desconocen, culminando su reinado hacia el 1335 A.C. Tiempo atrás había fallecido su esposa primaria, la bella Nefertiti. A su muerte, Tutankamón es convertido en faraón cuando todavía es un niño, hacia el 1336 A.C. Impulsado y manejado por las estructuras del poder, sería quien daría marcha atrás con los cambios revolucionarios de su padre volviendo a las estructuras religiosas, políticas y artísticas tradicionales. Y con su sangre real, una herencia de enfermedades genéticas, comienza nuestra «historia clínica».

Más allá de la cardiología

Ya en los papiros de medicina con los que estudiaban los médicos egipcios se establecía la importancia central del corazón. Es más, cuando preparaban los cuerpos para la momificación, le extraían todos los órganos, incluso el cerebro, pero dejaban el corazón para que permaneciera en la momia.

El motivo no era precisamente cardiológico. Los egipcios creían en la vida de ultratumba. Según ellos, el cuerpo humano albergaba tres espíritus diferentes, el Aj, el Ka y el Ba. Al morir, el Aj regresaba a las estrellas y ahí permanecía. Pero los otros dos espíritus, el Ka y el Ba, dependían del cuerpo para la supervivencia. Por lo tanto, había que conservar el cuerpo del faraón momificándolo. En un papiro funerario, el llamado *Libro de los muertos*, se establece la ceremonia del «peso del corazón» del faraón recientemente muerto. Así se sabía si su vida había sido justa y libre de pecado y podía entonces acceder a la vida del más allá. Caso contrario, el espíritu del faraón desaparecería para siempre. En la ceremonia ritual del pesado del corazón, el faraón difunto era llevado por el dios Anubis[5] ante la presencia del dios Osiris[6]. Era el momento para saber si el faraón era merecedor de reinar en el más allá. El corazón era colocado en el platillo de una balanza. En el otro platillo se colocaba una pluma de la diosa Maat[7], diosa de la justicia. Si el corazón del faraón permanecía en equilibrio con el de la pluma de la diosa Maat es porque era justo y libre de pecado. Podría así vivir eternamente una vida de ultratumba. De lo contrario,

---

5 Anubis: Dios de los muertos, encargado de guiar el espíritu al otro mundo. Era representado con cuerpo de hombre y cabeza de chacal.

6 Osiris: Dios de la resurrección, de la vegetación, la agricultura, de la fertilidad y la regeneración del río Nilo, esencial para la supervivencia del pueblo egipcio. Presidía el tribunal del juicio a los difuntos.

7 Maat: Diosa de la verdad, de la justicia y la armonía cósmica. Representada con cuerpo de mujer, llevaba en su cabeza una pluma de avestruz colocada en forma vertical.

el destino sería terrible, y al momento el corazón sería devorado por la terrible bestia Ammut[8]. Los egipcios pensaban que el corazón contenía el «yo», si éste era devorado por la bestia, la persona dejaba de existir en ese mismo momento. No sólo estaría muerto, desaparecería su espíritu para siempre. El corazón era importante para los médicos en la vida terrenal, pero los dioses lo requerían en el más allá.

Los médicos del faraón

La medicina egipcia estaba muy avanzada para la época. Y Tutankamón, que tuvo una salud frágil y delicada, seguramente contó con la asistencia de los médicos de la familia real. Todos los poderosos tienen sus médicos. Los faraones, por supuesto, también los tenían. No es la cantidad sino la calidad de los médicos lo importante para el paciente. De hecho, cuando muchos médicos intervienen desordenadamente en el diagnóstico y tratamiento de un mismo paciente los resultados son malos. Eso es hoy así y debió ser en aquel entonces; es una regla general. Un dicho propio del ambiente médico reza: cuando un paciente tiene un médico, tiene un médico, cuando tiene dos, tiene dos y cuando tiene tres, no tiene ninguno.

Los egipcios llamaban a sus médicos SUN-NU, que significa «hombre de los que sufren o están enfermos». Los SUN-NU entrelazaban sus conocimientos empíricos, tanto para el diagnóstico como para el tratamiento, en la universidad de entonces, «la casa de la vida»[9], dependiente del templo donde también adquirían conocimientos y preparación los sacerdotes y escribas.

Gracias a los escribas, profesionales de la escritura y la ad-

8 Ammut: bestia devoradora de corazones. Su representación tenía cabeza de cocodrilo, parte delantera del cuerpo de león y parte trasera del de hipopótamo.

9 Institución de enseñanza y capacitación. En ella se enseñaba religión, astronomía, matemáticas, medicina, etc. También era biblioteca, lugar de copia de manuscritos y donde se capacitaban los escribas, entre otras múltiples actividades.

ministración, nos ha llegado gran cantidad de información a través de papiros[10] y grabados. Por ejemplo, el papiro de Ebers encontrado en Luxor y fechado en el 1500 A.C. y traducido por el egiptólogo George Ebers, nos da una rica información sobre la medicina de la época. Con una longitud de más de 20 metros y 30 centímetros de ancho, constituye una verdadera biblioteca de medicina de la época. Los SUN-NU egipcios estudiaban en él nociones de medicina general, gastroenterología, cardiología, ginecología, oftalmología, dermatología, odontología, cirugía, tratamientos para traumatismos, urología, etc. Por llamativo y sorprendente que resulte, se explican en él tratamientos quirúrgicos para extirpación de tumores, abscesos y tratamientos para quemaduras. El papiro, asimismo, hace referencia a enfermedades de tipo mental, como la demencia y la depresión. También es un tratado de farmacología de la época, con más de 700 recetas magistrales que indicaban cómo preparar y administrar preparados farmacológicos en base a sustancias extraídas mayormente del reino vegetal: mirra, amapola, azafrán, ricino, incienso, cáñamo, loto, resinas y otras tantas. También incluye preparados medicamentosos en base a elementos minerales, insectos y arañas. Son realmente llamativos los conocimientos anatómicos que cita el papiro; entre ellos, se destaca el relacionado con el corazón, al cual establecen como órgano central del sistema circulatorio.

También existe el denominado papiro de Edwin Smith, nombre del egiptólogo que lo tradujo. Data del siglo XVIII A.C. y es una compilación de conocimientos médicos aún más antiguos, donde se enseñan técnicas y tratamientos quirúrgicos para traumatismos generales y heridas de guerra. Hay que tener presente la importancia de la cirugía y los tratamientos para lesiones ya que los traumatismos eran frecuentes en la actividad rural y en la práctica militar. Así como el papiro de Ebers era un tratado de clínica y farmacología, el de Smith era el correspondiente a una escuela de cirugía. En él queda claro que los cole-

---

10   Papiro: planta originaria del río Nilo con cuyos tallos se elabora el papiro como soporte para la escritura.

gas egipcios conocían distintos órganos, como los riñones, los uréteres, el hígado, el bazo, la vesícula, y describían los vasos sanguíneos que salían del corazón. Las descripciones de los tratamientos y el instrumental quirúrgico necesario llaman la atención por el fundamento empírico y la lógica de los mismos.

Para sorprendernos aún más, citemos el papiro de Kahun. Éste fue encontrado en el poblado obrero de Kahun que data del 1900 A.C. y contiene conocimientos que se remontan a 3000 A.C. ¡Entiéndase bien!, hablamos de conocimientos médicos transmitidos por escrito a los SUN-NU que tienen hoy más de 5.000 años de historia. En este papiro, encontramos medicamentos y recetas para el tratamiento de enfermedades y afecciones ginecológicas y obstétricas. Se citan también métodos para el diagnóstico de embarazo e incluso, asombrosamente, la receta para preparar un «óvulo anticonceptivo» con una mezcla de heces de cocodrilo, miel y carbonato de sodio. Es, a su vez, el primer documento escrito en la historia que habla de los efectos beneficiosos de la música sobre la salud.

Como vemos, los SUN-NU egipcios tenían abundante información escrita para el estudio y la práctica de la medicina durante el reinado de Tutankamón y Tutankamón, como ya veremos, iba a necesitar de ellos.

Rompecabezas forense

Tutankamón no fue un faraón destacado en sí mismo. Murió a la edad de 19 años y reinó por nueve. No tuvo tiempo. Su interés radica en que su tumba fue encontrada casi intacta con todas sus riquezas materiales y con información que viajó en el tiempo hasta nosotros. Howard Carter estaba convencido de que en el Valle de los Reyes debía encontrarse la tumba de Tutankamón; sobre todo, siguiendo las pistas de su antecesor, el abogado americano Theodore Davis, que en expediciones anteriores había hallado restos de sellos o inscripciones que daban testimonio del faraón. Ya en su última campaña y a punto de agotar el financiamiento del inglés Lord Carnabon, Carter encuentra los escalones de la tumba real, próximos a la tumba de Ramsés VI, sitio en el que se habían acumulado escombros a través de los siglos. Con el asombro más intenso, vio ante sí una escalera de piedra caliza que lo conducía a una entrada donde se veían los sellos de Tutankamón. Carter contuvo su emoción y mandó a llamar a Lord Carnabon. Así llegó el momento, en noviembre de 1922, en que en presencia de ambos se abrió formalmente la tumba. Después de atravesar la puerta, encontraron un pasillo que los llevaba a una segunda puerta, aparentemente intacta. Carter atravesó esa segunda puerta y aparecieron frente a él innumerables objetos de infinito valor. Oro por todos lados, figuras, carros, esculturas de alabastro llenaron de golpe sus ojos. Entre los incontables objetos de valor se encontraron «ciento treinta bastones», más adelante intentaremos contestar el porqué. El mayor de los descubrimientos arqueológicos del siglo XX acababa de tener lugar.

Los trabajos continuaron, y poco después notaron que esa antecámara había sido violada siglos atrás. La labor fue intensa: fotografías, catálogos, clasificación de objetos, realización de gráficos y dibujos. Hasta que finalmente llegó el momento de abrir la cámara funeraria, cerrada con sellos reales inviolados. Era el 17 de febrero de 1923. Dentro de la cámara sepulcral, cuyas paredes se encontraban decoradas con pinturas, hallaron cuatro capillas de madera cubiertas de oro, una dentro de la otra a manera de muñecas rusas. La capilla o caja interior cubría un sarcófago de cuarcita roja. Dentro de él, se encontraban tres ataúdes antropomórficos, también uno conteniendo al siguiente. Los dos externos eran de madera enchapada en oro y el último, de oro macizo. En el último sarcófago, con la cabeza cubierta por la famosa máscara de oro macizo, se encontraba Tutankamón.

Una cantidad de misterios se revelaban y otros nuevos aparecían. Entre ellos, el enigma médico de su temprana muerte. Durante los años y a través de diferentes estudios, a medida que la tecnología avanzaba, distintas hipótesis se han planteado. ¿Fue un asesinato? ¿Quienes realmente manejaban el reino no lo querían vivo? En varias oportunidades fue estudiada la momia. Estudios de tomografía computada mostraron traumatismo craneano y fractura en su pierna izquierda. ¿Fue la lesión en el cráneo una fractura *pre mortem* y por tanto pudo haber sido un magnicidio? ¿Fue la fractura de la pierna accidental? ¿Pudo haber sido la fractura el inicio de una infección ósea u osteomielitis? ¿Pudo esa infección ósea producir una infección generalizada, o como hoy la conocemos «septicemia», y así causar la muerte? El rompecabezas forense no iba a ser revelado sino hasta unos tres mil trescientos años después. Habría que esperar hasta el año 2010 para contar con estudios que permitieran un diagnóstico de certeza.

Código genético

El ADN o ácido desoxirribonucleico es una enorme molécula que se encuentra en todas las células. Su importancia radica en que contiene «información» que la célula utiliza para su desarrollo y para la fabricación de distintas proteínas. Es asimismo la responsable de la transmisión genética o hereditaria. La molécula de ADN es como si fuera una cadena, y podríamos decir que está formada por pequeñas porciones, como eslabones de esa cadena. Hay distintos tipos de eslabones, llamados técnicamente nucleótidos. Los distintos tipos de eslabones (nucleótidos) y la combinación de los mismos para formar esa «cadena» de ADN es lo que hace «único» a ese ADN. Le da «personalidad». Las cadenas de ADN se encuentran de a pares, enroscadas una con la otra. A manera de dos espirales de sacacorchos enroscados entre sí. Estas cadenas de ADN enroscadas conforman lo que conocemos como cromosomas. Los cromosomas se encuentran en el núcleo de la célula y son los encargados de brindar información genética para la fabricación de una determinada proteína. Cada segmento de ADN responsable de una información específica se denomina «gen». En definitiva y para simplificar, digamos que la molécula de ADN es una suerte de código de barras que con la particular combinación de barras finas y gruesas determina una infinita secuencia de posibilidades que la hace única para cada ser. De tal suerte, la molécula de ADN sirve básicamente para dos cosas. Primero, para transmitir información, funcionando como «molde», para la fabricación de nuevas moléculas que la célula necesita; y segundo, para posibilitar la transmisión genética. Esto es así porque cuando una célula se divide, generando una célula hija, «copia» sus propias cadenas de ADN para darle a la célula hija unas cadenas de ADN idénticas. Es este hecho el que permite la «filiación» de una célula a otra y es la base para la determinación de la filiación entre personas. Es en definitiva «el código genético». Tras miles de años, este «código genético» resulta útil para el diagnóstico en la historia clínica del último faraón de la XVIII dinastía, Tutankamón.

El ADN de Tutankamón

En febrero de 2010, en una de las revistas de medicina más prestigiosas del mundo, el *Journal of the American Medical Association*, se publicó un estudio que fuera realizado entre septiembre de 2007 y octubre de 2009. La investigación, encabezada entre otros por el famoso egiptólogo Zahi Hawass, del Consejo Superior de Antigüedades de El Cairo, tenía por objeto revelar datos de filiación de un conjunto de momias y obtener información con respecto a posibles condiciones de salud. Los datos obtenidos son sorprendentes. Fueron estudiadas 16 momias, 11 de las cuales pertenecían a la familia real. Una de las momias era Tutankamón. Se realizaron estudios de tomografía computada con equipos de última generación y se obtuvieron muestras celulares de más de tres mil años de antigüedad. Se extrajeron con el mayor de los cuidados y delicadeza entre 2 y 4 muestras por momia para el estudio del ADN. De los resultados obtenidos se comprueba lo que históricamente se tenía por cierto. Tutankamón era hijo de Akenatón, este dato ahora no sólo es consecuencia de evidencias históricas, es un dato genéticamente comprobado. Filiación confirmada. También se confirmó genéticamente que la momia Tiye era la madre de

Akenatón, es decir la abuela de Tutankamón. Además se pudo comprobar con el ADN que el marido de Tiye era Amenophis III, abuelo de Tutankamón. Para agregar un dato más a esta genealogía de novela digamos que Tiye no era de sangre real. Era hija de un terrateniente y, según algunos egiptólogos, verdaderamente tan bella que terminó conquistando al faraón. Al parecer, era una mujer de carácter y tenía fuerte influencia sobre el manejo de las cuestiones de Estado.

Aunque no sea el nombre más tierno, la madre de Tutankamón es la momia identificada como KV35Y2, es decir que no era Nefertiti, esposa de Akenatón. La momia en cuestión es genéticamente la hermana de Akenatón, vale decir que Akenatón tuvo una relación incestuosa con su hermana, relación de la cual nació Tutankamón. Genéticamente, se comprobó entonces que la madre de Tutankamón era a su vez su tía. Toda una novela.

Las relaciones incestuosas eran frecuentes en la familia real. El motivo era mantener la pureza de la sangre. Sangre real. Pero, aunque los egipcios no lo sabían, la consanguinidad en busca de la pureza de sangre de la familia real es una desventaja en términos de salud. ¿Por qué? Sucede que las enfermedades genéticas se transmiten justamente a través de los genes. Son numerosas las enfermedades genéticas y esa transmisión puede ser de dos tipos, por un «gen dominante» o un «gen recesivo». Cuando es por un gen «dominante», si el gen que transmite la enfermedad está presente en uno solo de los padres, el hijo tiene un 50% de posibilidad de manifestar dicha enfermedad. Si el mismo gen dominante para una enfermedad genética cualquiera está presente en ambos padres, la posibilidad de manifestación de enfermedad en el hijo es del 100%. Pasemos ahora al otro caso, cuando un gen se comporta como «recesivo». Aquí la «penetración» de ese gen en el hijo es menor. De hecho, si un solo padre es portador de un gen recesivo para una determinada enfermedad, la posibilidad de que el hijo presente esa enfermedad es del 25%. En definitiva, ¿qué significa lo que acabamos de explicar? Que en una comunidad cerrada, cualquiera sea, y en este caso la de nuestro paciente en estudio, Tutankamón, la posibilidad de padecer enfermedades genéticas es mayor, ya que en ese grupo humano se acumulan personas portadoras de genes dominantes y/o recesivos para distintas enfermedades (es una suerte de «potenciación»). Es así que en una comunidad cerrada es más probable, estadísticamente hablando, que padre y madre sean portadores de un mismo gen que condicione una determinada enfermedad. En consecuencia, es más probable que el hijo herede una enfermedad genética. Es el caso, por ejemplo, de los judíos ashkenazis, un grupo cerrado que tiende a casarse dentro de la misma fe; entre ellos, es mayor la frecuencia de ciertas enfermedades genéticas.

En síntesis: la transmisión de las enfermedades genéticas es mayor en grupos de homogeneidad genética. Es el caso de la «sangre real» de la XVIII dinastía egipcia, es el caso de Tutankamón.

Paciente: Tutankamón
Historia clínica – 3.334 años después

Entre los 5.000 objetos encontrados en la tumba de Tutankamón, se hallaban ciento treinta bastones. No era casualidad. El faraón los iba a necesitar en el más allá, casi no podía caminar solo. La familia del faraón había acumulado malformaciones genéticas debido muy probablemente a la consanguinidad, la pureza de la sangre real había cobrado su precio. La información que los genes del Rey trajeron consigo hasta nuestros días permitió diagnosticar una rara enfermedad genética, la enfermedad de Kohler II. Esta enfermedad integra un grupo de enfermedades llamadas «osteocondrosis». Este raro nombre incluye un grupo de enfermedades que afectan el desarrollo y crecimiento de los huesos en los chicos debido a la disminución de irrigación sanguínea de esos huesos. De tal suerte, esos huesos en desarrollo no pueden nutrirse adecuadamente en el momento en que más lo necesitan, durante el crecimiento. Así se produce la muerte del hueso o necrosis ósea. La osteocondrosis, que es una enfermedad de transmisión genética, fue diagnosticada en Tutankamón, como hemos dicho, como enfermedad de Kohler II[11], también llamada enfermedad de Freiberg. En esta variante de osteocondrosis, se ven afectados los dedos de los pies, habitualmente el segundo dedo, el que le sigue al dedo gordo del pie, y algunas veces el tercero o el cuarto. Esta afección se da en chicos entre los 12 y 18 años, y es más común en mujeres. Produce síntomas tales como dolor, inflamación del pie, limitación de movimientos, deformidad en el desarrollo óseo y dificultad para caminar. Los estudios de tomografía computada realizados en Tutankamón mostraban las lesiones típicas de la enfermedad de Kohler II o necrosis ósea avascular en el pie izquierdo del faraón. El Rey tenía afectado la cabeza o extremo del segundo y tercer metatarsiano del pie izquierdo. El segundo y tercer metatarsiano son los huesos que están por debajo y articulan con los dedos respectivos, es decir con el segundo y el tercer dedo del pie izquierdo. Recordemos que el primer dedo es el dedo gordo, es decir que la afección alcanzó a los dos dedos que le siguen a éste. También se determinó en la tomografía computada que el faraón presentaba en el pie izquierdo «oligodactilia», es decir desarrollo insuficiente de los dedos del pie. Como si esto fuera poco, el pie izquierdo se encontraba rotado hacia adentro y abajo.

En consecuencia, no podía apoyar el pie en los puntos normales de apoyo. Esto es lo que se denomina corrientemente «pie zambo». El tema de los pies no termina ahí. El arco del pie derecho estaba disminuido en su ángulo, es decir tenía pie derecho plano y también presentaba desarrollo insuficiente de los dedos: oligodactilia. Con dolor en ambos pies, el Rey de Egipto no podía caminar normalmente, debía usar bastones.

Los egipcios colocaban en las tumbas de sus reyes todos aquellos objetos que el faraón iba a necesitar en el otro mundo, así harían posible su transitar por el más allá y el faraón garan-

11 La enfermedad de Kohler II o enfermedad de Freiberg se define como una osteocondrosis con necrosis avascular aséptica de la cabeza del II-III o IV metatarsiano.

tizaría la crecida anual del río Nilo que daba al reino la prosperidad de los alimentos. Además de los numerosos bastones, en la tumba del Valle de los Reyes, última morada terrena del rey, se encontró un botiquín de medicamentos, que contenía semillas, hojas y frutos. Sin duda, esto significa que el rey niño debía usar medicamentos con frecuencia. Tutankamón era portador de una frágil salud.

Lo que la información de los genes no pudo diagnosticar en la familia de Tutankamón es una rara enfermedad genética que siempre se atribuyó a Akenatón, padre de Tutankamón. Se trata del síndrome de Marfan. En esta enfermedad se ven afectados, a veces severamente, distintas partes del cuerpo que muestran anormalidades en el desarrollo, tales como esqueleto, ojos, pulmones, corazón y grandes vasos sanguíneos, como ser la arteria aorta. El aspecto físico de un paciente con enfermedad de Marfan es similar al de las pinturas, relieves y esculturas del arte propio del período amarniense en que las imágenes de los cuerpos humanos eran alargadas, con cabezas ovaladas, labios carnosos, abdomen prominente, altos y con piernas y brazos muy largos. Esta hipótesis de enfermedad que la medicina había considerado como posible en base al aspecto físico con el cual fue representado el padre de Tutankamón, no pudo ser confirmada por los estudios que el túnel del tiempo de la antropología genética nos ha traído al presente. Tampoco pudo relacionarse ese aspecto físico tan llamativo, extraño o estrafalario de las esculturas, grabados y relieves de la familia real del período de Akenatón y Tutankamón con otras enfermedades genéticas que pudieran explicar esa imagen física. Las imágenes podrían ser compatibles con un aspecto raramente masculino o androgénico, con abdomen de aspecto femenino y asociado a ginecomastia, o mayor desarrollo de las mamas. Varias afecciones genéticas pueden incluir alteraciones hormonales que expliquen este perfil femenino de las imágenes del período amarniense y por tanto la posibilidad de una enfermedad genética de la familia de Tutankamón. Tal es el caso del síndrome de Klinefelter. Esta rara enfermedad genética, que afecta solamente a hombres, se caracteriza por alteraciones hormonales con ginecomastia, infertilidad, distribución de tejido graso de tipo femenino y órganos sexuales masculinos no bien desarrollados. El estudio genético de Tutankamón y del grupo familiar de las momias reales estudiadas descarta la existencia de este síndrome. Por otro lado, el pene de la momia de Tutankamón es de tamaño normal.

En definitiva, las imágenes físicas de los reyes y las reinas de la familia real de Akenatón y Tutankamón responden a estilos artísticos y no al aspecto físico determinado por alguna enfermedad familiar de transmisión genética.

La tumba de Tutankamón fue denominada por los egiptólogos como la tumba KV62. Este nombre significa que fue la tumba número 62 descubierta en el Valle de los Reyes (Kingdon Valley). En ella, dentro del sarcófago de oro, otra información genética nos daría más elementos para nuestra «historia clínica». La posible causa de muerte de Tutankamón: malaria. En los restos genéticos obtenidos de la momia del rey se encontraron genes del *Plasmodium Falciparum*, un parásito transmitido por mosquitos hembras del género *Anopheles* y que es responsable de la malaria o paludismo. El paludismo es producido por distintos tipos de parásitos del género *Plasmodium*, tales como el *Plasmodium Falciparum* (el encontrado en Tutankamón), el *Plasmodium Vivax*, el *Malarie* o el *Ovale*. El parásito es inyectado por medio de la picadura del mosquito ingresando así al organismo. El parásito invade distintas partes del cuerpo pero es particularmente dañino en los glóbulos rojos, a los que destruye provocando anemia. Los síntomas son variados de un paciente a otro, así como su intensidad. Entre ellos, predominan fiebre, escalofríos, sudoración, dolor de cabeza, náuseas, vómitos, dolores musculares, ictericia (color amarillento de piel y mucosas), heces con sangre, etc. Hace 3.300 años los médicos egipcios, los SUN-NU, no podían comprender la causa de la enfermedad y mucho menos tratarla con éxito. Muchos casos eran mortales por complicaciones clínicas que incluyen meningitis, insuficiencia renal, anemia aguda, hemorragia interna por ruptura del bazo, etcétera.

A estos datos que forman parte de la historia clínica de Tutankamón hay que agregar algunos otros que también resultan de interés. Ante todo, señalemos que se ha encontrado una fractura en los huesos del cráneo. Este hecho fue el que sin lugar a dudas agregó un condimento criminal exquisito. Akenatón, padre de Tutankamón, había establecido una revolución impresionante. Implantó una religión monoteísta instalándose él como único intermediario entre el Dios Atón y el pueblo. Un cambio que, sin duda, afectó profundamente las estructuras religiosas y de poder en el Antiguo Egipto. Tutankamón, que había ocupado el trono cuando tenía apenas 9 años, era quien volvió el tiempo atrás reimplantando la religión politeísta y cambiando nuevamente las estructuras de poder de Egipto. Obviamente, era manejado por quienes realmente gobernaban y no faltan elementos para pensar que pudo haber sido asesinado por distintos sectores de poder interesados en cambiar el rumbo político, militar y religioso. Sin embargo, el estudio detallado del traumatismo de cráneo demostró que la fractura se produjo posteriormente a la muerte, con lo cual la posibilidad de homicidio por traumatismo de cráneo se descarta. Tal vez la fractura del hueso craneano fue accidental, por inadecuado tratamiento por parte del descubridor de la tumba, Howard Carter o su equipo, o posiblemente por los propios embalsamadores. Lo cierto es que el traumatismo craneano fue *post mortem*.

Tutankamón también presentó paladar hendido. Éste es resultado de la incorrecta unión de los huesos que forman el paladar durante la gestación. A esta falta de unión puede acompañarle la falta de unión de los tejidos blandos en el labio superior, provocando lo que se conoce como labio leporino. Claro está, la existencia de labio leporino no la podemos saber con certeza ya que son tejidos blandos que desaparecen con los años. También se han encontrado restos de pus en la región de las muelas del juicio, lo cual debió ser común en la época; podemos imaginar fácilmente los dolores que tendrían que soportar por entonces sin los avances de la odontología actual. Por su lado, la tomografía computada evidencia una fractura ósea en el miembro inferior izquierdo, a la altura del fémur.

No podemos saber qué provocó el traumatismo, pudo haber sido un accidente doméstico o de cualquier otro origen. Hay egiptólogos que sostienen que debió haber sido una caída de un carro de combate o durante una cacería. Lo que sí es cierto es que la lesión pudo haberse infectado, produciendo así una osteomielitis y posteriormente una infección generalizada o septicemia.

Con los datos consignados, aún tres milenios después de los hechos, puede aproximarse la «historia clínica» de Tutankamón como sigue:

«Tutankamón, hijo del Faraón Akenatón y la reina Nefertiti, fue en realidad el resultado de una relación incestuosa entre Akenatón y la hermana de éste, es decir, su padre fue Akenatón y su madre fue su tía y no Nefertiti. Tutankamón falleció a la temprana edad de 19 años. Dueño de una frágil salud, portador de paladar hendido y probablemente de labio leporino. Caminaba con dificultad con la ayuda de bastones debido a una afección ósea congénita con deformaciones en ambos pies, debido a la enfermedad de Kohler II o necrosis ósea avascular. Las alteraciones congénitas muy probablemente estuvieron condicionadas por la consanguinidad y la concepción incestuosa dentro de la familia real. Presentó lesión traumática en fémur izquierdo y malaria o paludismo. Podría especularse como posibles causas de muerte una complicación infecciosa de la fractura ósea de miembro inferior izquierdo, o de una complicación clínica de la malaria (paludismo) o bien a la asociación temporal de ambas afecciones sobre un cuerpo de un paciente portador de una frágil salud. Esto fue hacia el año 1324 A.C.»

CERTIFICADO DE DEFUNCIÓN

PACIENTE: Tutankamón
EDAD: 19 años
LUGAR: Ciudad de Tebas (actual Luxor) – Antiguo Egipto
FECHA: Aproximadamente año 1324 A.C.

Motivo del fallecimiento: Paro cardiorrespiratorio no traumático
Causa mediata:

1. Infección generalizada o sepsis como consecuencia de una fractura de fémur izquierdo.
2. Paludismo o malaria.
3. Asociación de ambas enfermedades previas en un paciente de frágil salud.

Con el eventual agregado de nuevos descubrimientos el diagnóstico podría variar.

Al igual que las tres grandes pirámides de Egipto, Keops, Kefrén y Micerino, Tutankamón, el último faraón de la XVIII dinastía, con una salud débil en la Tierra, reinará por siempre en el mundo del más allá. Aunque claro, con sus jóvenes 19 años seguirá con una frágil salud y usando bastones para caminar.

Tita.
Muchacha, hacete el Papanicolau[1]

Con el despuntar del siglo XX, el 11 de octubre de 1904, nació en la pobreza total Laura Ana Merello. Aunque, con el tiempo, sería conocida de forma tan simple y contundente, como su nombre artístico, Tita; una mujer especial, única, adjetivo y sustantivo al mismo tiempo. Vivió sus primeros años en un conventillo de San Telmo en la calle Defensa al 700. Su madre, Ana Gianelli, se ganaba la vida planchando; su padre, Santiago Merello, chofer de coches con tracción a sangre, murió cuando Tita tenía cuatro meses. La causa: tuberculosis, enfermedad común en la época y huésped habitual en los conventillos de San Telmo. A los cinco años, su madre sintió que no podía hacerse cargo de ella y se refugió en un asilo en Villa Devoto. Así fueron los inicios que marcaron a fuego sus necesidades. En medio de la pobreza, la soledad, la falta de afectos, trabajó como «sirvienta» en Montevideo y como «hombrecito» en un mundo de hombres. Su infancia fue breve: «la infancia del pobre siempre es más corta que la del rico», sentenció. Tita reconoció haberse prostituido; «hizo la calle» en un mundo de

1 Papanicolau o PAP: examen de rutina, simple e indoloro, en el cual se toma una muestra del cuello del útero para realizar un diagnóstico precoz de lesiones que pueden provocar cáncer de cuello de útero. Fue desarrollado por el Dr. Georgios Papanicolau, célebre médico griego.

hombres y un mundo machista. Tuvo un medio hermano de distinto padre, Pascual Anselmi. Pascual era importante en su vida, se querían. Pascual la acompañaría siempre y jugaría un papel sugestivo en el final de la historia clínica.

Tita Merello sería con el tiempo una destacada cantante de tango y milonga y excelente actriz de cine y teatro pero su historia clínica tendría un perfil social, y en salud pública en particular, muy destacado. Sería ella quien impondría una conducta en las mujeres con su «Muchacha, hacete el Papanicolau». Con la promoción de ese mensaje de medicina preventiva ha salvado a innumerables mujeres de cáncer. Con un tono simple, cariñoso, y sobre todo sin asustar, promovía el control médico preventivo de una manera tan eficiente que a los médicos nos cuesta alcanzar. Un análisis exhaustivo de sus antecedentes biográficos nos hace pensar que su interés de fondo iba más allá de la prevención de ese flagelo femenino, que es el cáncer de cuello de útero; su interés comprendía la mujer en toda su integridad, seguramente a partir de los sufrimientos que le tocó vivir. La vida la llenaría de autoridad moral.

Se dice de mí...

En la formulación de una historia clínica es fundamental delinear el perfil de personalidad del paciente. Conocerlo. Saber quién es, cuál es su historia de vida, sus condicionantes, sus necesidades, sus anhelos. En su relato encontramos la respuesta a muchos interrogantes diagnósticos. Nuestros profesores en clínica médica nos decían «Escuchen al paciente, ¡él siempre les va a decir el diagnóstico!» Formidable, el tiempo nos ha demostrado que es cierto. Al escuchar atentamente al paciente surgen los indicios diagnósticos. Simplemente él lo señala con sus palabras: sólo hay que escuchar e interpretar desde el ángulo de la medicina lo que el paciente expresa. Síntomas mínimos, momento de inicio de los mismos, características, enfermedades previas, síntomas psicosomáticos, relación de los síntomas con circunstancias de vida, lo que hizo en cada circunstancia, qué piensa, qué siente, qué cree. En la formulación de esta historia clínica, como en tantas otras de estas historias, el paciente no se encuentra presente, pero de algún modo sí lo está.

Ha dejado rastros, vestigios grabados en los hechos de su historia de vida, y en este caso en particular ha dejado su huella en otras personas, cuyas voces sí podemos escuchar. Así, con hechos históricamente comprobables y numerosas entrevistas a personas que conocieron a la paciente desde el punto de vista personal y médico en particular, es que podemos definir el estereotipo que define la personalidad de la paciente.

Tita nunca fue a la escuela. Fue analfabeta hasta pasados los 15 años. «*Por favor... si yo no conozco ni la campana de un colegio*», le dijo una vez a Eduardo Dosisto, a quien ella quería mucho. Tita se refirió a Dosisto como «*mi padre, mi hijo, mi hermano...*» Fue para ella como el hijo que nunca tuvo. Dosisto la acompañó en sus últimos treinta años; fue quien la cuidó, la ayudó y veló por sus intereses, es custodio de su legado. Cuenta Dosisto en sus memorias una anécdota que tan bien pinta a Tita durante su adolescencia, sus necesidades y lo que tuvo que hacer para sobrevivir:

«*...Ana Laura Merello salía del conventillo y con sus quince años recién estrenados se iba a "laburar al cabarute" de la calle Esmeralda, como ella decía; caminaba con pasos largos, de piernas flacas, por Corrientes, Suipacha, y un día, mientras doblaba por Lavalle para ir a su trabajo, se cruzó con un señor alto, de barba larga y vestido con sobretodo oscuro, que cuando la vio le dijo: "Flaquita, qué cara de hambre tenés". Con su sinceridad de siempre, ella admitió su hambre. El señor la llevó a un restaurant cercano y Tita vio cómo él le hablaba a un mozo, que luego le acercó una panera y un plato de sopa, tal como se estilaba en aquella época: ella le aclaró que estaba esperando a que el caballero que la había invitado se sentase. El mozo le contó que el*

hombre ya había pagado la cuenta y que ella podía comer
a su antojo todo lo que quisiera. Tita nunca olvidó a ese se-
ñor, un judío ortodoxo, porque ella, que trabajaba en un "ca-
barute", dejaba que los clientes le tocaran las piernas para
ganarse un mango y así poder comer, pero ese hombre de
generosidad infinita le había sacado el hambre a cambio de
nada. Tal vez a raíz de esa historia, Tita admiraba tanto a
los judíos y por eso colaboró mucho cuando fue el atentado
de la AMIA.»

Memorias de un boticario,
EDUARDO DOSISTO

Tita salió tarde del analfabetismo, pero llegó a ser una persona culta que respetaba la capacidad, el talento, el esfuerzo. Buceaba en busca de conocimiento, leía de todo con gran avidez. Era, sin duda, una autodidacta y tenía una importante biblioteca. Simpatizante peronista, con frecuencia decía: «mi querido país». Persona de una profunda fe religiosa, de misa rigurosa, gustaba leer temas de religión, budismo, islamismo, espiritualidad. Frecuentaba la librería Kier, en la Av. Santa Fe y Talcahuano, especializada en temas de espiritualidad, parapsicología y cuidado de la salud.

Le rezaba a Dios constantemente y siempre hacía referencia a Él. Una vez, le habían diagnosticado una enfermedad renal que indicaba cirugía para extirpar el riñón. Del consultorio, fue directamente a la iglesia de Nuestra Señora del Carmen a rezar. Rezó por horas. Mejoró y nunca se operó. Ordenada, disciplinada, siempre tomó medicamentos homeopáticos y por períodos Flores de Bach. Sabía sobre el tema y se atrevía a recomendar determinados medicamentos homeopáticos. Sin embargo, siempre respetó la medicación alopática indicada por los médicos, que en todo caso, coexistían con la homeopatía. Nunca ningún médico contraindicó la medicación homeopática, siempre que respetara la alopática, sugerencia que la paciente siempre siguió. Era cautelosa con el cuidado de su salud y para ser consecuente con ello cuidaba su dieta. Lomito a punto, pollo sin piel, caldo sin grasa, manzana asada, tomates pelados, gelatina, pocas harinas y evitaba la sal. También era afecta a la miel, a la jalea real y a los caramelos de propóleo. Su pecado: los bombones de marrón glacé. El cuidado de su salud incluía un control riguroso de la presión arterial. Se la controlaba diariamente y el tiempo que estuvo internada se la hacía controlar hasta tres veces al día. Solía llamar por teléfono a la actriz Mercedes Carreras, esposa de Enrique Carreras, importante director de cine, para que fuera a su casa a la tarde a controlar su presión. Pero en realidad el control de su presión no era en sí mismo una necesidad. El reiterado control de su presión tenía que ver con sus necesidades emocionales y no con la función cardíaca en sí. Necesitaba el contacto humano, que la tocaran, que le dieran afecto, la presión arterial era secundaria, era el pretexto. Los distintos entrevistadores, tanto médicos como allegados y amigos, coinciden en algo: Tita reclamaba y exigía afecto. Te absorbía, te tomaba y, en definitiva, te adoptaba. Te daba, pero también te pedía, te exigía. Negociaba cariño, el que tanto le había faltado. Se llevaba bien con los hombres, los trataba de igual a igual, sabía manejarlos; era muy seductora, eterna dadora y demandante de afecto, en la amistad de todos los días y en el amor, que nunca se concretó en matrimonio.

Se dice que Luis Sandrini fue su gran amor. Se conocieron durante el rodaje de la película *Tango*, en 1933. Merello inicia una relación tormentosa con Sandrini, un conocido mujeriego, en 1942. Cuando Sandrini fue a filmar *Olé, Torero* a España, en 1948, la situación ya no era buena entre ellos, y Tita no quiso dejar todo para seguirlo, a pesar de la insistencia de éste. Se quedó en Buenos Aires y aceptó la oferta para filmar *Filomena Marturano*, película que la proyectó a la fama definitivamente. La relación terminó.

De temperamento melancólico, tanguero, no faltaron episodios de depresión de importancia. Al menos en tres oportunidades, estuvo cerca del suicidio. Su pasado con vacío de afecto lo expresaría claramente con una frase que no puede dejar de considerarse en la historia clínica: «*el dolor nació conmigo*».

Tita tenía un perro trompudo y callejero, sin pulgas, «raza Merello», como ella decía. La gente le caía bien o mal, no tenía términos medios. Era igual a la dueña. Tita no tenía carácter fácil, por decirlo de algún modo. Pero lo llevaba con autoridad. Era simple y llana. La escritora Syria Poletti le regaló su libro *Ni de acá, ni de allá*, con ilustraciones del pintor Raúl Soldi. Trata de un ángel que tiene sólo un ala, un ángel discapacitado, que no pertenece ni a este mundo ni al otro. Tita se identificó mucho con la historia. Un día le regaló una fotografía al Dr. Raúl Merbilhaa, médico cardiólogo que la atendió en la Fundación Favaloro. La dedicatoria era simple y hablaba de ella. Solamente la dedicó con un: «Para vos ... yo». Así era la paciente. Físicamente piernas perfectas, sin várices, algo de juanetes, algo chueca, cabello brillante, hermosa piel, cantaba el tango fraseándolo y lo actuaba como actriz. Una milonga de 1943, con letra de Ivo Pelay y música de Francisco Canaro, fue escrita para ella. Describe con precisión algunos aspectos biográficos de la paciente que ayudan a completar esta parte de la historia clínica y que Tita interpretó como ninguna: *Se dice de mí*, sugiero leer la letra con detenimiento. Es un recurso diagnóstico que describe a la paciente.

Se dice de mí

Se dice de mí,
Se dice de mí,
Se dice que soy fiera,
que camino a lo malevo,
que soy chueca y que me muevo
con un aire compadrón,
que parezco Leguisamo,
mi nariz es puntiaguda,
la figura no me ayuda
y mi boca es un buzón.

Si charlo con Luis, con Pedro o con Juan,
hablando de mí los hombres están.
Critican si ya, la línea perdí,
se fijan si voy, si vengo o si fui.

Se dicen muchas cosas,
más si el bulto no interesa,
¿por qué pierden la cabeza
ocupándose de mí?

Yo sé que muchos me desprecian compañía
y suspiran y se mueren cuando piensan en mi amor.
Y más de uno se derrite si suspiro
y se quedan si los miro resoplando como un Ford.

Si fea soy,
pongámosle,
que de eso aún
no me enteré,
en el amor, yo sólo sé,
que a más de un gil,
dejé de a pie.

Podrán decir, podrán hablar,
y murmurar, y rebuznar,
mas la fealdad que Dios me dio,
mucha mujer me la envidió
y no dirán que me engrupí
porque modesta siempre fui.
¡Yo soy así!

Y ocultan de mí,
ocultan que yo tengo,
unos ojos soñadores,
además otros primores
que producen sensación.
Si soy fiera sé que, en cambio,
tengo un cutis de muñeca,
los que dicen que soy chueca,
no me han visto en camisón.

Los hombres de mí, critican la voz,
el modo de andar, la pinta, la tos.

Critican si ya la línea perdí,
se fijan si voy, si vengo, o si fui.
Se dicen muchas cosas,
más si el bulto no interesa,
¿por qué pierden la cabeza
ocupándose de mí?

Podrán decir, podrán hablar,
y murmurar, y rebuznar,
mas la fealdad que Dios me dio,
mucha mujer me la envidió,
y no dirán que me engrupí
porque modesta siempre fui.
¡Yo soy así!

Antecedentes clínicos

La paciente siempre fue de perfil emocional melancólico y presentó tendencia a episodios depresivos que fueron aumentando con la edad. La ansiedad fue también parte emergente de sus vivencias emocionales. De hecho, la medicación homeopática a la cual era tan afecta incluía medicación para los «nervios». Con relación a ello debemos citar un antecedente clínico. Hacia 1951, Tita mantenía una relación sentimental con Tito Alonso, actor 22 años más joven que ella. Ambos sufrieron un accidente de tránsito cuando llegaban a la ciudad de Luján. Merello sufrió fracturas de costilla y heridas cortantes. El coche quedó destruido pero ambos se recuperaron. Merello presentó luego del accidente amaxofobia, es decir fobia a conducir vehículos. La fobia es un miedo irracional, no controlable y de difícil manejo. De ahí en más, Merello evitó los automóviles en la medida que le fue posible y ella no volvería a manejar personalmente, contrataría un chofer. El desarrollo de una fobia es parte constitutiva del síndrome de ansiedad, que con frecuencia, y éste es el caso, alterna con períodos de depresión con los que a veces se superpone y confunde.

Hacia el año 1968, participaba exitosamente como comentarista en el famosísimo programa televisivo *Sábados circulares* de Nicolás «Pipo» Mancera, programa con los mayores picos de rating de la televisión argentina y latinoamericana. Siempre iba acompañada por su perro «Corbata». Fue en esa columna donde promovió activamente los chequeos médicos ginecológicos recomendando enfáticamente la realización del examen de Papanicolau (PAP) a todas las mujeres. Difícil mensurar la cantidad de mujeres, entre ellas mi madre, que seguramente salvaron sus vidas haciendo exámenes periódicos en LALCEC (Liga Argentina de Lucha Contra el Cáncer). Ella también siguió su propio consejo y se vio beneficiada por ello. Hacia 1980, el examen advirtió sobre la posibilidad de desarrollar cáncer de cuello de útero. Fue así que se internó en el Hospital de Clínicas de Buenos Aires donde fue operada por el Dr. Dante Calandra. En esa oportunidad, la paciente superó el cáncer.

En 1996, continúa la historia clínica con una nueva internación en el Hospital de Clínicas. Esta vez se internó por hemorragia nasal e hipertensión arterial. Cabe señalar que la hemorragia nasal causada por hipertensión arterial es un mito. Lo que seguramente sucedió es que la hemorragia se produjo por una afección en la mucosa nasal que provocó el sangrado de algunas venas (y no de arterias) y que la presión arterial estuviera coincidentemente alta; además, no olvidemos que la presión se eleva por el estrés que, en este caso, una hemorragia produce. Estuvo internada durante tres días y fue dada de alta con medicación e indicación de seguimiento por consultorio externo. Por entonces, Tita ya tenía un alto concepto del Hospital de Clínicas, para el cual nunca ahorró palabras de agradecimiento y elogios.

Hacia 1998, la paciente presentó un cuadro de malestar general, hipertensión arterial y mareos, lo que originó una consulta para realizar un chequeo cardiovascular, lo que daría lugar al último período de su vida con características incomparables en cualquier otra «historia clínica».

Habitación 924

Pasadas las primeras atenciones médicas con motivo del cuadro de mareos y malestar general, la historia clínica adquiere un giro hacia enero de 1998. Fue entonces cuando consulta en la Fundación Favaloro. El motivo principal, si bien continuaba con un cuadro de vértigo, mareos y malestar general, fue el dolor de pecho. Este síntoma denominado «angina de pecho» es un cuadro doloroso, opresivo, intenso, acompañado de malestar general y que resulta ser de origen coronario: la obstrucción de arterias coronarias causada por aterosclerosis produce una disminución de la irrigación sanguínea del corazón, con la posibilidad de que se produzca un infarto agudo de miocardio.

En la Fundación, la atendió personalmente el Dr. René Favaloro. Le indicó una coronariografía, estudio radiológico en el cual se pueden ver imágenes de las arterias coronarias para determinar si hay obstrucciones por aterosclerosis y, si es así, cuál es la magnitud y localización de las mismas. Si bien presentaba un electrocardiograma anormal, el dolor de pecho era intenso y el cuadro clínico fue descripto como «angina de pecho típico», la coronariografía, afortunadamente, no mostró obstrucciones severas. La más significativa se encontraba en una arteria importante del corazón denominada «descendente anterior». Esa obstrucción era el 60% del calibre interior de la arteria coronaria. Sin embargo, el resto de las arterias coronarias se encontraban en un estado razonable.

Fue el Dr. Favaloro quien decidió indicar el tratamiento clínico, es decir medicación, y no realizar cirugía. No era necesario. Recordemos que por entonces se encontraba en plena expansión la cirugía de by-pass aortocoronario que Favaloro había desarrollado en la Cleveland Clinic de Estados Unidos y había traído para su implementación a la Argentina. El tratamiento farmacológico fue exitoso, la paciente mejoró y el cuadro clínico se estabilizó con el correr de los días. Al comienzo de la internación, la intensa sintomatología y lo agudo de la aparición, en un paciente de sexo femenino que por entonces tenía 94 años, hacía pensar en una enfermedad progresiva de peor pronóstico, pero la evolución clínica fue favorable y hubiera sido lógico dar el alta médica del paciente a los pocos días. Sin embargo, esta internación se convertiría en algo diferente. Algo único. La paciente permaneció en su habitación del noveno piso durante los siguientes cinco años.

Tita viviría durante el resto de su vida en una suerte de monoambiente propio: la habitación 924. Éste fue un hecho único, para un caso único. No se quedó internada durante cinco años en razón de su patología, se quedó por otro motivo, se quedó porque la paciente era Tita Merello y ella quería quedarse. Este caso extraordinario, en el que se excluye una habitación de un complejo asistencial de alta complejidad, requiere una explicación. Tita era un personaje en nuestro país. Portadora de una valoración moral incuestionable. Por entonces había nacido una relación de respeto y amistad profunda con el Dr. Favaloro, sentimiento que resultaba recíproco en un sólido puente que unía a dos grandes. Muchos motivos pueden analizarse para explicar por qué Merello nunca recibió el alta médica. Podríamos nombrar varios. Pero hay uno que sería la síntesis de otros tantos. La paciente era Tita y Tita simplemente quería quedarse. ¡Andá a sacarla! Se sentía sola y no quería vivir sola. En el noveno piso de la Fundación encontró su lugar. Podríamos decir que Tita, con su carácter, simplemente se instaló en la habitación 924 (desde entonces desapareció para los administradores de la Fundación). Ésa sería su casa. De a poco, fue llevando sus cosas, cuadros, fotos, chucherías, medicamentos homeopáticos que poblaban la mesa de luz, su radio, la televisión que ya no miraba por su problema visual, su crucifijo, sus rosarios y un pequeño altar improvisado en su mesa. Tita pasaría los días caminando por la avenida Belgrano y finalmente sólo dentro de la Fundación. Asistiría a los enfermos de otras habitaciones infundiéndoles ánimo y rezando por ellos crucifijo en mano. Pasaría discutiendo con todos haciendo gala de su carácter de siempre. Si no se peleaba una vez por día, no podía ser Tita, y eso causaba alerta entre los médicos.

Favaloro no podía ni quería sacarla. Tita y Favaloro se convirtieron en amigos, se querían. Tita ya venía aislándose socialmente desde hacía años, evitaba en lo posible la prensa. Prefería la tranquilidad de la soledad. Ya en los últimos años lo pasaba sola en su departamento en Capital Federal y aprovechaba durante el verano una casa en Villa Gesell que le había regalado su hermano Pascual. Al comienzo, recibía visitas y periodistas allí, sobre todo a Juan Alberto Mateyko, que la entrevistaba con frecuencia. Pero con el tiempo también restringió las visitas de verano. Esa conducta se acentuó cuando convirtió a la Fundación Favaloro en su casa. No muchos tenían la posibilidad de visitarla, toda visita debía contar con su aprobación previa. Entre quienes con frecuencia pasaban por la habitación 924 se encontraban Eduardo Dosisto, inestimable amigo y protector; Ben Molar, por ella llamado «el rusito travieso»; Tito Lectoure, empresario y promotor del boxeo argentino; las actrices Soledad Silveyra y Mercedes Carreras, y el actor Juan Carlos Calabró.

Un capítulo especial requiere la Sra. Rosa Tejerina, Rosita. Fue ella quien acompañó inseparablemente a Tita. Fue su acompañante permanente en todas sus necesidades durante los últimos nueve años de vida de la paciente. Incluso durante la internación, Rosita viajaba todos los días desde la localidad de José Mármol, en el partido de Almirante Brown, a la Fundación Favaloro. Quienes fueron testigos de esta relación coinciden en que estaba en la habitación 924 todos los días, con lluvia, con frío, con calor o incluso con fiebre. Rosita no fallaba, era humilde, discreta y reservada y cuidaba de Tita de modo incondicional. Rosita podía y sabía tolerar el carácter de Tita y ésta recordaría a Rosita hasta el último momento.

Desde la internación y el diagnóstico inicial del Dr. Favaloro, fue el Dr. Roberto Boughen el médico clínico encargado del seguimiento de Tita Merello durante los cinco años que permaneció en la Fundación. Fue él quien lidió con sus contingencias de salud y altibajos que presentó durante la internación. Boughen da testimonio del temperamento de Tita en este período de su vida. Describe que era una persona demandante y que casi necesitaba discutir diariamente. Pero no en un sentido negativo, más bien como modo de confirmar que era considerada, querida. Cuenta Boughen que en más de una oportunidad Tita le indicaba a Rosita que fuera a la oficina del médico y trajera su saco a la habitación 924, para que Boughen no pudiera retirarse de la Fundación sin pasar a verla. Alguna vez se dirigía a él como «usted, doctor» y otras tantas como «che, vos doctor». También solía decirle «favor sentate» y le contaba sus necesidades, dolencias e incluso, de tanto en tanto, algún recuerdo. El colega describe que el «personaje» de Tita era ella misma. Tita era Tita. Lo cierto es que «negociaba cariño». Boughen fue testigo de la relación de Tita con Favaloro. El trato era muy cariñoso, se trataban con una suerte de semituteo, a veces de vos, a veces de usted. Favaloro no participaba de los temas médicos cotidianos. Después de su primera intervención, el trato con Tita fue más como amigo que como médico. Cuenta Boughen que Tita ya no miraba televisión. Veía poco. Prefería escuchar radio y dormirse con ella bajo la almohada escuchando hasta muy tarde a Dolina o a Esteban Mirol. Por su parte, el Dr. Raúl Merbilhaá, cardiólogo de la Fundación, era quien realizaba el seguimiento y las interconsultas cardiológicas. Su descripción del perfil de la personalidad de la paciente es coincidente con el de otros profesionales. Cuenta Merbilhaá que Tita siempre mantuvo su mirada profunda, penetrante, intensa. Paciente temperamental cuyo rostro de los últimos años no hizo más que acentuar esa mirada.

Durante toda la internación, la paciente se mantuvo asintomática con la medicación cardiológica; sin embargo, el cuadro depresivo fue aumentando paulatinamente. De hecho, recibía antidepresivos, que fueron efectivos sólo al comienzo. El ritmo del sueño iba cambiando y sus ciclos de sueño y vigilia ya no coincidían con el día y la noche. Hasta que un hecho imprevisto golpeó con fuerza a Tita.

Corría julio del 2000 cuando una noticia inesperada conmovió a todos: el suicidio del Dr. René Favaloro. El impacto en Tita fue enorme. De algún modo, responsabilizó a toda la sociedad por su muerte. El vínculo entre ellos era enorme. Dijo en ese momento: «Los hombres y mujeres de la Fundación nos quedamos sin padre. Tengo un retrato de él en mi altar». Sin duda, su pérdida le resultó devastadora e iniciaría un camino de no retorno en la emocionalidad de la paciente. Moría la persona a quien quería, respetaba y le había abierto la puerta de su casa para que viviera en ella. Luego de la muerte de Favaloro, Tita siguió viviendo en el 9º piso de la Fundación. Nadie rompió el tácito contrato. Tal era el respeto en la Fundación por ambos.

En octubre de 2001, Tita cumplió 97 años. Fue cuando Eduardo Dosisto le hizo un regalo especial sabiendo que era su deseo. Así lo relata:

«El día de su cumpleaños número noventa y siete, Tita me contó que su deseo más importante era poder ir a la Iglesia San Pedro Telmo, ubicada en la calle Humberto Primo, la misma donde la habían bautizado. Consideré brevemente la situación porque, en aquel momento, para cada cumpleaños de Tita, la puerta de la Fundación Favaloro se llenaba de periodistas ansiosos por conseguir una nota con ella. Se me ocurrió entonces llamar a Ben Molar para que nos acompañara en ese momento, porque yo lo consideraba su amigo más directo, el hombre que siempre estaba con ella, su «rusito travieso», como ella lo llamaba. Salimos en mi auto por la puerta de atrás de la Fundación; era casi la una del mediodía cuando llegamos a la iglesia y la encontramos cerrada. Toda una decepción, pero yo no iba a darme por vencido y menos tratándose del deseo de Tita.
Decidí tocar timbre y preguntar por el cura a la persona que me atendió Cuando quiso saber quién lo buscaba con tanta urgencia, le contesté: "Dígale al padre que en el coche está Tita Merello; ella fue bautizada aquí y le gustaría entrar". Nunca olvidaré la felicidad del Padre Ernesto cuando vio a Tita, sentada en su silla de ruedas, entrar a la iglesia. Ella le contó que su última voluntad era ser enterrada allí. El sacerdote le explicó que no iba a ser posible porque no se podía enterrar a nadie en las iglesias pero le prometió que,

cuando llegara ese día, haría una misa de cuerpo presente. Intercambiaron algunas palabras más y luego de que ella rezara durante algunos minutos, nos fuimos».

Memoria de un Boticario,
EDUARDO DOSISTO

Durante el último año de internación, un día la paciente revela un hallazgo. Hacía tiempo que presentaba un tumor mamario. Ella misma sostenía que era cáncer. Sin embargo, no aceptó realizar biopsia ni otros estudios diagnósticos. El Comité de Bioética de la Fundación, teniendo en cuenta la avanzada edad de la paciente, decidió respetar su deseo. La estrategia terapéutica sería acompañar a la paciente evitando complicaciones y dolor.

Corría el año 2001 y el cuadro depresivo aumentaba. Por momentos, Tita ya no se alimentaba y requería alimentación por suero y sonda nasogástrica. Durante breves períodos mejoraba.

«Me queda poca cuerda en el carretel...»

En marzo de 2001, una nueva pérdida emocional la alcanzaría: la muerte de Juan Carlos «Tito» Lectoure. La paciente continuaba con su medicación habitual que incluía antidepresivos que ya no funcionaban. La falta de apetito, la pérdida de peso y la depresión aumentaban. Se repetían infecciones urinarias de difícil tratamiento. Y aún el destino le deparaba otro dolor. En octubre de 2002, moría su hermano Pascual. Dosisto, quien cuidaba constantemente de Tita, había decidido postergar la noticia. Pero al poco tiempo estaban en la habitación con el Dr. Boughen, quien controlaba a la paciente, y Tita les preguntó por la salud de su hermano. No tuvieron más remedio que decírselo. Ya no podía guardarse el silencio protector. Entonces el Dr. Boughen tomó la iniciativa y explicó lo sucedido. Tita, luego de un largo silencio, respondió: «Perdí tres amores de mi vida: el Dr. Favaloro, Tito Lectoure y ahora mi hermano. Para qué quiero vivir más». Desde entonces, ya no se levantó de la cama.

No tardaron mucho en agregarse nuevos síntomas al decaimiento, la depresión, la falta de apetito y el deterioro del estado general. Comenzaría con problemas neurológicos. El primer síntoma fue la pérdida de fuerzas en un brazo al que se sumó rápidamente cierto estado de adormecimiento. El cuadro clínico hizo pensar en un accidente cerebrovascular (ACV). De inmediato, se realizó una tomografía computada. Ésta reveló algo inesperado: varias lesiones en distintas partes del cerebro. Se descartó un accidente cerebrovascular. Las múltiples lesiones debían corresponder a lesiones tumorales metastásicas, cuyo origen debía ser de un tumor primitivo ubicado en otra parte del cuerpo habida cuenta que las imágenes topográficas eran características de metástasis. Por lo tanto, el diagnóstico más probable era metástasis cerebrales de un cáncer de mama. Tita había superado el inicio de un cáncer de cuello de útero en 1980. Ahora la alcanzaba otro cáncer. Era el destino.

Dadas las condiciones clínicas de la paciente, se decidió administrar corticoides como único tratamiento. La sintomatología neurológica mejoró durante un tiempo. Al conocer su situación, Tita pidió que se ahorraran el dinero de las flores y lo donaran a la Fundación Favaloro. Era el final de un largo camino. Se le había escuchado decir: «Esta Navidad quiero pasarla con los míos, allá arriba, todos juntitos». Según los médicos, sus últimos días fueron como una vela que se apagaba lentamente, en paz. Al fin, su deseo se cumplió. El sábado 24 de diciembre de 2002 a las 12:40 horas del mediodía, en vísperas de Navidad, Tita se reunió con los suyos.

Leonardo da Vinci: un paciente del Renacimiento italiano

Para hacer esta historia clínica debemos remontarnos a la Europa occidental de los siglos XV y XVI y particularmente a Italia, donde nos encontraremos con ese período de la historia de la humanidad llamado «Renacimiento», en el cual el explosivo desarrollo de las artes, la política y las ciencias dejó atrás mil años de oscuridad medieval. Veamos. Si el paciente que ingresa a la consulta nació en Urbino, cerca de Florencia, y pintó la magistral obra *La escuela de Atenas*, donde Sócrates, Platón, Aristóteles, Heráclito y otros filósofos discuten temas del pensamiento, estaremos en presencia de Rafael, pintor y arquitecto italiano que hizo de la perfección su perfil más sobresaliente. Si quien ingresa al consultorio nació en Caprese, un municipio italiano de la provincia de Arezzo, y esculpió extraordinarias esculturas como *La piedad* expuesta en la basílica de San Pedro del Vaticano y *El David* de la galería de la Academia de Florencia, o pintó la bóveda de la Capilla Sixtina del Vaticano, estaremos en presencia de un escultor y pintor genial llamado Miguel Ángel. Pero si quien ingresa al consultorio nació en Vinci, cerca de Florencia, y pintó la *Mona Lisa*, imaginó el helicóptero quinientos años antes de su invención, fue anatomista, artista, arquitecto, escultor, botánico, zoólogo, científico, escritor, músico, poeta, ingeniero, fisiólogo, geólogo y filósofo, estaremos en presencia del hombre que es la mayor expresión del Renacimiento italiano: Leonardo da Vinci. Sobre él trata esta historia clínica.

El comienzo de la historia clínica

Toda historia clínica comienza por el principio, y el principio es el nacimiento. En ese momento, al inicio de la vida y de la infancia es cuando los acontecimientos y las primeras experiencias quedan grabadas y dan lugar a la personalidad, conforman la esencia del ser. Pero también hay algo que se trae con uno al momento de nacer, lo genético, que va a ser la materia prima que será esculpida por las experiencias de la vida. Ambas condiciones, lo genético y lo adquirido, han resultado en Leonardo la expresión máxima del hombre del Renacimiento.

Como paciente, sin duda, impresionaría a cualquier médico y ya desde los primeros minutos de la consulta. Imaginemos una simple pregunta que un médico podría hacer al paciente: «Dígame, Sr. Leonardo… ¿a que se dedica?» ¿Cuál podría ser la respuesta de un hombre que desarrolló como nadie las más diversas áreas del saber humano? Seguramente no alcanzaría una consulta para delimitar los alcances del quehacer de este hombre genial. Sin duda, la formulación de la historia clínica pasaría por comprender el porqué de su genialidad, nos obligaría a indagar las razones del genio, de la habilidad, de la creatividad y la destreza en un plano del quehacer universal del hombre. Sobre esos aspectos se centra esta historia clínica. Pero no tenemos autopsia, no tenemos anatomía cerebral, no contamos con tomografías ni resonancia magnética nuclear que nos muestre su cerebro con la esperanza de encontrar alguna diferencia anatómica o funcional distinta a un cerebro «normal». En su defecto, acudiremos a su historia, a su biografía y sobre todo a su obra, intentando que ésta nos permita ir hacia atrás, analizando a la manera de una «ingeniería inversa» las creaciones del paciente para así intentar entender el la mente que le dio origen. El análisis de sus obras será uno de los elementos que nos permitirá conocer a nuestro paciente, Leonardo Da Vinci.

Nacimiento, familia y contexto cultural

El paciente nace el 15 de abril de 1452 en Anchiano, pueblo ubicado a tres kilómetros de Vinci, en la Toscana Italiana. Su madre, Caterina, dio a luz a Leonardo en una casa sumamente humilde. Caterina trabajaba como moza en una taberna y era conocida por su belleza. El padre de Leonardo, Ser Piero, era notario y pertenecía a una familia adinerada. Ser Piero no se casó con Caterina; es más, se casó con otra mujer, quien fuera su primera esposa, Albiera de Giovanni Amadai, el mismo año que nació Leonardo. Podemos imaginar el dolor de Caterina. Ser Piero tuvo en total cuatro esposas. No tuvo hijos con la primera ni con la segunda, con su tercera esposa tuvo dos hijos y con la cuarta tuvo siete hijos y dos hijas. El abuelo de Leonardo exigió a su hijo que lo reconociera y se encargara de su mantención. Esto sucedió recién cuando Leonardo tenía cinco años, recién entonces conoce a su padre. Así, a tan temprana edad, Leonardo debe alejarse de su madre para ir a vivir con su abuela paterna en Vinci.

Mientras tanto, el contexto cultural que tenía lugar durante los primeros años de vida de Leonardo, fue el revolucionario inicio del Renacimiento. Por entonces, apareció un invento aún más revolucionario que Internet: la imprenta de Juan Gutenberg. Los monasterios de la Edad Media comenzaron a dejar de ser los únicos ámbitos donde se detentaba el conocimiento. Durante cerca de mil años habían poseído la hegemonía del saber, que estaba destinado a unos pocos. Era el único lugar donde se leía y escribía, el resto era desconocimiento. El Renacimiento trajo la luz que acabaría con tanta oscuridad.

A partir de la aparición de la imprenta, el conocimiento se expande, se extiende, comienza a ser accesible. La cultura se convierte en una moda, se populariza y se produce una explosión del quehacer creativo del hombre. Dante Alighieri con su

Divina Comedia y Bocaccio con su *Decamerón* fueron el anticipo de lo que sería la expansión del movimiento humanista del Renacimiento. En tanto que Nicolás Copérnico derriba la creencia establecida al afirmar que los planetas giran alrededor del Sol y que, en consecuencia, la Tierra no era el centro del universo. Los hombres de entonces abrazaban distintas disciplinas, Copérnico mismo no sólo era astrónomo, también era médico. Galileo Galilei estudió primero medicina y terminó desarrollando el telescopio, adhiriendo a las teorías copernicanas y describiendo cráteres lunares y los anillos de Saturno. Vesalio fue un anatomista de referencia y Harvey describió la circulación sanguínea. El arte recibía a Miguel Ángel, Rafael, Donatello, Botticelli, Van Eyck y Van der Weyden, entre muchos otros. El Renacimiento fue el período del conocimiento universal.

Ése era el crisol de época donde Leonardo ya se destacaba desde sus primeros pasos en el colegio. Aprendió a leer y escribir rápidamente. Precozmente hizo notar su capacidad de observación. De carácter retraído, se alejaba de su casa y del colegio para dedicarse a observar la naturaleza. Se aislaba del mundo para «ver» y mirar los fenómenos naturales y aprender de ellos. Ésa era su motivación, observar para aprender y aprender para crear.

El pensamiento del paciente

El interés que despierta aproximarnos a Leonardo Da Vinci desde el pretexto de confeccionar su historia clínica, radica en la brillantez del gran maestro renacentista. Si un médico pudiera elegir a un paciente, extraído de la historia universal, sin duda Leonardo sería uno de ellos. Sólo imaginemos una hora de conversación con Leonardo, cómodamente sentados en una plaza de Florencia... El conocimiento del paciente comienza, sin duda, por percibir su modo de ser, su personalidad; es decir, ese conjunto de características emocionales, intelectuales y pautas de comportamiento que resultan estables en el tiempo y por el cual una persona es lo que es, su «patrón único» de comportamiento. La forma de conocer el perfil de la personalidad de este apasionante personaje es, entre otras cosas, sus escritos. Leonardo dejó más de 7.000 escritos que nos hablan de él, de sus intereses, sus inclinaciones, su pensamiento, su emoción, sus gustos y su rigurosidad por aplicar el método científico. Del análisis de tales escritos puede percibirse su aversión a las ciencias ocultas, pues refutaba a los falsos científicos y a los astrólogos. Su pensamiento se basaba en el método científico.

Entre los escritos de Leonardo que fueron publicados podemos mencionar las compilaciones más importantes, hechas por Edmundo Solmi, la *Frammenti letterari o filosofici* (Florencia, G. Barbera Editore, 1900), y por Luca Beltrami, el volumen XXII de la serie de *Gli Inmortali* (Istituto Editoriale Italiano, s. f.). Otra importante fuente es el *Codex Atlanticus*, de la Biblioteca Ambrosiana de Milán. J. P. Ritcher publicó en Londres *Las obras literarias de Leonardo da Vinci* con más de 1.500 notas del maestro, esta vez en clave literaria. La lectura de sus notas nos permite ver a un hombre universal cuyo interés incluye las ciencias, la naturaleza, la física, la óptica, la mecánica, la ingeniería, la medicina, la anatomía humana y la anatomía comparada con otros animales, la biología, la fisiología, la astronomía, la arquitectura, el urbanismo, la geología, la higiene ambiental, la cocina, la música, la poesía, la filosofía, la estética, la moral y muchos otros campos de interés que nos hacen presumir su personalidad. En distintos escritos, queda clara su noción sobre Dios y su importancia determinante en la existencia de los seres vivos y de todo el mundo conocido, también el menosprecio por la magia o la alquimia y todo aquello que no pueda explicarse por la ciencia experimental. Leonardo era un hombre observador, sensible, educado, inteligente, trabajador, amable, calmo, paciente, tranquilo, bondadoso, respetuoso de la naturaleza, agudo, crítico, ordenado y disciplinado. Tenía una alta capacidad de trabajo y voluntad. Es posible, teniendo en cuenta sus pautas de comportamiento, que se tratara de una persona neurótica. Si bien trabajaba en forma continua y era disciplinado, frecuentemente tardaba mucho tiempo en terminar sus trabajos. ¿Por qué? No es que simplemente fuera «lento», más bien era reflexivo y muy detallista. Analizaba sus observaciones, escritos y pinceladas con extremo detalle. Era lento porque analizaba todo milímetro a milímetro, era un perfeccionista. Físicamente, se trataba de un hombre de buena presencia y contextura física. Gustaba de la conversación amable evitando las discusiones estériles. En definitiva, se trataba de un hombre de características excepcionales con una producción artística y científica sin igual en la historia de la humanidad. Un hombre universal.

Vegetariano, homosexual, zurdo... y escribía al revés

El paciente era un hombre de alta sensibilidad, un enfático observador de la naturaleza y, como tal, con fascinación la admiraba. Así, respetaba profundamente la vida y los animales. Se cuenta que compraba pájaros en el mercado y los dejaba en libertad para verlos volar y escapar del encierro. Dicen que Leonardo se impresionó emocionalmente cuando vio, por primera vez, cómo sacrificaban a un cerdo. Prometió no comer más carne. Fuera ése el motivo o no, lo cierto es que Leonardo era vegetariano. No por razones de salud, por entonces esa discusión no existía. Tampoco lo hacía por una estéril necesidad de diferenciación, simplemente lo hacía porque respetaba a los animales. Veamos ahora en la historia clínica los otros aspectos señalados en el paciente.

Homosexualidad

Este aspecto de Leonardo es evitado por algunos historiadores, biógrafos y estudiosos del arte. Los prejuicios existieron siempre, en el Renacimiento y hoy. Pero a la hora de estudiar al paciente en una historia clínica, sobre todo en el caso de una persona donde lo saliente son sus habilidades intelectuales y creativas, la sexualidad debe ser abordada porque las diferencias de género existen y son evidentes. La homosexualidad, en un punto, podría dotar de habilidades y sensibilidad integrada de ambos géneros y en consecuencia explicar de modo conjetural las características de Leonardo, es decir, en este caso, de nuestro paciente en estudio. Debe comprenderse que nuestro comportamiento resulta ser consecuencia de nuestra función cerebral y esa función también tiene que ver con la anatomía y la forma en que las neuronas se conectan en nuestro cerebro. Del mismo modo que existe una diferenciación sexual de los genitales, existe una diferenciación sexual del cerebro. Es decir, el cerebro del hombre no es igual al cerebro de la mujer. Eso es una realidad científicamente comprobada. Sencillamente podemos decir que así como hay diferencias anatómicas evidentes entre el cuerpo del hombre y el de la mujer, también hay diferencias anatómicas en el cerebro. Está comprobado que distintas estructuras de la anatomía cerebral presentan diferencias sexuales y que estas diferencias se explican, entre otras causas, por las funciones hormonales. Hay partes de nuestro cerebro que se encargan específicamente de la conducta sexual, las conductas relacionadas con la reproducción, las funciones testiculares y, claro está, el control del ciclo ovárico femenino. Ahora bien, vayamos al inicio de la vida, al momento en que un espermatozoide se encuentra con el óvulo. ¿Qué es lo que determina que de esa unión resulte un hombre o una mujer? La respuesta es la carga o información genética aportada por el espermatozoide. Es el espermatozoide el que contiene los cromosomas que dan la información genética para que el óvulo fecundado termine por formar un varón. Si esto no sucede, el embrión dará siempre lugar a una mujer. Es decir, la historia natural de la fecundación de un óvulo por un espermatozoide es la formación de una mujer, excepto que la información genética del espermatozoide determine lo contrario:

«Cuando el óvulo es fecundado por el espermatozoide, el embrión resultante dará como consecuencia un desarrollo femenino, tanto en sus órganos sexuales, en sus caracteres

sexuales secundarios (voz, actitudes, conductas, etc.), como en algunas características anatómicas del cerebro; en cambio, si la información genética es masculina, el embrión se «diferencia»en sentido masculino por el efecto hormonal ejercido por la hormona masculina (testosterona). Más simple aún: todo embrión está destinado a ser mujer excepto que en un momento dado genere hormona masculina, y así cuerpo, cerebro y mente se desarrollan en sentido masculino»[1].

Se sabe en la actualidad que hay muchas diferencias sexuales en la anatomía cerebral del hombre y la mujer. Claro está, estas diferencias anatómicas y sobre todo funcionales, explican las diferencias de conductas. Hasta aquí contamos con suficiente evidencia para afirmar que el cerebro del hombre y la mujer son anatómica y funcionalmente diferentes. Ahora la pregunta es ¿existen diferencias entre el cerebro de una persona heterosexual y una homosexual? Bueno, la evidencia de los estudios anatómicos dice que sí, se han encontrado diferencias entre el cerebro de un homosexual y un heterosexual. A modo de ejemplo, citemos algunas de esas diferencias anatómicas bien comprobadas. Una de esas diferencias podemos encontrarlas en una parte del cerebro que es el núcleo supraquiasmático. Este núcleo cerebral es más grande, es decir, contiene más neuronas, en los hombres homosexuales que en los heterosexuales. Otro núcleo que se encuentra en una parte del cerebro llamado hipotálamo (el núcleo NIHA-3) es más pequeño en los hombres homosexuales. Podemos, aunque hay otras diferencias más, nombrar por último otra parte del cerebro llamada «sección transversal sagital media de la comisura anterior» que es más grande en los hombres homosexuales. Sin embargo, cabe preguntarse si las diferencias anatómicas son las que condicionan las conductas homosexuales o en cambio es la orientación sexual como resultado de la «modelación de la personalidad» lo que genera o produce cambios anatómicos.

1 *El Cerebro de Leonardo*, Daniel López Rosetti, Buenos Aires, Lumen, 2006 (1ª edición), pág. 107.

¿El huevo o la gallina? También es posible, y tal vez lo más probable, que la conducta sexual sea el resultado de la combinación de factores ambientales de experiencias vivenciales que determinan la personalidad y la anatomía. Desde ya que, como en cualquier área de la ciencia, faltan aún más estudios, pero la evidencia actual indica que las diferencias anatómicas existen.

Ahora, llega entonces el momento de hablar de otro concepto que es el de «identificación sexual». Resulta que la «personalidad» es mucho más que anatomía. La integración del ser, y lo que nos define como únicos a cada uno de nosotros, es el resultado de la genética y de las experiencias de vida, es decir de nuestra integración a nuestra propia «historia vital». La identificación sexual, por lo tanto, es más que simple anatomía. En consecuencia, una persona físicamente con rasgos masculinos o femeninos puede estar identificada o no con esa condición física. Las variables son múltiples. Puede ir desde la consonancia total entre el sexo genéticamente determinado, hombre o mujer, y la identificación u orientación sexual, pasando por variables tales como la bisexualidad, la homosexualidad y la transexualidad. Esta última es el caso de aquella persona cuya identificación psicológica sexual se encuentra en completa oposición a su determinación genética y por ese motivo decide modificar quirúrgicamente sus órganos sexuales para adecuar su anatomía a su identificación sexual. Como podemos ver, el tema es bien complejo, tal como lo es el ser humano, que admite todas las diferencias, la diversidad misma que surge de esa complejidad. Es decir todos somos diferentes. También lo fue Leonardo. Ahora bien, dicho esto vamos a echar mano a valiosa información que permite aproximarnos a la posibilidad histórica sobre la homosexualidad del genio del Renacimiento.

Un recuerdo infantil de Leonardo da Vinci

Mucha es la información biográfica que hace referencia a la homosexualidad del paciente. De hecho, no se le ha conocido relación con mujer alguna, ni estable ni circunstancial. Debe agregarse en la historia clínica un hecho que fue vivenciado por Leonardo como verdaderamente traumático. En aquel momento, en Florencia, se aceptaban denuncias anónimas que podían ser depositadas en buzones especiales preparados al efecto, que se encontraban en el Domo del Palazzo Vecchio. Leonardo, por entonces con 24 años, junto a otros jóvenes, fue acusado de sodomía practicada en un muchacho de 17 años llamado Jacopo Saltarelli. Por falta de pruebas, Leonardo fue sobreseído, pero el hecho resultó fuertemente traumático para él. El antecedente no puede dejar de ser considerado junto a otros datos biográficos.

Un aporte importante sobre la vida sexual de Leonardo lo realizó Sigmund Freud, que realizó un análisis psicológico del artista en base a un sueño que el mismo Leonardo describió. También consideró en su análisis datos emergentes de sus pinturas y datos biográficos. Publicó así en 1910 el estudio que denominó «Un recuerdo infantil de Leonardo da Vinci». Freud comienza su escrito describiendo a Leonardo como un hombre alto, bien proporcionado, de buena presencia, bello rostro, gran fuerza física, amable, hábil con la palabra y de buenos modales. Agrega que le gustaban las vestimentas delicadas y era de gustos refinados. Freud define a Leonardo como «portador de una femenina ternura en su sensibilidad». Fundamenta éticamente su trabajo sobre la sexualidad del paciente con varias razones, pero conviene citar textualmente a Freud...: «Si un ensayo biográfico intenta penetrar efectivamente en la inteligencia de la vida anímica de su héroe, no debe silenciar, como lo hace la mayoría de los biógrafos por discreción, el quehacer sexual, la peculiaridad sexual... es poco lo que se sabe sobre Leonardo sobre esta materia, pero esos escasos datos son significativos».

Freud analizó la inclinación sexual de Leonardo en sus trabajos, en la forma como se divertía, en sus gustos, en sus refinados modales, en sus escritos y afirmó que Leonardo era portador de una inclinación conductual de orden femenino, es decir, una inclinación homosexual. El fundador del psicoanálisis afirma que «la observación de la vida cotidiana de los seres humanos nos muestra que derivan hacia su actividad laboral partes considerables de sus pulsiones[2] sexuales». Freud llamó a este proceso «sublimación», es decir, trasladar la energía sexual al área laboral. Utiliza como fuente de su análisis una descripción que Leonardo deja escrita sobre su infancia. Dice Leonardo: «Parece como si me hallara predestinado a ocuparme tan ampliamente del buitre[3], pues uno de los primeros recuerdos de mi infancia es que, hallándome en la cuna, se me acercó uno de estos animales, me abrió la boca con su cola y me golpeó con ella, repetidamente, entre los labios». Freud afirma que la «cola» (hace referencia a la cola del buitre) es un símbolo sustitutivo y equivalente al miembro viril. Por lo tanto, concluye que la descripción de Leonardo cuando dice que «... me abrió la boca con su cola y me golpeó con ella, repetidamente, entre los labios», hace referencia a una acción clara de *fellatio*. Freud es en extremo respetuoso con Leonardo, de manera que advierte al lector desprevenido lo siguiente «...que el lector se contenga y no rehúse, arrebatado por la indignación, a seguir el psicoanálisis por el hecho de que ya en sus primeras aplicaciones lleva a mancillar de una manera imperdonable la memoria de un hombre grande y puro».

Freud también hace notar en su trabajo que Leonardo pasa su primera infancia con su madre verdadera, Caterina, y con la falta de imagen paterna, y agrega que luego, a los 5 años, fue a vivir a Florencia con su «nueva madre» Albiera, esposa de su padre Ser Piero. Éste era un escribano adinerado y de muy buen nivel de vida. Freud analiza que Leonardo sufrió ausencia de padre en su primera infancia y como contrapartida la influencia de un padre fuerte y dominante a partir de los 5 años de edad. El fundador del psicoanálisis interpretó que las

2   Cabe aclarar que «pulsión sexual» hace referencia al instinto, que en el hombre es un instinto humanizado llamado, precisamente, pulsión.

3   La traducción al alemán fue en su momento incorrecta, ya que debía decir *milano*, es decir otra ave. A los efectos del análisis e interpretación del recuerdo no plantea diferencias.

conductas adultas de Leonardo con respecto al buen vestir, los gustos refinados y el disfrute de los placeres de la vida gozando de las fiestas y banquetes fueron una suerte de imitación del estilo de vida de su padre.

La expresión artística es una expresión emocional. La técnica puede perfeccionar la obra pero la esencia es fuertemente emocional. En la expresión de la emoción la obra artística tiene sentido. Así lo vio Freud en una de las pinturas más significativas del paciente en el cual estamos desentrañando su emocionalidad, su psicología. Se trata de *Santa Ana, la virgen y el niño*. En la pintura se observan tres cuerpos humanos dispuestos en forma piramidal. Santa Ana en la posición más alta, la virgen María sobre su regazo y más abajo Jesús sostenido por su madre. Jesús, a su vez sujeta un cordero. Ambas mujeres se ven muy jóvenes, por lo que se supone son de edades parecidas. Sus rostros lucen suaves, delicados, con pureza y lozanía. Así, Leonardo resalta la santidad de ambas mujeres. Las sonrisas tienen un aspecto que hace recordar a la Gioconda pero en este caso expresan bondad y ternura. La obra, como otras de Leonardo, fue una obra inacabada. Lo acompañó hasta el momento de su muerte, lo que hace pensar en la importancia que esa pintura tenía para él. Freud hace una interpretación analítica de la pintura. Concluye que en ella se expresa toda la historia infantil de Leonardo. Afirma que el artista veía en María a su madre adoptiva, Albiera, que lo había recibido cuando él tenía 5 años de edad y en Santa Ana a su abuela, la madre de Albiera, Mona Lucía, con quien también se crió. También sugiere Freud que la primera infancia estaba reflejada en la pintura, cuando Leonardo tuvo dos madres, la verdadera, Caterina, y luego la esposa de Ser Piero, Albiera. Tanto la primera como la segunda interpretación convergen y cristalizan en la pintura la infancia de Leonardo.

La homosexualidad, sabemos hoy, es el resultado de múltiples variables que interactúan entre sí de un modo único e irrepetible. La genética como probable condicionante unida a las experiencias de vida de cada persona son factores que se asocian para determinar la elección y la identificación sexual.

De tal suerte, la homosexualidad no es otra cosa que una característica neurobiológica y de pautas de comportamiento que determina la conducta estable de la persona constituyéndose así en parte de su personalidad. Cada ser humano es único, irrepetible y, en consecuencia, diferente a todos los demás. La homosexualidad no es más que una de esas posibles variables que forman parte de la personalidad de cualquier ser humano. Ahora bien, ¿por qué explorar la sexualidad del paciente? Porque el paciente en estudio es sin duda uno de los personajes más trascendentes de la historia universal que ha sintetizado como ningún otro la capacidad de la creación artística con el desarrollo de aptitudes técnicas y científicas inigualables. La pregunta es ¿a qué puede deberse tal maestría? Seguramente puede conjeturarse que se trata de un hombre en el cual se hayan integrado las aptitudes, las capacidades, las características y la sensibilidad de ambos géneros. Tal vez sea ésta una de las respuestas al misterio de la genialidad de Leonardo.

Zurdo

El paciente que tenemos frente a nosotros no es cualquier persona. Se trata de uno bien complejo en tanto intentemos delinear su psicología y el porqué de sus aptitudes. Incluso aunque no se tratase de uno de los maestros del Renacimiento italiano, resulta evidente que no es alguien común, tiene perfiles que sumados integran una personalidad y una identidad saliente y particular. A ese hombre que por respeto a la vida eligió ser vegetariano y tenía una conducta homosexual, se suma otra característica que no podemos desestimar desde la biología y la medicina: era zurdo. Es un hecho que, como veremos, no debe desestimarse. Para comenzar, señalemos una observación que no puede pasarse por alto. Tres hombres fueron los grandes pintores del Renacimiento italiano, nuestro paciente, Leonardo da Vinci, Rafael y Miguel Ángel. ¡Los tres fueron zurdos! ¿Casualidad? Muy probablemente no.

Para comenzar digamos que el 7 al 10% de la población es

zurda; el resto, aproximadamente el 90%, es diestra, es decir escribe con la mano derecha. Pero como ejemplo digamos que hay varios estudios que muestran que dentro de los artistas plásticos la proporción de zurdos es significativamente mayor al de la población general. Es decir, hay más artistas zurdos. En consecuencia, el caso de Leonardo, Rafael y Miguel Ángel no se debe sólo a la casualidad. Debe existir causa científica que lo explique, como veremos más adelante. Además, debemos agregar que es llamativa la proporción de famosos zurdos que se han destacado en las más diversas actividades. Para nombrar sólo algunos, citemos a los siguientes, además de los tres grandes pintores: Albert Einstein, Ramsés II, Alejandro Magno, Julio César, Tiberio, Luis XVI, Benjamin Franklin, Simón Bolivar, David Rockefeller, Bill Gates, Diego Armando Maradona, Lionel Messi, Ayrton Senna, Guillermo Vilas, John McEnroe, Marina Navratilova, Harry Truman, Gerald Ford, Ronald Reagan, George H. Bush, Bill Clinton, Fidel Castro, Charly García, Paul Mc Cartney, Phil Collins, Ringo Star, Charles Chaplin, y podríamos seguir. Algo pasa con ese 7 o 10% de los zurdos, sin duda está relacionado con el condicionamiento de algunas habilidades especiales. Vayamos entonces a nuestro paciente y a las causas de la zurdera y en tanto ello averiguar en qué medida esta particularidad aporta o explicaría las habilidades de Leonardo da Vinci.

No hay una razón teórica universalmente aceptada que explique la razón de la zurdera. Como en otras condiciones, los científicos se han puesto de acuerdo en que el condicionamiento genético resulta necesario. Sin embargo, no es suficiente. La genética no es una sentencia, es un condicionamiento, una predisposición; los factores ambientales y las experiencias de vida juegan un papel en la expresión de los genes. Aquí se aplica la misma explicación que para la homosexualidad, muy probablemente influyan como causa factores genéticos y ambientales. Ahora bien, la «siniestralidad» o «zurdera», justamente porque parece tener influencia genética, es más frecuente cuando uno de los padres es zurdo. A su vez, si ambos padres son zurdos es aún más probable que el hijo sea zurdo. Sin embargo, esta explicación no sería solamente genética. Como hemos dicho, el ambiente influye y mucho. Por ejemplo, podemos suponer que dos padres zurdos pueden «condicionar» el aprendizaje de su hijo facilitando que éste aprenda a utilizar la mano izquierda. Pero aun en este caso, además de la condición familiar ambiental, debería sumarse el condicionamiento genético. Un punto que debe considerarse en este sentido es que el condicionamiento familiar no ha tenido influencia en Leonardo ya que ninguno de sus familiares fueron zurdos. Se dio sólo en él. También cabe señalar que Leonardo no era totalmente zurdo. Las personas no tienen que ser totalmente zurdas. Por ejemplo, hay personas que escriben con la mano izquierda pero usan la mano derecha para marcar un número de teléfono, sostener el cuchillo para comer o tomar la parte superior de una escoba. Hay zurdos para patear la pelota pero que para apuntar un arma usan el ojo derecho. El caso de Leonardo es desde el punto de vista de nuestra historia clínica aún más interesante. Leonardo escribía con la mano izquierda pero para el resto de las actividades era ambidextro, es decir, podía utilizar ambas manos.

La pregunta que cabe hacerse a esta altura es si ser zurdos aumenta la posibilidad de ser más inteligentes, hábiles, con mayor capacidad artística e incluso, como en este caso, llegar a la genialidad. La respuesta estaría en la función de los hemisferios cerebrales. Resulta que nuestro cerebro se divide en dos mitades o hemisferios y cada hemisferio se especializa en algunas funciones, aunque es claro que una persona resulta ser la integración de todas las funciones mentales. Señalemos como ejemplo que el hemisferio cerebral izquierdo se especializa en funciones lógicas, matemáticas, lingüísticas o verbales, en razonamientos secuenciales, etc. También se encuentra en el hemisferio izquierdo el «centro del habla» que es el área cerebral de la expresión y comprensión tanto de la palabra hablada como escrita. Este «centro del habla» se encuentra en el hemisferio izquierdo en el 95% de los diestros y en el 70% de los zurdos. El 30% restante de los zurdos parece distribuir las funciones del habla en ambos hemisferios. A su vez, el hemisferio derecho se especializa en los procesos mentales no verbales, tales como la imaginación, los procesos creativos incluyendo la creación artística, el reconocimiento de caras, la espiritualidad o la noción de Dios, la orientación en el espacio, el manejo de elementos visuales relacionados con el espacio y la redimensión, entre otras funciones no verbales. También, y esto es más que interesante, el hemisferio derecho es el que nos permite entender el contenido emocional de un mensaje. Por ejemplo, si leemos unas palabras que debieran producirnos alegría, nuestro cerebro comprende perfectamente lo que lee con el hemisferio izquierdo, pero es necesario el derecho para «sentir» la alegría. Está claro que el funcionamiento humano normal requiere de la integración de las funciones de ambos hemisferios como un todo. El paciente que tenemos frente a nosotros, Leonardo da Vinci, cuya historia clínica estamos confeccionando, nos obliga a buscar en todas sus características clínicas y comportamentales el posible fundamento que permita comprender la causa de su genialidad. La gran integración de las funciones mentales atribuidas a ambos hemisferios cerebrales en un paciente zurdo bien podría ser una de ellas a la hora de explicar la creatividad del maestro.

Leonardo escribía al revés

Leonardo exaltaba las virtudes de la visión humana y afirmaba que «el ojo, a una distancia y en condiciones medias, se equivoca menos en su oficio que cualquiera de los otros sentidos...» Era, de hecho, un gran observador de la naturaleza y de todo cuanto contenía el mundo. Los pájaros siempre ejercieron gran atracción en él, ya que el hecho de que pudieran volar le despertaba gran respeto y fascinación. Fue la razón que hizo que Leonardo proyectara en numerosos bocetos máquinas voladoras con alas similares a las observadas en los pájaros, e imaginara el helicóptero 500 años antes de su desarrollo. En uno de sus tantos trabajos, se dedica a la descripción de las aves en vuelo y lo hace con dibujos y un minucioso escrito, pero con un detalle... está escrito al revés. Lo cierto es que son muchos los escritos donde escribió de derecha a izquierda, facilitado por el hecho de ser zurdo, lo que obliga a leerlos con el auxilio de un espejo que permita invertir la letra. Ahora bien, ¿por qué escribía al revés? En realidad, fue un hecho intencional motivado por una vivencia emocional traumática. Cuando Leonardo fue acusado anónimamente en el tribunal de sodomía, si bien fue absuelto por falta de pruebas, dejó en él un impacto emocional importante. Muchos biógrafos destacan que Leonardo tenía muchos enemigos que lo envidiaban por su talento. Fue entonces que intentó proteger sus estudios y observaciones escribiendo al revés. Es indudable que escribir al revés implica un gran esfuerzo mental para cualquier persona normal, pero es de suponer que tal actitud resulta más fácil para Leonardo habida cuenta de sus aptitudes personales y su motivación. Es así como hemos analizado hasta aquí estas características personales de la vida de Leonardo que permiten conocerlo aún más, esto es el hecho de ser vegetariano, homosexual, zurdo y escribir al revés. Por el respeto a la vida animal evitaba comer carne, la homosexualidad posiblemente agregó en él la sensibilidad y las aptitudes del hombre y la mujer, el hecho de ser zurdo va en consonancia con la capacidad artística y escribir al revés señala la habilidad mental para poder hacerlo con facilidad. Estas cuatro características de su personalidad nos hablan de Leonardo. Veamos ahora un análisis de la inteligencia del paciente.

La inteligencia de Leonardo

Indudablemente, estamos analizando a un hombre de características brillantes y de una inteligencia sobresaliente. Al formular una historia clínica de un personaje de tal magnitud sin duda es necesario detenerse en la inteligencia del paciente. La inteligencia es un conjunto de funciones mentales que incluyen entre otras a la memoria, el aprendizaje, el razonamiento, el talento, la adaptabilidad, la capacidad de interrelacionar conceptos, de generar abstracciones, la capacidad de observación, de adaptabilidad social, etc. Es, en definitiva, un conjunto complejo de funciones que determinan un todo. La inteligencia ha recibido a través del tiempo diferentes definiciones a medida que las investigaciones neurológicas y psicológicas fueron avanzando. En la actualidad, se asume que existen diferentes habilidades que explican por qué una persona puede tener mejor o menor desempeño en una habilidad específica, como si la inteligencia total resultase de la sumatoria de esas habilidades que pueden, cada una de ellas, estar más o menos desarrolladas. Para abordar a Leonardo da Vinci desde el análisis de su inteligencia, acudiremos a la teoría de las inteligencias múltiples y así comprender por qué se trata de un hombre universal. Entre los investigadores que abordaron el problema de la inteligencia desde esta óptica se encuentra Howard Gardner que ha establecido ocho diferentes tipos de inteligencias. La clasificación surge de la aplicación de distintos tests psicológicos, estadísticas, entrevistas y de la observación de la influencia de determinadas patologías cerebrales y cómo éstas afectan las distintas funciones mentales. Por ejemplo, una persona que presentaba un accidente cerebrovascular que afectaba determinada parte del cerebro veía alterada una determinada función intelectual más que otra, lo que permitía relacionar una función específica con una localización cerebral particular. Gardner propone ocho categorías o tipos diferentes de inteligencias o habilidades y en base a ellas haremos el análisis en la historia clínica. Estas habilidades o inteligencias son:

1. Lógico–matemática
2. Cinestésico–corporal
3. Musical
4. Visual y espacial
5. Lingüística
6. Interpersonal
7. Intrapersonal
8. Naturalista

Sin duda, Leonardo da Vinci resulta ser un personaje de habilidades excepcionales. Analizaremos esas habilidades desde la perspectiva de estas formas de inteligencia:

La inteligencia lógico–matemática de Leonardo

Esta habilidad hace referencia al manejo del pensamiento lógico, que permite resolver problemas matemáticos y aplicar el método experimental, facilita el manejo de abstracciones y la resolución de problemas complejos con la utilización de símbolos. Entre los personajes de la historia que se han destacado en esta área podemos citar a Albert Einstein, Stephen Hawking e Isaac Newton. Leonardo se destacó en la habilidad matemática y la aplicación del pensamiento lógico ya a la edad de 10 o 12 años. Leonardo vio cómo construían un edificio y comenzó a dibujar en carbonilla, por propia iniciativa, dibujos de las paredes, los portales, carros, andamios y herramientas. El arquitecto de la construcción era Biagio de Ravenna, un famoso constructor de iglesias y palacios de la Toscana que había sido discípulo de Alberti. El arquitecto vio los dibujos en carbonilla de Leonardo y se quedó sorprendido por la precisión de las proporciones y la aplicación de la perspectiva. Biagio le propuso que fuera su discípulo.

Los estudios y dibujos de óptica y luz también revelan el desarrollo y expresión de la inteligencia lógico-matemática del maestro del Renacimiento italiano.

Uno de los dibujos que se identifican incuestionablemente con Leonardo es *El hombre de Vitruvio*. Vitruvio fue un ingeniero y arquitecto romano que vivió aproximadamente entre el 80 y el 20 A.C. Vitruvio, en esa Roma de antes de Cristo, había imaginado al «cuerpo humano ideal», con brazos y piernas extendidas, donde el ombligo debía concordar con el centro de un círculo, y el centro de un cuadrado y sus manos y pies extendidos debían coincidir con los ángulos del cuadrado y el límite del círculo. Tal imagen sólo es posible si se deforman ligeramente los miembros. No era el cuerpo perfecto, ideal. Leonardo, entre otras tantas cosas, fue anatomista y comenzó a estudiar modelos masculinos «in vivo». Se trataba de hombres jóvenes, él mismo en sus escritos cita a dos de ellos, Trezzo y Caravaggio. Estudió los cuerpos de los jóvenes en distintas posiciones anatómicas y luego desafió las proporciones medievales perfeccionando y dando lugar a un nuevo «hombre de Vitruvio». En este dibujo, las proporciones matemáticas del hombre «perfecto» respetaban las dimensiones corporales relativas acorde a la realidad de sus estudios anatómicos. En el «hombre de Vitruvio» de Leonardo el ombligo coincidía con el centro del círculo y el centro del cuadrado con un punto situado encima del vello pubiano, no coincidiendo el centro del círculo con el del cuadrado. Leonardo respetó así las verdaderas proporciones anatómicas del cuerpo humano dando lugar a uno de sus dibujos más famosos, y llegando a la perfección de las dimensiones corporales relativas. Una más de las evidencias del perfil de inteligencia lógico-matemática de Leonardo.

La inteligencia cinestésico-corporal de Leonardo

Esta inteligencia se expresa en la fina capacidad de coordinar movimientos corporales. Tiene relación con la percepción clara del espacio y la aptitud del movimiento. Es una habilidad particular que permite utilizar el cuerpo para la expresión emocional, coordinar adecuadamente los movimientos, percibir distancias y proporciones, regular la velocidad y precisión de los movimientos y mantener el equilibrio. Es un modo de inteligencia desarrollada en artesanos, equilibristas, escultores, bailarines y deportistas. Maradona, Messi, Julio Bocca, Emanuel Ginobili, entre otros, son personas en las que la inteligencia cinestésico–corporal se expresa con claridad. Miguel Ángel, eximio escultor contemporáneo de Leonardo, es también un ejemplo en este tipo de inteligencia. Dicho sea de paso, Leonardo y Miguel Ángel (el más joven de los dos) vivieron en constante competencia y hay quienes creen vislumbrar entre ellos hasta una enemistad.

Leonardo expresa su inteligencia cinestésico–corporal en

escenas de numerosas representaciones teatrales de su autoría. Asimismo, en la posición estática y dinámica de los cuerpos en sus dibujos y pinturas.

La inteligencia musical de Leonardo

El paciente también creaba y ejecutaba música. Imaginó ritmos y melodías. Ejemplos claros del desarrollo extremo de esta inteligencia fueron Beethoven, Bach, Mozart y Gershwin, entre otros. De hecho, Leonardo formó parte del coro de Ludovico «el moro»[4]. No tuvo maestro de música; como en otras áreas de su desempeño, fue un autodidacta. Tenía por libro de música preferido el de Guido D'Arezzo, monje benedictino del 1205. Dominaba la lira y el laúd. La lira es un instrumento de cuerda similar al arpa pero más pequeño, y el laúd es un instrumento de cuerda medieval parecido a una pequeña guitarra. Leonardo mostró así también un perfil claro de inteligencia musical. Una habilidad más del paciente en estudio.

La inteligencia visual y espacial de Leonardo

Leonardo da Vinci privilegiaba claramente a la visión por sobre el resto de los sentidos. Estimaba que era el sentido más perfecto y el que presentaba menos error. Resulta evidente la capacidad visual de Leonardo, desde muy chico retrataba la realidad con gran noción de la perspectiva. Toda la obra pictórica es testimonio de su capacidad visual. En su «tratado de pintura», donde se encuentran recopilados abundantes escritos del paciente por su discípulo Francesco Melzi, Leonardo enfatizó incansablemente la importancia de la visión. Este tipo de inteligencia permite expandir la aptitud y capacidad de imaginar y de pensar en las tres dimensiones. El manejo de la pers-

4 Ludovico Sforza, «el moro» (Vigevano, 1452- Loches, 1508), duque de Milán; participó en las guerras italianas. Fue mecenas de Leonardo da Vinci.

pectiva, el color y las formas son emergentes de este tipo de inteligencia. Esta forma de inteligencia es una habilidad bien desarrollada en artistas plásticos, equilibristas, navegantes, acróbatas, etc. Sin duda, Leonardo tenía bien desarrollado este recurso intelectual.

La inteligencia lingüística de Leonardo

El uso adecuado y eficiente de la comunicación por medio de la palabra oral o escrita es la manifestación de este tipo de inteligencia. No sólo hace referencia a la capacidad de expresión, sino que incluye a la capacidad de «comprensión». Hay áreas cerebrales que se especializan específicamente en estas funciones: la fonética, la gramática, la sintaxis y la semántica son expresiones propias de esta facultad intelectual. La adecuada expresión del pensamiento y las emociones dependen de esta habilidad. El paciente dejó una frondosa información escrita sobre sus observaciones y estudios donde acudió con gran éxito a esta aptitud. Este tipo particular de inteligencia la podemos ver desarrollada en políticos, oradores, actores, poetas, escritores, etc. Acudamos a un claro ejemplo de inteligencia lingüística, pensemos simplemente en Jorge Luis Borges. Todo el aprendizaje de Leonardo fue volcado con precisión gracias a esta habilidad. También del análisis de sus biografías se desprende la facilidad de palabra y la capacidad de convencimiento a través de ella, que caracterizaba a Leonardo. Una forma más de inteligencia se hace evidente en el paciente al desarrollar esta historia clínica.

La inteligencia interpersonal de Leonardo

Esta aptitud intelectual, también muy desarrollada en el paciente, es la que nos permite interrelacionarnos adecuadamente con nuestros semejantes. Nos facilita la «comprensión» del mundo del «otro» y establecer un entendimiento, base de la adecuada comunicación bidireccional. La capacidad de liderazgo o la habilidad de un psicólogo dependen de esta aptitud. Numerosas referencias y escritos evidencian la facilidad de comunicación de Leonardo. A solo modo de ejemplo y con la intención de acercarnos aún más a este extraordinario personaje, citaremos una carta en la que Leonardo escribe al duque de Milán, Ludovico «el moro», para que se decidiera por él, y no por otros candidatos, con los cuales competía para el desarrollo e invención de equipamiento militar. Leonardo se esfuerza en manifestar sus talentos en comparación a los otros, que no nombra sino indirectamente como «autoproclamados». El ofrecimiento a modo de promesa de desarrollo militar era central para la futura defensa de Milán, por lo tanto era un tema muy importante para la decisión que debía tomar el Duque y Leonardo lo sabía, debía convencerlo con sólo un escrito y así ganar su favor. Transcribimos entonces la carta que el paciente escribió a Ludovico «el Moro», duque de Milán, como testimonio y prueba diagnóstica para esta historia clínica de este tipo de inteligencia, la inteligencia interpersonal. Para vivenciar el escrito de Leonardo, hagamos el ejercicio de ponernos un momento en el lugar de Ludovico mientras leía el siguiente escrito:

«Después, Señor mío ilustrísimo, de haber visto y examinado ya suficientemente las pruebas de cuantos se reputan maestros en la construcción de aparatos bélicos, y de haber comprobado que la invención y el manejo de tales aparatos no traen ninguna innovación al uso común, me esforzaré, sin detrimento de nadie, en hacerme oír de Vuestra Excelencia para revelarle mis secretos; ofreciéndole, para la oportunidad que más le plazca, poner en obra las cosas que, en breves palabras, anoto enseguida (y otras muchas que surgieran las circunstancias de cada caso):
1. He concebido ciertos tipos de puentes, muy ligeros y sólidos y muy fáciles de transportar, ya sea para perseguir al enemigo o, si ocurre, escapar de él; así como también otros, seguros y capaces de resistir el fuego de la batalla,

y que puedan ser cómodamente montados y desmonta-
dos. Y procedimientos para incendiar y destruir los del
contrario.

2. Sé cómo extraer aguas de los fosos, en el sitio de una
plaza, y construir puentes, catapultas, escalas de asalto e
infinitos instrumentos aptos para tales expediciones.

3. Si la altura de los terraplenes y las condiciones naturales
del lugar hicieran imposible en el asedio de una plaza el
empleo de bombardas, yo sé cómo puede arruinarse la
más dura roca o cualquier otra defensa que no tenga sus
cimientos sobre la tierra.

4. Conozco, además, una clase de bombardas de cómodo y
fácil transporte y que pueden lanzar una tempestad de
menudas piedras, es tanto el humo producen infunde es-
panto y causa gran daño al enemigo.

5. En los combates navales, dispongo de aparatos muy propios para la ofensiva y la defensiva, y de navíos capaces
de resistir el fuego de las más grandes bombardas, pólvo-
ra y vapores.

6. También he ideado modos de llevar a un punto preindi-
cado, a través de excavaciones y por caminos desviados
y secretos, sin ningún estrépito y aun teniendo que pasar
por debajo de fosos o de algún río.

7. Construiré carros cubiertos y seguros contra todo ataque,
los cuales, penetrando en las filas enemigas, cargados de
piezas de artillería, desafiarán cualquier resistencia. Y en
pos de estos carros podrá avanzar la infantería, ilesa y
sin ningún impedimento.

8. En caso de necesidad, hará bombardas, morteros y otras
máquinas de fuego, bellísimas y útiles formas, fuera del
uso común.

9. Donde fallase la aplicación de las bombardas, las reem-
plazaré con catapultas, balistas, trabucos y otros instrumentos de admirable eficacia, nunca usados hasta ahora.
En resumen, según la variedad de los casos, sabré inven-
tar infinitos medios de ataque o de defensa.

10. En tiempo de paz, creo poder muy bien parangonarme
con cualquier otro en materia de arquitectura, en proyec-

tos de edificios, públicos y privados, y en la conducción de aguas de un lugar a otro. Ejecutaré esculturas en mármol, bronce y arcilla, y todo lo que pueda hacerse en pintura, sin temer la comparación con otro artista, sea quien fuere. Y en fin, podrá emprenderse la ejecución en bronce de mi modelo de caballo que, así realizado, será gloria inmortal y honor eterno de la feliz memoria de vuestro Señor padre y de la Casa Sforza.

Y si alguna de las cosas antedichas parecieran imposibles e infactibles, me ofrezco de buena gana a experimentarlas en vuestro parque, o en el lugar que más agrade a Vuestra Excelencia, a quien humildemente me recomiendo.»

LEONARDO DA VINCI, FLORENTINO

De la lectura de la carta de Leonardo puede comprenderse la capacidad de comunicación y la aptitud de ofertas por él ofrecidas, el excelente y distinguido trato, la contundente pero a la vez educada desacreditación de los otros oferentes y aspirantes al puesto. Este escrito permite ver a Leonardo de un modo que no es el más habitual, se lo ve como ingeniero, arquitecto, urbanista y estratega. Además, agrega dos ofrecimientos adicionales que cree importantes interpretando las necesidades y deseos de Ludovico. Por un lado, no limita su ofrecimiento a tiempo de guerra sino que asume que su capacidad creativa y servicios serían muy útiles en tiempos de paz, la construcción de edificios públicos y privados y obras de ingeniería para la conducción de agua de la ciudad. Por otro lado, y no menos importante, conociendo el orgullo que Ludovico sentía por su familia, los Sforza, ofrecía construir un gigantesco caballo de bronce para honrar la memoria del príncipe, su padre, y exaltar de este modo a la familia. En este escrito de Leonardo queda claro el desarrollo de su inteligencia interpersonal. Cabe decir que Ludovico «el moro» no sólo se decidió por Leonardo sino que se convirtió en su mecenas y protector.

La inteligencia intrapersonal de Leonardo

Este particular tipo de inteligencia es la que nos permite conocernos y comprendernos a nosotros mismos. Entender nuestros deseos, emociones y formas de actuar. Es la capacidad de sumergirnos en nuestro propio yo y comprender y entender nuestro ser interior.

Esta habilidad nos permite, a través del autoconocimiento, establecer un proyecto, un norte en nuestra vida, al conocer los alcances de nuestras capacidades y nuestras propias limitaciones. Posibilita, además, el adecuado control emocional y la correcta percepción de los hechos de la vida. La inteligencia «interpersonal» es la que utilizó Leonardo para comprender y expresarse frente a Ludovico «el moro»; la inteligencia para acceder al mundo de los otros. La inteligencia «intrapersonal» es la que nos permite acceder a nuestro propio mundo, a nuestro mundo interior.

Leonardo alcanzó sus objetivos en la vida. Logró expandir sus habilidades. Elaboró un plan y lo realizó, expresó toda su creatividad tanto artística como científica. Leonardo desarrolló un alto nivel de autoconocimiento y logró expresarlo en los más diversos campos de la creatividad humana. La inteligencia intrapersonal es esencial para encontrar el camino. Leonardo contaba con ella.

La inteligencia naturalista de Leonardo

Esta forma de inteligencia resulta ser la habilidad para visualizar y comprender las cuestiones del medio ambiente, el espacio natural donde nos desenvolvemos. A poco de analizar esta capacidad, notamos que resulta esencial para aquel que intenta captar la belleza de las cosas y formular interrogantes científicos sobre hechos de la naturaleza. Este tipo de inteligencia es indispensable para observar, analizar y reflexionar sobre el mundo natural que nos rodea. Las biografías de Leonardo da Vinci dejan constancia claramente del uso permanente de este recurso de su mente. Leonardo observó con perseverancia a las aves para comprender «por qué» en su vuelo se «hacían más livianas que el aire». Estudió la aerodinámica del vuelo de los pájaros, estudió la física de las alas, escudriñó en sus secretos e imaginó el helicóptero quinientos años antes de su invención. Este tipo de inteligencia, la «inteligencia naturalista», es a la vez la que permite descubrir la belleza en los hechos de la naturaleza y jugar con ellos, habilidad evidentemente desarrollada en Leonardo.

¿Y qué pasa con la inteligencia emocional?

Hemos comentado, a modo de introducción, a qué nos referimos actualmente cuando hablamos de inteligencia. Hemos citado la teoría de las inteligencias o habilidades múltiples para valernos de ellas al abordar este aspecto en la historia clínica de Leonardo. No podemos dejar de nombrar, a esta altura, otra modalidad de inteligencia, «la inteligencia emocional». En la práctica médica habitual evaluamos casi instintivamente si en el paciente que nos toca atender se encuentra desarrollado este tipo de inteligencia. Claro está que este análisis del perfil del paciente se realiza más en algunas áreas de la medicina o según la patología o motivo de consulta. Es frecuente hacerlo en cardiología, psiquiatría, endocrinología, gastroenterología, medicina del estrés y en muchas otras especialidades clínicas más donde la emocionalidad guarda relación muy directa con el motivo de consulta. Además, forma parte natural en el análisis del perfil psicológico del paciente.

El término «inteligencia emocional» fue acuñado por los psicólogos Peter Salovery, de la Universidad de Yale, y por John Mayer, de la Universidad de Hampshire. Lo que hicieron estos autores, de algún modo, es integrar las habilidades de la inteligencia interpersonal, para conocer el mundo de los otros, y la inteligencia intrapersonal, para conocer el mundo propio. Fue el psicólogo Daniel Goleman quien difundió excelentemente este concepto. Enfatizó, asimismo, la importancia de esta forma de inteligencia y por sobre todo la importancia que la misma tiene para alcanzar nuestros objetivos en la vida, y si se me permite ir un poco más allá, alcanzar el bienestar y la conformidad con uno mismo. De algún modo, podríamos llegar a decir que es difícil llegar a una condición de bienestar y felicidad sin el desarrollo de la «inteligencia emocional». Lo llamativo de este tipo de inteligencia es que contrasta con la «idea» histórica que la mayoría de las personas tienen de la palabra *inteligencia*. Posiblemente recordemos a alguna persona de nuestra niñez o del colegio, que era muy inteligente, por ejemplo en matemáticas, y que le iba bien en la mayoría de las materias. Sin embargo, el tiempo mostró que no alcanzó sus objetivos en la vida, no formó una familia o se le presentaron muchos problemas de pareja, de trabajo o en sus relaciones sociales. Mientras que algún otro de la clase, que transcurría la escolaridad sin pena ni gloria, tuvo con el tiempo la oportunidad de encontrar su lugar, su camino, su equilibrio y, tal vez, hasta lo que podríamos llamar éxito. Este último era quien observaba a los demás, los entendía, los consideraba, se comunicaba con ellos, estaba atento a sus necesidades, estaba «emocionalmente» conectado con el mundo de los otros y con su mundo personal. Había desarrollado la «inteligencia emocional» y fue ella quien le permitió encontrar el camino. De eso se trata la inteligencia emocional.

Al estudiar la vida de Leonardo observamos con claridad que no fue una vida fácil, no estuvo exenta de problemas esenciales que a otra persona posiblemente la hubieran devastado. Con seguridad sufrió el haber sido un bastardo, el alejamiento de su madre desde chico, la inserción en una nueva familia, tener una nueva madre; su homosexualidad y las consecuencias públicas y jurídicas que le causaron; escribir con la mano izquierda, que por entonces era causa de censura; además, complicaciones judiciales relacionadas con la herencia de su padre y numerosos problemas laborales y profesionales, incluyendo ser objeto constante de celos por parte de otros artistas y científicos. No obstante, Leonardo vivía una vida intensa, plena y con proyectos que nunca lo abandonaron. Esta situación sólo se da en aquellas personas que cuentan con la inteligencia emocional como parte de sus habilidades. En su historia clínica, debemos consignar que seguramente Leonardo da Vinci fue un inteligente emocional.

La Gioconda

Aun quien nada sabe sobre Leonardo da Vinci conoce *La Gioconda*. El cuadro más famoso de la historia celosamente custodiado en el Museo del Louvre. Una obra de arte que, es necesario decirlo, no está valuada. Simplemente... no tiene precio. ¿Por qué hablar de *La Gioconda* en esta historia clínica? Porque la persona es lo que hace y Leonardo hizo a *La Gioconda*. Esta obra nos habla de Leonardo y nos ayuda a llegar a su intimidad, a su pensamiento, a su creatividad. Nos permite conocer al maestro que la creó. *La Gioconda* tiene muchos secretos, artísticos e históricos, pero también guarda un secreto que nunca nos revelará, se trata de los últimos minutos de Leonardo, pues cuando Leonardo muere la Gioconda estaba con él.

Como dijimos, el paciente siempre se mostró interesado por la ciencia y la técnica, y como ya hemos visto en esta historia clínica sus intereses fueron tan diversos y extendidos que lo convirtieron en un hombre universal. Leonardo dedicó sus últimos años a sus inclinaciones científicas. De algún modo, en una «consulta médica imaginaria» nos diría que se alejó de la pintura para concentrarse en la ciencia. Esta consulta imaginaria tendría lugar en Florencia, en el año 1503, y el paciente se expresaría así:

Médico:...entonces, Sr. Leonardo di ser Piero da Vinci, me dice usted que últimamente está menos dedicado a la pintura.

Leonardo: Sí, doctor, últimamente estoy concentrado en la ciencia y en la técnica, siempre me fascinó, siempre fui curioso, siempre me gustó revelar los secretos de la naturaleza.

M:¡El porqué de las cosas!

L: Veo que me entiende, doctor, eso diría, el porqué del vuelo de los pájaros, el porqué del funcionamiento del cuerpo, el porqué de la luz y la óptica, sí, eso diría en definitiva, ¡los porqués!, ¡el porqué de las cosas!

M: Así que fue ya en sus últimos años cuando rechazó muchos trabajos de pintura.

L: Sí, doctor, y no es gratis, comprenda que mi trabajo, por decirlo así, es la pintura, con eso gano mi sustento, me pagan por pintar, me encargan obras de las cuales después siempre me enamoro. Pero la ciencia, la ciencia la hago gratis, nadie me paga por disecar un cadáver y adentrarme en sus secretos.

M: Pero en esa actividad científica usted me había contado que también tenía detractores.

L: Sí, y muchos. Muchos de mis contemporáneos, la mayoría falsos científicos y hechiceros que no observan críticamente los hechos de la naturaleza, sino que sólo los interpretan a su antojo. Se burlan públicamente de mí, y claro, me molesta mucho, me hace mal.

M: Y por favor, Sr. Piero, dígame en qué está trabajando ahora.

L: Bueno… déjeme ver, hacia el año pasado trabajaba como ingeniero de guerra de Cesare Borgia[5]. Preparaba para él dibujos exactos de los detalles geográficos, de los ríos, la orografía y todo aquello que pudiera serle de utilidad militar.

M: Y… ¿le gustaba? ¿Cómo se sentía?

L: No, no me gustaba. Cesare Borgia era un hombre sanguinario, cruel. Afortunadamente lo dejé y este año trabajo en Florencia.

---

5 Cesare Borgia (Roma, 1475- Viana, 1507) fue duque, príncipe, conde, obispo de Pamplona, arzobispo de Valencia, capitán del ejército del Vaticano y cardenal.

M: Y ¿qué está haciendo ahora, Sr. Leonardo?

L: Bueno, un poco por presión social, acepté hacer un trabajo para un conocido de mi padre, un tal Francesco del
Giocondo, un banquero de muy buena posición económica que quiere que pinte a su señora esposa, la Sra.
Lisa Gherardini, así que voy a ver cómo hago esta pintura, ya veremos qué es lo que sale...

Fue así, un poco por presión social, que Leonardo acepta
hacer una obra, la pintura de Lisa Gherardini, obra que más
tarde sería conocida con el diminutivo de Mona Lisa o La Gioconda. Mona Lisa viene de Mona diminutivo de Madonna y Lisa
de Lisa Gherardini, y Gioconda porque era la esposa de Francesco del Giocondo. El paciente comienza su retrato en 1503
y demora cuatro años en terminarla. Para Leonardo la obra
nunca estuvo terminada, nunca se la entregó a Francesco del
Giocondo y se la quedó para siempre.

La pintura nos habla de los conocimientos de Leonardo y
siempre estuvo llena de misterios. Quien tenga el privilegio de
pararse frente a esta obra en el Louvre notará que la rodea
una suerte de atmósfera. Aun sin entender nada de arte, por
un momento se corta la respiración. Tiene una presencia especial, está ahí, nos mira donde estemos e impresiona que está
cerca. El fondo, según especialistas, tal vez esté inspirado en
el valle de Arno, y recuerda a otros ya pintados por Leonardo.
La pintura nos hace pensar en el perfil psicológico y emocional, así como también en los estudios de Leonardo. El paisaje
hace pensar en los estudios geológicos de Leonardo. Las montañas se encuentran recortadas con bordes difusos y de aspecto vaporoso. Un aspecto similar al que nos podemos imaginar
como escenario rocoso del origen de la Tierra. A la derecha
de la Gioconda se percibe un camino sinuoso y a la izquierda,
el lecho de un río. El borde inferior del paisaje desértico de la
izquierda del cuadro está ubicado en un nivel más bajo que el
derecho. Las manos de la Mona Lisa se encuentran cruzadas
una sobre la otra. Hay quienes interpretan esta posición de las
manos como una expresión de la decencia de una mujer. Sus

cabellos están cubiertos por un velo transparente y una túnica muy adornada da límite a su escote. El paisaje del fondo emite una luz que le es propia, agregando atmósfera y profundidad a la obra. Pero el rostro de la Mona Lisa también se encuentra iluminado. Su mirada parece seguirnos siempre. La luminosidad del rostro da brillo a su pureza.

La imagen, con contenido de comunicación emocional, es el resultado de una técnica de pintura que desarrolló el maestro, el *sfumato*. La pintura no tiene líneas, una superficie se distingue de la otra en forma suave e imperceptible, sin límites netos. Leonardo funde con su pincel el óleo mezclándolo suavemente hasta lograr esa imagen o sensación de *sfumato* donde los suaves colores se funden entre sí. Esta pintura fue la obra más amada por Leonardo y nunca se separó de ella, incluso lo acompañó en todos sus viajes. Uno de los mayores enigmas de estudiosos y aficionados es la naturaleza de la sonrisa de la Gioconda. Una sonrisa especial, misteriosa. La expresión enigmática se explica con distintas hipótesis, muchas de ellas contrapuestas y hasta excéntricas o arriesgadas. Desde el arte, los especialistas explican que la expresión emocional de la sonrisa de la Gioconda se debe a la consecuencia de infinitos retoques del óleo en la técnica del *sfumato*, ya que no se advierten líneas que generen límites o bordes. En un extremo interpretativo, podemos citar el análisis que hizo Sigmund Freud de la sonrisa de la Gioconda. Freud señala que esa enigmática sonrisa ha perseguido a Leonardo en varias de sus obras (por ejemplo, en Santa Ana) y que en su interpretación psicoanalítica representaría el «deseo inconsciente y perverso del artista por su madre». Desde un punto de vista totalmente distinto, hay especialistas en odontología que han publicado trabajos donde citan la posibilidad de que la postura de la boca y los labios de la Gioconda correspondería a la que se observa en personas que han perdido alguna pieza dental anterior y tratan de ocultarla. Parece llamativo, pero la pérdida de una pieza dental en el período del Renacimiento no resulta extraño. Tampoco puede descartarse el bruxismo, aquella condición que por tensión nerviosa el paciente mantiene presionado el maxilar inferior con el superior, situación frecuente en el síndrome del estrés. Otra interpretación, aunque en el terreno de la conjetura, del porqué de la sonrisa de la Gioconda es la denominada parálisis de Bell. En este cuadro clínico, se ven afectados los nervios faciales por un fenómeno inflamatorio en el cual un proceso degenerativo y regenerativo condicionan una alteración de la transmisión del impulso nervioso y provocan contracción anormal de los músculos faciales. Por último, otro aspecto que debe considerarse en la sonrisa de la Gioconda es su ambigüedad. En efecto, si tomamos una imagen del cuadro y con una hoja de papel en blanco dividimos verticalmente el rostro en dos mitades, de manera que sólo veamos primero una mitad de la cara y luego la otra, notaremos que la sonrisa de la boca es sólo, o por lo menos predominantemente, izquierda. Así se explicaría por qué la Gioconda tiene una sonrisa de aspecto ambiguo: sólo sonríe de un lado.

Leonardo, en el momento que pintaba la Mona Lisa, se encontraba abocado al estudio de la anatomía humana en cadáveres. Sus trabajos los realizaba en la morgue del Hospital Santa Maria Nuova de Florencia. Da Vinci era un observador enfático, y como ya hemos comentado, atribuía una gran importancia a la visión. Sin duda, la capacidad de observación del paciente y sus estudios anatómicos le permitieron interpretar y expresar emociones faciales, tal cual hizo en su Mona Lisa. El análisis de esta obra artística también es un camino que nos permite conocer al paciente en su intimidad.

Sus últimos días

Durante los últimos años de su vida, el paciente fue sintiendo los efectos de la edad. Además, padeció malaria, enfermedad producida por un parásito transmitido por el mosquito *Anopheles*. El parásito es inyectado por el mosquito y éste se aloja luego en el hígado donde madura, para luego pasar a la sangre e ingresar en los glóbulos rojos, a los que termina destruyendo; en consecuencia, causa anemia.

Los síntomas generales de la malaria incluyen fiebre, escalofríos, cansancio, transpiración, cefaleas, náuseas, vómitos, ictericia (color amarillo de piel y mucosas, como en la hepatitis), dolores musculares y deterioro del estado general. Leonardo era su propio médico y se preparaba distintas infusiones medicamentosas. Sin embargo, su salud se deterioraba.

En los últimos tiempos, Leonardo comenzó a dibujar imágenes apocalípticas, tal vez como consecuencia de la toma de conciencia de la posibilidad de enfermar y morir. Fue para el año 1516 cuando el paciente dejó Roma, la última ciudad italiana donde vivió, y viajó a Francia. El maestro era muy respetado en ese país, tanto en su condición de artista como por su producción científica, técnica y humanista. Recibió un trato preferencial y de gran estima por parte del Rey de Francia, Francisco I. Leonardo pasó sus últimos días en el castillo francés de Cloux, a la vera del río Loira. La reina Luisa de Saboya, madre de Francisco I, fue quien le ofreció el castillo para estudiar en Francia. El lugar era sencillamente hermoso y Leonardo lo supo apreciar. El valle del Loira es una región repleta de naturaleza y castillos, hoy declarado patrimonio de la humanidad. Leonardo no dejaba de contemplar el paisaje desde las ventanas de sus habitaciones.

No contamos con información precisa sobre la sintomatología final del paciente. Aparentemente, fue un cuadro progresivo de deterioro de la salud. Lo cierto es que los últimos meses de su vida permaneció enfermo y en lenta decadencia, aunque los síntomas precisos no están descriptos. Hay biógrafos que citan una disminución de fuerza muscular en sus brazos como parte de un cuadro de debilidad física general. Sin embargo, la información nos permite considerar que la pérdida de fuerza o debilidad se centraba en su brazo y mano derechos. Hay quienes agregan a la historia clínica un cuadro de artrosis deformante. Tal vez habría que considerar la posibilidad de un accidente cerebrovascular que, sin los tratamientos actuales, causaría posibles complicaciones. Lo que sí es claro, es que aún ante esta posibilidad, sus funciones mentales y el habla no se vieron alteradas. Hasta el último momento, Leonardo conservó en su habitación sus tres pinturas más queridas, *San Juan, Santa Ana,* y por supuesto *La Gioconda.*

El 23 de abril de 1519, a los sesenta y siete años de edad y consciente de su próximo final, Leonardo redactó su testamento. A su fiel acompañante y ayudante Francisco Melzi, quien vivió con Leonardo durante sus últimos tres años, dejó sus pinturas, proyectos, diseños, la mayor parte de su dinero, instrumentos, biblioteca y efectos personales. De acuerdo con sus deseos, Leonardo se confesó y alcanzó la absolución de sus pecados. El paciente planeó su propio entierro. Sesenta mendigos con cirios en sus manos acompañarían su ataúd. Para el hombre de fe llegaría el momento en que su cuerpo recibiría sepultura en la Capilla de San Huberto del Castillo de Amboise.

Pocos días después, el 2 de mayo de 1519, por motivos médicos difíciles de precisar, *La Gioconda,* con su mirada y su enigmática sonrisa, fue testigo de la muerte de su creador.

El 12 de agosto de 1519, los restos de Da Vinci fueron inhumados en la iglesia de San Florentino de Amboise. El sepulcro fue olvidado. Cincuenta años más tarde, durante las guerras religiosas, la tumba fue violada y las cenizas de Leonardo se mezclaron con el viento, confundiéndose con el vuelo de los pájaros que él tanto admiró.

Nunca nadie más olvidaría al genio del Renacimiento.

Don Quijote de la Mancha.
Locura y encantamientos

—Porque ves allí, amigo Sancho Panza, donde se
descubren treinta o poco más, desaforados gigantes,
con quien pienso hacer batalla...
—¿Qué gigantes?— dijo Sancho Panza
—Aquellos que allí ves... de los brazos largos...
—...no son gigantes, sino molinos de viento...

El Quijote es un personaje tan querido e interpretado por el sentir colectivo que parece existir ciertamente y cabalgar aún entre nosotros después de más de 400 años de aventuras idílicas y románticas. Este hidalgo, nacido de la imaginación de Miguel de Cervantes para vivir aventuras de caballería reales en su mente ensoñadora, buscaba la justicia para así, aún a riesgo de su propia vida, «desfacer agravios, enderezar entuertos y proteger doncellas». Su mente, único lugar donde el universo existe, confundía la realidad con la fantasía de su mundo donde «una posada en el camino sería para él un castillo; los molinos de viento, gigantes a quienes vencer, y los rebaños, ejércitos a combatir».

El Quijote no sólo cabalgaba sobre su caballo, Rocinante, esencial para cualquier caballero andante que se precie de tal, sino que cabalga a través de los distintos capítulos de la creación de Cervantes entre la realidad y la fantasía, construyendo así un personaje posible de observación y análisis. Como dijimos, sus fantasías delirantes en un mundo mágico de ensoñación tenían un noble objetivo: hacer justicia. En consecuencia, tanto en las aventuras fantásticas que tenían lugar sólo en su mente, como cuando vivía el mundo de la realidad, el Quijote constituye un personaje previsible y observable desde la perspectiva de la historia clínica. Es que este hidalgo era un paciente psiquiátrico, estaba loco. Si por entonces hubiera existido la medicación de la que disponemos hoy, como el litio, la carbamazepina, la gabapentina, el topiramato, etc., se habría curado. Así, los molinos de viento nunca hubieran sido atacados por el legendario caballero en defensa de las causas justas, ni nosotros conservaríamos al Quijote en la memoria. Afortunadamente, tal medicación no existía.

El presente capítulo de historia clínica es una conjetura diagnóstica diferida en el tiempo sobre un personaje imaginario. Esta circunstancia no implica la imposibilidad de su abordaje de modo racional, ya que es el mismo autor, Miguel de Cervantes, quien imaginó a su personaje «loco», es decir «psicótico». Cervantes configura así en el Quijote la construcción de un perfil psicológico del personaje que, dentro de su locura, mantiene una coherencia en todas sus acciones, lo que permite su análisis. Estas reacciones reconocen un norte que guían la conducta del Quijote: su deseo por convertirse en un caballero andante medieval en busca de la defensa de causas justas y nobles. De tal suerte, la historia clínica del Quijote constituye así un «pretexto médico» para conocer al personaje desde un lugar diferente. Al tiempo, permite resaltar la inmensa capacidad literaria de Cervantes que «poéticamente» construye a un «loco» para impartir justicia. El aspecto médico de la obra cruza, transversalmente, todas las aventuras del paciente. Así, la medicina, la poesía y la locura se superponen y solapan continuamente en la narrativa dando sentido a la frase popular: «De médicos, poetas y locos todos tenemos un poco». En el caso del Quijote, su locura resultó el perfil saliente que pasaremos a analizar.

Un aspecto que merece consignarse es la relación que Cervantes tenía con la medicina. Al parecer, se puede sostener que Cervantes sabía algo de medicina, aunque más no sea tangencialmente. Dos posibles razones abonarían esta afirmación, una de orden personal y otra con relación a la salud pública en la España de los inicios del 1600. En lo personal habría que señalar que el padre de Cervantes, Rodrigo Cervantes, era cirujano barbero[1]. Si bien por entonces tal actividad era más una práctica de destreza que la práctica de medicina que conocemos hoy, es probable que el padre haya influido a su hijo en el conocimiento de las artes del curar y la concepción de la enfermedad. En segundo lugar, con relación a la salud pública, la locura era considerada seriamente en la España de entonces. De hecho, existía una red de ocho hospitales psiquiátricos en España. El primero se instaló en Valencia en 1409, y luego se fueron inaugurando el resto de los nosocomios. España se encontraba en la avanzada médica en el área de la psiquiatría. La locura era considerada «una enfermedad» de «la cabeza». También se sabe, y esto es importante, que Cervantes había conocido muchos enfermos mentales en el manicomio de Sevilla. Estas dos circunstancias, la posible influencia familiar en medicina y la consideración social de la locura como enfermedad psiquiátrica, además del hecho de haber conocido pacientes psiquiátricos, pudo haber influido en la creación del personaje.

Todo *El Quijote* se encuentra plagado de datos y consideraciones relacionadas con la salud, y la palabra «loco» se repite en más de 180 oportunidades a lo largo de la obra. La coherencia de la personalidad del Quijote, tanto en la cordura como en la locura, invita a considerar los distintos posibles diagnósticos de enfermedad psiquiátrica. Esto sin olvidar los aspectos físicos del paciente, las numerosas heridas de combate y la posible causa de su muerte.

La fuente de información a la que recurriremos para formular la historia clínica de Alonso Quijada o «Quesada» o posiblemente «Quejana», tal el verdadero nombre del paciente, serán los relatos y la rica narrativa de Cervantes. En medicina contamos con los recursos médicos basados en la evidencia científica de los estudios diagnósticos y también con la narrativa del paciente. Aquí no tenemos al alcance tomografías, análisis de

---

1 Cirujano barbero: particular profesión con labor dispar, cortaban pelo y barba así como sacaban muelas, hacían sangrías y blanqueaban dientes con aguafuerte.

sangre ni electrocardiogramas, pero sí contamos con una frondosa narrativa y a ella recurriremos como recurso diagnóstico; veremos que no es poco.

Analicemos entonces la fuente de información que dará lugar a la interpretación médica para formular la historia clínica del imaginario paciente. *El Quijote* de Cervantes se publica en dos partes. La primera en 1605. En ella se narran dos viajes del protagonista que sale de su aldea en busca de las tan soñadas aventuras de caballería. En el primer viaje el paciente, Alonso Quijano, toma a su escuálido caballo Rocinante y pone en condiciones viejas armas de sus antepasados. En el segundo viaje, convence con mil y una promesas a un labrador, Sancho Panza, para que se convierta en su escudero. Todo caballero andante que se precie de tal debe tener un escudero. La segunda parte de *El Quijote* se publica en 1615 y narra la tercera salida del idílico caballero. En total son 74 capítulos, entre los cuales seleccionaremos partes que resulten relevantes para realizar un diagnóstico sobre el paciente, tanto en su aspecto físico como psiquiátrico. Acudiremos, en principio, al capítulo primero, donde comienza la historia, cuando el paciente pierde el juicio y se vuelve loco. Esto es literal, pues es lo que narra Cervantes, dejando en claro que «Quijada» pierde la razón convirtiéndose en un paciente psiquiátrico cuya narrativa resistió el paso del tiempo, pues constituye el segundo libro más leído de la historia después de la Biblia.

Veamos el comienzo del capítulo I y analicemos su contenido diagnóstico:

Capítulo I
Que trata de la condición y ejercicio del
Famoso hidalgo Don Quijote de la Mancha

En un lugar de la Mancha², de cuyo nombre no quiero acordarme, vivía no hace mucho tiempo un hidalgo³ de unos 50 años

---

2 La Mancha: región geográfica ubicada en el corazón de la Península Ibérica.

3 Hidalgo: persona perteneciente a la nobleza española.

de edad. De aspecto recio, seco de carnes, delgado, piernas largas y flacas, gran madrugador que gustaba de la caza. Dicen que se llamaba «Quijada» o «Quesada» pero esto importa poco, basta que la narración sobre él no se escape de la verdad. En sus ratos de ocio –que eran los más del año– se daba a leer libros de caballería, gastando parte importante de su dinero en la compra de ellos. Tanto tiempo él dedicaba que llegó a abandonar la caza. Tanto leyó y leyó que creía que todas las aventuras eran ciertas, perdiendo así el juicio[4]. De las aventuras fantásticas prefería las obras de Feliciano de Silva[5] por aquellas intrincadas razones cuyo sentido se desvelaba por entender, que no podría hacerlo o difíciles para el mismo Aristóteles si resucitara tan sólo para ello. Tanto leyó noche tras noche y día tras día que se le secó el cerebro terminando por perder el juicio reemplazado por la fantasía de todo aquello que leía, encantamientos, batallas heroicas, desafíos, heridas, amores, tormentas y disparates imposibles.

Fue así que decidió hacerse caballero andante en busca de aventuras como los personajes de sus libros de caballería para alcanzar la fama, castigar a los malvados y defender a la gente de buena fe.

Rematado ya en su juicio notó que para ser caballero andante necesitaba de tres cosas, las armas, un caballo y una dama a quien servir.

Fue así que se puso a limpiar unas armas que habían sido de sus bisabuelos[6] y que quedaron olvidadas en un rincón. Luego armó un casco con cartón cuya resistencia probó con golpes de espada, que claro está, rompieron el casco con barras de hierro por dentro, pero no lo probó de nuevo por si lo volviese a romper.

4 Juicios: «Quijada» o «Quesada» pierde la razón y la noción de realidad creyéndose ser un caballero andante que vive así aventuras alejadas de la realidad.

5 Feliciano de Silva: escritor del siglo XV, autor de libros sobre hazañas de caballería.

6 Bisabuelos: Las armas que tomó Don Quijote de sus bisabuelos debieron ser de finales del siglo XV, de tiempos de los Reyes Católicos, lo cual al lucirlas en el siglo XVII debían provocar burlas y risas por lo absurdo.

Luego fue a ver a su caballo, sólo de piel y hueso, y buscó un nombre apropiado, y tras cuatro días de imaginar nombres le vino a llamar «Rocinante», al que antes había sido su rocín, luego buscó para sí un nombre que lo representara, lo cual le llevó ocho días y al cabo se vino a llamar Don Quijote[7] agregándole el nombre de su tierra, la Mancha, para así honrarla, quedando así don «Quijote de la Mancha». Le faltaba dama a quien servir y amar. Recordó a una moza labradora de muy bien parecer, natural del Toboso[8] de quien había estado enamorado, aunque ella nunca lo supo, se llamaba Aldonza Lorenzo a quien le buscó un nombre que la encaminase como princesa y gran señora. Así vino a llamarla «Dulcinea del Toboso».

Analicemos ahora la información del comienzo de este capítulo. Se trata de un paciente de sexo masculino de aproximadamente 50 años de edad. Aquí ya hay información para la historia clínica. En la España de entonces la expectativa de vida se encontraba alrededor de los 40 y 50 años. Además, como sigue siendo aún hoy, el promedio de vida de los hombres es más corto que el de las mujeres. Como el paciente es de sexo masculino de unos 50 años de edad debemos considerar que nuestro paciente es longevo, es decir, para la época era un viejo.

El aspecto físico también está descripto: «De aspecto recio, seco de carnes, delgado, piernas largas y flacas…» Es decir que nuestro paciente era alto, flaco, de aspecto longilíneo y con muy poca grasa corporal. El índice de masa corporal (IMC)[9] debía ser normal o bajo. Por supuesto que no tenemos análisis

---

7 Don Quijote: A «Quijada» se antepone el «don» como cargo honorífico que por entonces sólo lo usaban personajes de categoría. Quijote es humorístico ya que mantiene la raíz del apellido «Quijada» y le agrega el sufijo «ote», dándole un contenido ridículo. Asimismo «Quijote» es el nombre de una pieza de armadura que cubre el muslo.

8 Toboso: pueblo de la Mancha, de donde era oriunda Aldonza Lorenzo, llamada por Don Quijote «Dulcinea».

9 Índice de masa corporal o IMC: relación entre peso y altura que permite conocer el estado nutricional y la proporción o contenido de grasa corporal.

de sangre, pero por su aspecto físico podemos conjeturar que no presentaba diabetes, colesterol elevado y posiblemente su presión arterial también fuera normal. La diabetes es más frecuente en personas con sobrepeso y obesidad. Igual afirmación podemos hacer respecto al colesterol y si bien pudo presentar presión arterial elevada, en realidad no es muy probable. La diabetes, el colesterol elevado y la hipertensión arterial son factores de riesgo para la salud, que acortan el promedio de vida, y esto no coincide con el paciente, que era sano y viejo. El Quijote, hasta donde podemos recabar información, era una persona físicamente sana y sólo volveremos al aspecto físico al final de la historia clínica para considerar las posibles causas de muerte del paciente.

Desde el aspecto psicológico y en lo relativo a su conducta rescatamos que era un hombre madrugador y que gustaba de la caza. No llamaría la atención que el paciente presentara un perfil neurótico antes de caer en la enfermedad psiquiátrica. De hecho, se pasaba leyendo libros de caballería todo el día, de manera compatible con una conducta compulsiva. Tanto leía que dejó de practicar la caza y gastaba parte importante de su dinero, situación ésta que debía llamar la atención, por entonces, más que ahora, pues no se trataba de una sociedad promovida por el consumo.

Ahora veamos el diagnóstico con que Cervantes presenta al paciente.

«Tanto leyó y leyó que creía que todas las aventuras eran ciertas, perdiendo así el juicio (...) Tanto leyó noche tras noche y día tras día que se le secó el cerebro terminando por perder el juicio reemplazado por la fantasía de todo aquello que leía, encantamientos, batallas heroicas, desafíos, heridas, amores, tormentas y disparates imposibles.»

Las descripciones del capítulo inicial no dejan lugar a dudas y el diagnóstico de locura es consistente en toda la obra. El paciente, tal cual lo describe Cervantes, construye una «fantasía» o delirio estructurado en el cual muy románticamente se convierte en caballero andante. Como tal, sabía que necesitaba tres cosas: «...las armas, un caballo y una dama a quien servir...» Así llegan a la historia las armas de sus bisabuelos, su caballo Rocinante y la dama a quien amar, Dulcinea del Toboso.

El aspecto psiquiátrico del cuadro clínico es indudable, episodios delirantes, la distorsión de la realidad por medio de alucinaciones, episodios de exaltación del ánimo, episodios depresivos, eventos psicóticos, etc. Todo esto estructurado en una historia fantástica, idílica, en la búsqueda de la justicia de los caballeros medievales, una descripción romántica.

El desarrollo de la fantasía del Quijote en contraposición al mundo real se pone ya de manifiesto en su primera salida de la aldea, con su armamento y su caballo Rocinante.

Capítulo II
Que trata de la primera salida que
de su tierra hizo el ingenioso Don Quijote

Una calurosa mañana de mes de julio, sin que nadie lo viese, se armó con todas sus armas, montó a Rocinante y lleno de alegría salió por la puerta del corral hacia el campo. Así, con gran facilidad, dio principio a sus deseos. Pero al poco de andar notó que nadie lo había nombrado caballero.
Fue entonces que, según había leído, podría hacerse armar caballero del primero que se topase y así siguió camino. Casi todo aquel día caminó sin que nada digno de contar le aconteciera.
Para el anochecer, Don Quijote y Rocinante se encontraban cansados y hambrientos. Mirando hacia todos lados por ver si descubría algún castillo vio a lo lejos una venta[10] que fue para él como si fuera una estrella.
Don Quijote creyó ver en aquella venta a un castillo con sus cuatro torres y capiteles de luciente plata. Se acercó lentamente esperando que algún enano anunciase su arribo con trompetas.
Al ver que eso no sucedía avanzó hasta la puerta y vio a dos

10   Venta: posada.

mujeres mozas del partido[11] que ahí estaban y a su juicio eran hermosas doncellas. Un porquero que andaba recogiendo sus cerdos, tocó su cuerno, que a Don Quijote le sonó como la señal de anuncio de llegada. Las mozas y para él doncellas, se asustaron al verle.

Él quiso tranquilizarlas hablando como en las historias de caballería que había aprendido en los libros.

«No fuyan las vuestras mercedes ni teman desaguisado alguno, ca la orden de caballería que profeso non toca ni atañe facerle a ninguno, cuanto más a tan altas doncellas como vuestras presencias demuestran.»[12]

Las mozas pasaron del miedo a la risa con tan gracioso espectáculo. Don Quijote comenzó a enojarse cuando apareció el encargado de la venta y al ver la figura de Don Quijote notó que no estaba cuerdo, ofreciéndole hospedaje de buen modo. Don Quijote creyó ver en él al caballero del castillo y aceptó reconfortado su invitación.

Las mujeres le ayudaron a desarmarse pero no pudieron con el casco pues lo tenía atado con cintas verdes y fuertes nudos, no aceptando el que se las cortase.

Las mozas ofrecieron comida a Don Quijote y pescado es lo único que tenían disponible. Fue así que le sirvieron lo que en Castilla llamaban abadejo y bacalao en Andalucía. Tuvieron que ayudarle a comer, dándole el pescado en la boca mientras le mantenían en alto la visera del casco. La cuestión se complicó para darle de beber.

Fue el ventero quien agujereó una caña colocándosela en la boca y echándole vino por el otro extremo.

En esto llega un castrador de puercos haciendo sonar su silbato cuatro o cinco veces.

Don Quijote interpretó que estaba en un famoso castillo, que le servían comida con música, que el abadejo era trucha, las rameras, damas y el ventero, el señor del castillo.

---

11   Las mujeres mozas del partido eran las mujeres deshonestas, vagabundas y se ganaban la vida como prostitutas.

12   Don Quijote utilizaba el lenguaje antiguo propio de las novelas de caballería por lo que junto a su ridículo atuendo causaba gracia y evidenciaba su locura.

En este capítulo, y ya al comienzo de la obra, se pone en plena manifestación la fantasía y el alejamiento del mundo de la realidad sometido a sus sueños. Es decir, cambia el mundo perceptible por los sentidos en alucinaciones, y los hechos de la realidad son trocados por una frondosa fantasía. Sale así una mañana de julio con su caballo, Rocinante, flaco y más desnutrido que él. Fue cuando notó que nadie lo había nombrado caballero. Tras una larga jornada cree ver en una posada o como entonces se la llamaba, una venta, un «castillo con cuatro torres y capiteles de luciente plata». Las prostitutas serían para él doncellas. Un cuidador de cerdos hizo sonar su cuerno y a él le pareció que anunciaban su llegada al castillo. El encargado de la posada notó rápidamente que se trataba de un loco y le ofreció hospedaje. Él creyó que se trataba del Caballero del Castillo. Todo se estructuraba en su fantasía acorde a su deseo de vivir las aventuras de un caballero andante combatiendo a los malos e injustos.

De locura, encantamientos y Sancho Panza

El término *locura* utilizado por Cervantes era el concordante con la época. Se trataba de loco a aquellas personas cuya conducta no coincidía con las normales y por lo tanto eran rechazadas por la sociedad. El loco era aquel cuyos actos no resultaban razonables. Claro que por entonces cualquier alteración de la conducta caía bajo el mismo término de locura o enfermedad mental, incluso pacientes que presentaban crisis epiléptica. Su origen era un misterio, desde una maldición de los dioses hasta el pago por la culpa de los pecados. La consecuencia directa de la locura era la estigmatización social y el tratamiento frecuentemente consistía en el encierro y la violencia. En realidad, la locura de la época de Cervantes era una suerte de cajón de sastre, donde todas las alteraciones de la conducta y la razón constituían una misma enfermedad. Como sea, todo entraba dentro de un mismo diagnóstico y no se hacía diferencia alguna entre las distintas enfermedades psiquiátricas que hoy conocemos y se encuentran bien clasificadas.

Actualmente sabemos que las alteraciones psiquiátricas pueden afectar diferentes funciones cerebrales, tales como la emoción, el mecanismo de razonamiento, el comportamiento, la concepción de la realidad, siendo muy común la superposición de síntomas y condiciones. Hoy en psiquiatría se incluyen dentro del término «trastorno mental» numerosas patologías que se diferencian entre sí y se hallan clasificadas en el *Manual Diagnóstico y Estadístico de los Trastornos Mentales* o DSM-IV[13]. Esta clasificación incluye numerosas patologías tales como los delirios, las demencias, la esquizofrenia, los trastornos psicóticos, la depresión, los trastornos de ansiedad, los trastornos sexuales, los trastornos de personalidad, los trastornos de la conducta alimentaria, etcétera.

Lo que nos ocupa aquí es tratar de diagnosticar el cuadro psiquiátrico que alcanza al Quijote, y que explique el comportamiento del paciente, sobre todo al final de la evolución de la historia clínica, ya que la patología se resuelve y Don Quijote muere cuerdo. En el universo de la fantasía, el Quijote debía encontrar respuestas que explicaran las amenazas y los hechos cotidianos de la vida. Es así que en su mundo idealizado jugaban un rol importante los «encantamientos», en tanto fórmulas de magia, hechizos o conjuros que modifican y explican la realidad por procedimientos sobrenaturales. De este modo, la locura del Quijote se ve plagada por ensoñaciones y encantamientos mágicos.

Cuando el Quijote vuelve a su aldea luego de su primera salida al mundo, lo vieron llegar cansado y maltrecho el ama, la sobrina, el barbero y el cura del pueblo. Todos muy amigos suyos. Habían estado preocupados al no saber nada de él. Lo acostaron en su cama y cayó rendido. Al tiempo, sus allegados decidieron quemar todos los libros de caballería, con la idea de que al quitar la causa, desaparecería el efecto. Así fue, y to-

13 *Diagnostic and Statistical Manual of Mental Disorden* de la Asociación Americana de Psiquiatría.

dos sus libros fueron quemados en una hoguera que hicieron en el corral. También tapiaron el aposento donde los guardaba, para que ni siquiera encontrara el lugar. Dos días pasó en cama Don Quijote, y al recuperarse fue en busca de sus libros, su fuente de inspiración. La historia clínica continúa con los siguientes hechos.

Capítulo VII
De la segunda salida de nuestro buen caballero
Don Quijote de la Mancha

Fue a los dos días que Don Quijote se levantó de su lecho y lo primero que hizo fue ir a ver sus libros, y como no hallaba aposento donde le había dejado, andaba de una en otra parte buscándole. Llegaba hasta donde estaba la puerta (que había sido tapiada por indicación del cura y el barbero) tocaba el muro con las manos y buscaba con sus ojos por todos lados sin decir palabra. Al cabo de un tiempo preguntó a su ama dónde estaba el aposento donde guardaba sus libros.
—¿Qué aposento, o qué nada busca vuestra merced? Ya no hay aposento ni libros en esta casa, porque todo se lo llevó el mesmo diablo.
—No era diablo –replicó la sobrina– sino un encantador que vino sobre una nube una noche después del día que vuestra merced de aquí partió y montado en una serpiente entró en el aposento y al cabo de poco tiempo salió volando por el tejado, dejando la casa llena de humo y cuando miramos lo que había hecho no vimos libro ni aposento alguno...

Tal versión encontró tierra fértil en lo que médicamente podríamos llamar «paranoia persecutoria» del Quijote, quien respondió:

«Fue Freston... que es un sabio encantador, grande enemigo mío, que me tiene ojeriza, porque sabe por sus artes y letras que tengo que venir, andando los tiempos, a pelear en singular batalla con un caballero a quien él favorece, y le tengo que vencer...»

Así, una vez más, entre otras muchas, los encantamientos serían para el Quijote las respuestas que necesitaba. Los libros de caballería ya no existían pero sí las construcciones delirantes del paciente.

De este modo, Don Quijote pasó quince días en su casa muy sosegado sin dar muestras de volver a sus aventuras, días en los cuales habló mucho con el cura y el barbero.

Don Quijote sostenía la necesidad que tenía el mundo de caballeros andantes, y que así resucitaría la caballería andantesca. El cura algunas veces lo contradecía y otras lo consentía porque de no ser así no podrían ponerse de acuerdo.

Durante ese tiempo, solicitó Don Quijote a un labrador vecino suyo, hombre de bien, que le sirviera de escudero. Insistía Don Quijote que le siguiese de buena gana porque podía suceder que en alguna aventura ganase alguna ínsula[14] y lo dejase a él por gobernador en ella. Con estas y otras promesas, Sancho Panza, que así se llamaba el labrador, dejó a su mujer y sus hijos y se comprometió a ser su escudero.

Así, una noche salieron juntos sin despedirse de nadie, Don Quijote sobre Rocinante y su escudero Sancho Panza sobre su asno con las alforjas llenas de comida y una bota de vino. Caminaron tanto que al amanecer estaban seguros de que nadie los encontraría aunque los buscasen. Don Quijote ya tenía escudero y con él, la otra parte del mundo, la realidad. Esta circunstancia queda clara en el episodio de los molinos de viento.

Molinos de viento, psicosis y realidad

En la segunda salida de su aldea, ya Don Quijote lo hace montando al escuálido y desnutrido Rocinante y acompañado por su escudero, Sancho Panza. Éste era muy distinto a Don Quijote. Era bajo, gordo, tranquilo y montaba un viejo asno.

14 Ínsula: latinismo, por «isla», pero podría interpretarse, como de hecho lo hizo Sancho Panza, como una porción de un territorio.

Pero no eran las únicas diferencias con nuestro paciente. Es que Sancho Panza, además, no estaba loco. Le creía a Don Quijote, era asombrosamente crédulo, pero no loco. Simplemente, había creído de buena fe en la propuesta y las promesas del hidalgo y decidió acompañarlo. Pero él nunca vio fantasías, sino la realidad tal cual se presenta a los sentidos de quien percibe las cosas de manera normal y ordinaria. En el episodio de los molinos de viento se ve claramente esta situación dicotómica donde se ponen de manifiesto la locura de Don Quijote y la cordura de su escudero. Veamos:

Capítulo VIII
Del buen suceso que el valeroso Don Quijote tuvo en
la espantable y jamás imaginada aventura de los molinos
de viento, con otros sucesos dignos de felice recordación

En esto, descubrieron treinta o cuarenta molinos de viento que hay en aquel campo y así como Don Quijote los vio dijo a su escudero:
—La ventura va guiando nuestras cosas mejor de lo que acertáramos a desear; porque ves allí, amigo Sancho Panza, donde se descubren treinta o pocos más, desaforados gigantes, con quien pienso hacer batalla y quitarles a todos las vidas, con cuyos despojos comenzaremos a enriquecer; que ésta es buena guerra, y es gran servicio de Dios quitar tan mala simiente de sobre la faz de la tierra.
—¿Qué gigantes? –dijo Sancho Panza.
—Aquellos que allí ves –respondió su amo– de los brazos largos, que los suelen tener algunos de casi dos leguas.
—Mire, vuestra merced –respondió Sancho– que aquellos que allí se parecen no son gigantes, sino molinos de viento, y lo que en ellos parecen brazos son las aspas, que volteadas del viento, hacen andar la piedra del molino.
—Bien parece –respondió Don Quijote– que no estás cursado en esto de las aventuras: ellos son gigantes; y si tienes miedo, quítate de ahí, y ponte en oración en el espacio que yo voy a entrar con ellos en fiera y desigual batalla.
Y diciendo esto, dio de espuelas a su caballo Rocinante, sin

atender a las voces que su escudero Sancho le daba, advirtiéndole que, sin duda alguna, eran molinos de viento, y no gigantes, aquellos que iba a acometer. Pero él iba tan puesto en que eran gigantes que ni oía las voces de su escudero Sancho, ni echaba de ver, aunque estaba ya bien cerca, lo que eran; antes iba diciendo en voces altas:

—Non fuyades, cobardes y viles criaturas, que un solo caballero es el que os acomete[15].

Levantóse en esto un poco de viento, y las grandes aspas comenzaron a moverse, lo cual visto por Don Quijote, dijo:

—Pues aunque mováis más brazos que los del gigante Briareo[16] me lo habéis de pagar.

Y en diciendo esto, y encomendándose de todo corazón a su señora Dulcinea, pidiéndole que en tal trance le socorriese, bien cubierto de su rodela, con la lanza en el ristre, arremetió a todo el galope de Rocinante y embistió con el primero molino que estaba delante; y dándole una lanzada en el aspa, la volvió el viento con tanta furia, que hizo la lanza pedazos, llevándose tras sí al caballo y al caballero, que fue rodando muy maltrecho por el campo. Acudió Sancho Panza a socorrerle, a todo el correr de su asno, y cuando llegó halló que no se podía menear: tal fue el golpe que dio con él Rocinante.

—¡Válgame Dios! –dijo Sancho–. ¿No le dije yo a vuestra merced que mirase bien lo que hacía, que no eran sino molinos de viento, y no lo podía ignorar sino quien llevase otros tales en la cabeza?

—Calla, amigo Sancho —respondió Don Quijote–, que las cosas de la guerra, más que otras, están sujetas a continua mudanza; cuanto más, que yo pienso, y es así verdad, que aquel sabio Frestón que me robó el aposento y los libros ha vuelto estos gigantes en molinos por quitarme la gloria de su vencimiento: tal es la enemistad que me tiene; mas al cabo,

15 Don Quijote recurre al lenguaje arcaizante de los libros de caballerías Fuyades: huyáis.

16 Briareo, gigante de la mitología griega y latina, que tenía cien brazos y cincuenta cabezas.

han de poder poco sus malas artes contra la bondad de mi espada.

—Dios lo haga como puede –respondió Sancho Panza. Y, ayudándole a levantar, tornó a subir sobre Rocinante, que medio despaldado[17] estaba. Y, hablando en[18] la pasada aventura, siguieron el camino del Puerto Lápice, porque allí decía Don Quijote que no era posible dejar de hallarse muchas y diversas aventuras, por ser lugar muy pasajero[19].

El episodio de los molinos de viento es el más conocido de la obra de Cervantes. Esto no es casual. No hay hazaña de hidalguía más grande y desigual que luchar contra treinta gigantes. Ha quedado en el lenguaje cotidiano como ejemplo de valentía en desigual batalla.

Aquí se ve claramente un episodio de exaltación del Quijote cuando cree ver delante de sí a gigantes con los cuales combatir, esta situación de exaltación corresponde a un cuadro clínico de «hipomanía». En esta situación, el paciente presenta un estado de excitación, hiperactividad, exaltación del ánimo, aumento del nivel de energía, disminución del cansancio y sueño, etc. Don Quijote conservaba vivas en su memoria mil y una batallas de caballería donde el héroe arremetía y triunfaba contra un adversario mayor. El episodio de los molinos era su oportunidad y no dudó. El hecho es que tal interpretación de la realidad (es decir, confundir molinos con gigantes) es una circunstancia que constituye lo que en psiquiatría se llama «episodio psicótico». El paciente ve el mundo, y desde su concepción delirante construye una fantasía organizada, «los molinos eran gigantes con largos brazos», y actúa en consecuencia, los ataca. Como caballero andante en ferviente búsqueda de aventuras se alegra al ver a los gigantes. Los quiere erradicar de la faz de la tierra agradando así a Dios. Pero es Sancho Panza quien en forma llana le advierte, porque ve la realidad: «...son molinos

17 Despaldado, con la espalda dañada.

18 Hablando en: hablando de.

19 Pasajero, por el que pasa mucha gente, o sea, «transitado».

de viento, y lo que en ellos parecen brazos son aspas...» Pero Don Quijote insiste y cuando el viento comienza a mover las aspas, él interpreta que los gigantes movían sus brazos. Así, se encomienda a su amada Dulcinea y arremete contra los gigantes. Como vemos, el paciente distorsiona psicóticamente la realidad para hacerla concordar con sus sueños.

El resultado fue el esperado, Don Quijote quedó maltrecho en el campo cuando el aspa lo revolea por los aires. Sancho Panza avanza con su asno y le presta socorro. Al momento Don Quijote «ve» los molinos, pero para mantener su fantasía idílica argumenta que el sabio Freston, el mismo que robó su aposento y libros, convirtió a los gigantes en molinos para «quitarle la gloria de su vencimiento». Aún al reconocer los molinos, Don Quijote se esfuerza por hallar una explicación, a su parecer lógica.

Todo el evento constituye un ejemplo de psicosis, el paciente percibe objetos, en este caso gigantes animados, donde no existen. Es decir, presenta alucinaciones, ve cosas que en realidad no están. Asimismo, presenta un delirio, los hechos que se suceden no son reales más que en su mente. Las alucinaciones son las percepciones sin objeto real, es decir el objeto no existe. Las ilusiones son, en cambio, alteraciones del objeto percibido. Reconocerían el mismo origen patológico y en este sentido Don Quijote presentó una ilusión compleja al convertir los molinos en gigantes y sus aspas en largos brazos. Las alucinaciones y las ilusiones pueden comprometer a cualquiera de los cinco sentidos. Es claro que Don Quijote vio gigantes, pero aunque no lo relató, es también probable que los hubiera oído, olido y de hecho sintió el golpe del brazo del gigante a través del tacto.

Los delirios, por su parte, pueden ser incomprensibles en los términos del entendimiento normal o pueden ser relativamente comprensibles y estructurados lógicamente, como en el caso del paciente cuando describe esta hazaña. Es decir, la historia, aunque irreal, tiene lógica y coherencia intrínseca; en este sentido, el episodio psicótico de los molinos se superpone al literario. Este hecho es la constante en este análisis médico de Don Quijote. Un mismo hecho que, sin lugar a dudas, es literario también puede abordarse desde la medicina para arribar a un diagnóstico.

En este mismo contexto de análisis conviene recordar que en la lectura de los libros de caballería Don Quijote había aprendido que un caballero que se precie de tal debía tener además de sus armas y escudero, doncella a quien encomendarse. Por lo tanto, Don Quijote llega al amor promovido por la encarnación de su fantástica aventura. El amor, es así, también una aventura. De tal suerte construye un amoroso «delirio» personal: Dulcinea.

Dulcinea

Don Quijote tiene la intencionalidad fecunda y necesaria para llenar su ser del amor de una doncella por quien luchar y a quien dedicar sus futuras victorias como caballero andante. Sabía que de este modo debía ser y lo hace desde un comienzo. Así es el relato:

Capítulo I

¡Oh, cómo se holgó nuestro buen caballero cuando hubo hecho este discurso, y más cuando halló a quien dar nombre de su dama! Y fue, a lo que se cree, que en un lugar cerca del suyo había una moza labradora de muy buen parecer, de quien él un tiempo anduvo enamorado, aunque, según se entiende, ella jamás lo supo, ni le dio cata[20] dello. Llamábase Aldonza Lorenzo[21], y a ésta le pareció ser bien darle título de señora de sus pensamientos, y, buscándole nombre que no desdijese mucho del suyo y que tirase y se encaminase al

20 Ni le dio cata dello, o sea: «ni él (Don Quijote) le dio a ella cuenta de ello». Los editores modernos enmiendan: ni se dio cata dello.

21 Cervantes ha escogido un nombre que entonces parecía muy vulgar, como atestigua el proverbio: «A falta de moza, buena es Aldonza». La protagonista de La Lozana andaluza se llamaba así y se cambió el nombre por su anagrama Lozana.

de princesa y gran señora, vino a llamarla Dulcinea[22] del To-
boso, porque era natural del Toboso; nombre, a su parecer,
músico y peregrino y significativo, como todos los demás que
a él y a sus cosas había puesto.

(DON QUIJOTE, PARTE I, CAPÍTULO I)

Parece que Alonso Quijano, antes de enfermar de locura, estaba enamorado de una labradora de la aldea a quien consideraba bien hermosa. Ella nunca lo supo. Él nunca se lo dijo. La labradora, que sí existía, se llamaba Aldonza Lorenzo. A la hora de dar vida a su delirio, al igual que con los molinos, él, ya Don Quijote, toma un fragmento de la realidad cuando la recuerda y la convierte así en parte de su existencia delirante, donde esta vez el amor es el motor impulsor del delirio. En Don Quijote es la aventura lo que lo lleva al amor. Lo cierto es que Aldonza Lorenzo existió y Dulcinea sólo habitó la fértil mente de Don Quijote. Es más, Dulcinea no intervino ni apareció nunca en la obra. Como el amor, Dulcinea fue tal vez una de las más grandes idealizaciones de Don Quijote que chocó con la realidad de aquellos cuerdos en razón que cuestionaban su existencia. Tal es el caso cuando Don Quijote y su escudero tropiezan con unos mercaderes y Don Quijote les exige que proclamasen a su doncella como «Emperatriz de la Mancha», «la sin par Dulcinea del Toboso». En el Cap. IV lo hace así:

—Todo el mundo se tenga, si todo el mundo no confiesa que
no hay en el mundo todo doncella más hermosa que la Em-
peratriz de la Mancha, la sin par Dulcinea del Toboso.
Paráronse los mercaderes al son destas razones y a ver la
estraña figura de la que las decía; y por la figura y por las
razones luego echaron de ver la locura de su dueño; mas qui-
sieron ver despacio en qué paraba aquella confesión que se
les pedía y uno dellos, que era un poco burlón y muy mucho
discreto le dijo:

---

22   En la novela pastoril *Los diez libros de Fortuna de Amor,* de Antonio de Lofraso, obra que Cervantes conocía, figuran un pastor llamado Dulcineo y una pastora llamada Dulcina.

—Señor caballero, nosotros no conocemos quién sea esa
buena señora que decís; mostrádnosla: que si ella fuere de
tanta hermosura como significáis, de buena gana y sin apre-
mio alguno confesaremos la verdad que por parte vuestra
nos es pedida.
— Si os la mostrara —replicó Don Quijote—, ¿qué hiciérades
vosotros en confesar una verdad tan notoria? La importancia
está en que sin verla lo habéis de creer, confesar, afirmar,
jurar y defender; donde no, conmigo sois en batalla, gente
descomunal[23] y soberbia. Que ahora vengáis uno a uno,
como pide la orden de caballería, ora todos juntos, como
es costumbre y mala usanza de los de vuestra ralea, aquí os
aguardo y espero, confiado en la razón de mi parte tengo.

Lo central es la idea de que, para Don Quijote, Dulcinea era
patentemente real en la descripción de su mente. Tanto que al
sólo nombrarla los otros debían aceptar este hecho, a costa
de entrar en combate en caso de no creerle. Por eso, el Quijote afirma «...la importancia está en que sin verlo lo habéis de
creer, confesar, afirmar, jurar y defender; donde no, conmigo
sois en batalla, gente descomunal y soberbia...»
Situación similar se le presentó cuando una Duquesa cues-
tiona la existencia de Dulcinea y sus atributos de modo burlón.
Dice así:

—No hay más que decir —dijo la duquesa—; pero si, con
todo eso, hemos de dar crédito a la historia que del señor
Don Quijote de pocos días a esta parte ha salido a la luz del
mundo, con general aplauso de las gentes, della se colige, si
mal no me acuerdo, que nunca vuesa merced ha visto a la
señora Dulcinea, y que esta tal señora no es en el mundo,
sino que es dama fantástica, que vuesa merced la engendró
y parió en su entendimiento, y la pintó con todas aquellas
gracias y perfecciones que quiso.
—En eso hay mucho que decir –respondió Don Quijote—.
Dios sabe si hay Dulcinea o no en el mundo, o si es fan-

23   Descomunal, no común.

tástica, o no es fantástica; y éstas no son de las cosas cuya
averiguación se ha de llevar hasta el cabo. Ni yo engendré
ni parí a mi señora, puesto que la contemplo como conviene
que sea una dama que contenga en sí las partes que puedan
hacerla famosa en todas las del mundo, como son: hermosa
sin tacha, grave sin soberbia, amorosa con honestidad, agra-
decida por cortés, cortés por bien criada y, finalmente alta
por linaje, a causa que sobre la buena sangre resplandece y
campea la hermosura con más grados de perfección que en
las hermosas humildemente nacidas.

(*Don Quijote*, Parte II, Capítulo 32)

La construcción fantástica de Don Quijote sobre la perfección de su doncella amada no pudo ser más idealizada. Al punto que afirma: «Dios sabe si hay Dulcinea o no en el mundo, o
si es fantástica, o no es fantástica…» Es que Don Quijote perseguía causas justas y el amor a Dulcinea era una de ellas.

La depresión de Don Quijote

Para configurar la historia clínica y arribar a un diagnóstico,
es necesario consignar todos los síntomas que presenta el paciente. Ya hemos visto episodios de exaltación del ánimo, como
la hipomanía y delirios complejos. En el caso de Don Quijote
tampoco faltaron los momentos de tristeza y melancolía. Pero
éstas son emociones normales y no requieren tratamiento farmacológico. Sólo se requiere «procesar adecuadamente el cuadro emocional», ¡las emociones no se medican!, se procesan.
En cambio, resulta diferente el cuadro clínico de depresión. La
depresión es un síndrome, es decir un conjunto de síntomas y
signos cuyo hallazgo permite formular el diagnóstico. Un síntoma es lo que el paciente refiere, lo que siente, lo que narra.
Un signo es lo que el médico observa en el examen clínico y
son elementos que habitualmente pasan desapercibidos por el
enfermo, como por ejemplo el examen de los reflejos. La depresión es un cuadro clínico de alteración del estado de ánimo

que incluye numerosos síntomas, entre ellos: decaimiento, abatimiento, melancolía patológica o intensa, sensación de infelicidad y/o culpa, irritabilidad, alteración del ritmo del sueño, disminución de la capacidad de control, pensamientos suicidas, y frecuentemente también se presentan síntomas físicos.

Hay al menos dos eventos claros en los cuales se perciben síntomas compatibles con depresión: uno es la penitencia que Don Quijote realiza en Sierra Morena y el otro las vivencias narradas en la cueva de Montesinos.

En la narración de Sierra Morena, Don Quijote y Sancho Panza arribaron a la Sierra y al escalarla llegan al borde de un arroyo donde Don Quijote, que allí se hacía llamar «el hombre de la triste figura», se detuvo para hacer penitencia. Sus lágrimas engrosarían el arroyo y sus suspiros agitarían las hojas de los árboles. La narración, cargada de palabras en castellano antiguo, dice así:

> —Éste es el lugar, ¡oh cielos!, que diputo y escojo para llorar la desventura en que vosotros mesmos me habéis puesto. Éste es el sitio donde el humor de mis ojos acrecentará las aguas deste pequeño arroyo, y mis continos y profundos sospiros moverán a la contina las hojas destos montaraces árboles, en testimonio y señal de la pena que mi asendereado corazón padece. ¡Oh vosotros, quienquiera que seáis, rústicos dioses que en este inhabitable lugar tenéis vuestra morada, oíd las quejas deste desdichado amante, a quien una luenga ausencia y unos imaginados celos han traído a lamentarse entre estas asperezas, y a quejarse de la dura condición de aquella ingrata y bella, término y fin de toda humana hermosura! ¡Oh vosotras, napeas y dríadas[24], que tenéis por costumbre de habitar en las espesuras de los montes, así los ligeros y lascivos sátiros, de quien sois, aunque en vano, amadas, no perturben jamás vuestro dulce sosiego, que me ayudéis a lamentar mi desventura, o, a lo menos, no os canséis de oílla!
>
> ¡Oh Dulcinea del Toboso, día de mi noche, gloria de mi pena,

24   Napeas, ninfas de los valles; dríadas, ninfas de los bosques.

*norte de mis caminos, estrella de mi ventura, así el cielo te
la dé buena en cuanto acertares a pedirle, que consideres el
lugar y el estado a que tu ausencia me ha conducido, y que
con buen término correspondas al que a mi fe se le debe!
¡Oh solitarios árboles, que desde hoy en adelante habéis de
hacer compañía a mi sociedad, dad indicio, con el blando
movimiento de vuestras ramas, que no os desagrade mi presencia! ¡Oh tú, escudero mío, agradable compañero en más
prósperos y adversos sucesos, toma bien en la memoria lo
que aquí me verás hacer, para que lo cuentes y recites a la
causa total de todo ello!*

(DON QUIJOTE, PARTE I, CAPÍTULO 25)

Al decir esto, Don Quijote desmontó a Rocinante, le sacó
el freno y la silla, dándole una palmada para que se fuera en
libertad y le dijo a su escudero que quería que viera lo que iba
a hacer y en tres días partiera a contárselo a Dulcinea, lleván-
dole una carta, para que supiera la penitencia que era capaz de
hacer por ella. Don Quijote se rasgó las vestiduras, esparció las
armas y comenzó a tirarse entre los peñascos más duros que el
diamante, para lastimar intencionalmente su cuerpo.

La desesperanza que en este capítulo del Quijote se describe es compatible con un episodio depresivo.

Otro tanto sucede en la cueva de los Montesinos donde la
descripción es simplemente tétrica, sobre todo con respecto al
muerto que le habían sacado el corazón:

*Oyendo lo cual el venerable Montesinos se puso de rodillas
ante el lastimado caballero, y, con lágrimas en los ojos, le
dijo: «Ya, señor Durandarte, carísimo primo mío, ya hice lo
que me mandastes en el aciago día de nuestra pérdida: yo os
saqué el corazón lo mejor que pude, sin que os dejase una
mínima parte en el pecho; yo le limpié con un pañizuelo de
puntas; yo partí con él de carrera para Francia, habiéndoos
primero puesto en el seno de la tierra, con tantas lágrimas,
que fueron bastantes a lavarme las manos y limpiarme con
ellas la sangre que tenían de haberos andado en las entra-
ñas: y, por más señas, primo de mi alma, en el primero lugar*

que topé saliendo de Roncesvalles eché un poco de sal en
vuestro corazón, porque no oliese mal, y fuese, si no fresco,
a lo menos amojamado, a la presencia de la señora Beler-
ma; la cual, con vos, y conmigo, y con Guadiana, vuestro
escudero, y con la dueña Ruidera y sus siete hijas y dos so-
brinas, y con otros muchos de vuestros conocidos y amigos,
nos tiene aquí encantados el sabio Merlín ha muchos años;
y aunque pasan de quinientos, no se ha muerto ninguno de
nosotros: solamente faltan Ruidera y sus hijas y sobrinas, las
cuales llorando, por compasión que debió de tener Merlín
dellas, las convirtió en otras tantas lagunas, que ahora, en
el mundo de los vivos y en la provincia de la Mancha, las
llaman las lagunas de Ruidera; las siete son de los reyes de
España, y las dos sobrinas de los caballeros de una orden
santísima, que llaman de San Juan.

(*Don Quijote*, Parte II, Capítulo 23)

Don Quijote relataría lo que había visto y vivido, describió al primo y amigo de Montesinos, Durandarte, el cual yacía en carne y hueso en un sepulcro de mármol debido al encantamiento del mago Merlín. También dice haber visto «encantados» a Belerna, dama de Durandarte, a su escudero, Guadiana, convertido en río y a otros muchos amigos y parientes convertidos en lagunas.

Todo este episodio es compatible con una descripción de perfil depresivo diametralmente opuesto a la exaltación del ánimo de las típicas aventuras del Quijote. La depresión es otro de los cuadros psiquiátricos que por momentos presentó el paciente.

Curación y muerte de Alonso Quijano
Nacimiento del mito
«El hidalgo caballero Don Quijote de la Mancha»

Las mil y un aventuras acompañaron a Don Quijote en la locura de Alonso Quijano. El intento diagnóstico por catalogar su enfermedad pasa por cuadros de exaltación del ánimo, como la hipomanía, cuadros delirantes con fantasías sin objetos reales, brotes psicóticos donde el delirio domina la acción de las aventuras, esquizofrenia, depresión o ideas obsesivas de búsqueda de justicia. Tal vez el diagnóstico que más se ajuste es algunas formas de trastorno bipolar. El trastorno bipolar es un cuadro clínico, antes llamado psicosis maníaco-depresiva, que se caracteriza por alternar períodos de euforia o exaltación del estado de ánimo, llamados hipomanía, con períodos de depresión. El cuadro clínico puede presentarse de diferentes modos. Los hay muy leves, compatibles con una vida absolutamente normal, y los hay más graves.

> *Como las cosas humanas no sean eternas, yendo siempre en declinación de sus principios hasta llegar a su último fin, especialmente las vidas de los hombres, y como la de Don Quijote no tuviese privilegio del cielo para detener el curso de la suya, llegó su fin y acabamiento cuando él menos lo pensaba; porque, o ya fuese de la melancolía que le causaba el verse vencido, o ya por la disposición del cielo, que así lo ordenaba, se la arraigó una calentura, que le tuvo seis días en la cama, en los cuales fue visitado muchas veces del cura, del bachiller y del barbero, sus amigos, sin quitársele de la cabecera Sancho Panza, su buen escudero.*
>
> (DON QUIJOTE, PARTE II, CAPÍTULO 74)

Tras su largo batallar, cae Don Quijote en cama con un cuadro febril descripto como una «calentura» que lo postró literalmente por seis días. Cervantes sabía de medicina y había visto cómo episodios febriles intensos y prolongados podían modificar el curso de una enfermedad mental. Los médicos tenían claro por entonces de qué modo cuadros febriles u otras enfermedades importantes podían recuperar a un paciente de un episodio de hipomanía. Tanto es así que los galenos de entonces provocaban intencionalmente las «calenturas» o fiebres como método terapéutico, con la llamada piroterapia o terapia por temperatura. Tal fue la suerte de Alonso Quijano, que con una enfermedad febril de origen desconocido recobra la cordura. Así lo narra Cervantes:

Llamaron sus amigos al médico, tomóle el pulso, y no le contentó mucho, y dijo que, por sí o por no, atendiese a la salud de su alma, porque la del cuerpo corría peligro. Oyólo Don Quijote con ánimo sosegado; pero no lo oyeron así su ama, su sobrina y su escudero, los cuales comenzaron a llorar tiernamente, como si ya le tuvieran muerto delante. Fue el parecer del médico que melancolías y desabrimientos le acababan. Rogó Don Quijote que le dejasen solo, porque quería dormir un poco. Hiciéronlo así, y durmió de un tirón, como dicen, más de seis horas; tanto, que pensaron el ama y la sobrina que se había de quedar en el sueño. Despertó al cabo del tiempo dicho, y dando una gran voz dijo:
—¡Bendito sea el poderoso Dios, que tanto bien me ha hecho! En fin, sus misericordias no tienen límite, ni las abrevian ni impiden los pecados de los hombres.
                    (*Don Quijote*, Parte II, Capítulo 74)

El médico hizo su diagnóstico. Recomendó atender la salud de su alma ya que al cuerpo poco le quedaba. Alonso Quijano, ya débil y enfermo, agradeció a Dios por su curación y por haber vivido en aventura, y dice:

«...Dadme albricias, buenos señores, de que ya no soy Don Quijote de la Mancha, sino Alonso Quijano, a quien mis costumbres me dieron renombre de bueno».

Cabe hacer notar que Alonso Quijano era un hombre «bueno» por sus costumbres y reconocido como tal en su aldea. Cuando Quijano desarrolla la psicosis, también su locura actúa como lo manda su espíritu, se convierte en un loco bueno que persigue causas justas. Llegado este momento, Quijano se quedó solo con el cura para confesarse cristianamente y luego hizo con el escribano su testamento, llegando así su fin:

En fin llegó el último[25] *de Don Quijote, después de recibi-*
dos todos los sacramentos y después de haber abominado
con muchas y eficaces razones de los libros de caballerías.
Hallóse el escribano presente, y dijo que nunca había leído
en ningún libro de caballerías que algún caballero andante
hubiese muerto en su lecho tan sosegadamente y tan cristia-
no como Don Quijote; el cual, entre compasiones y lágrimas
de los que allí se hallaron, dio su espíritu, quiero decir que
se murió.

(Don Quijote, Parte II, Capítulo 74)

El epitafio de la sepultura deja constancia de su cordura y
de su locura:

> *Yace aquí el Hidalgo fuerte*
> *que a tanto extremo llegó*
> *de valiente, que se advierte*
> *que la muerte no triunfó*
> *de su vida con su muerte.*
> *Tuvo a todo el mundo en poco;*
> *fue el espantajo y el coco*
> *del mundo, en tal coyuntura,*
> *que acreditó su ventura*
> *morir cuerdo y vivir loco.*

(Don Quijote, Parte II, Capítulo 74)

Resumen de historia clínica

Alonso Quijano, natural de la Mancha, se vuelve loco. Tanto
leyó novelas de caballería que un sueño irrefrenable lo impulsó
a la locura. Se convirtió en caballero andante. Tal vez ningún
rótulo psiquiátrico pueda establecerse desde la razón de la
medicina. La razón no es buen recurso diagnóstico para esta

---

25   El último: el fin.

«historia clínica». Tal vez deba abordarse el caso desde la emoción. Quizá sólo con el corazón se alcance su entendimiento. El sueño de Alonso Quijano fue para él un mito personal. Con su muerte, nació un sueño compartido por millones, el mito de Don Quijote. Así, después de cuatrocientos años, pobre en dinero y rico en ideales, el hidalgo caballero continúa cabalgando en busca de aventuras y justicia. Hoy, los molinos de viento huyen al verlo. El Quijote con su caballo Rocinante, su escudero Sancho Panza y su amada Dulcinea vivirán eternamente. Tiene historia clínica, mas nunca tendrá autopsia, pues el hidalgo caballero Don Quijote de la Mancha vivirá por siempre en todo aquel que cierre los ojos para poder verlo.

Bibliografía

20 Maresfield Gardens, The Freud Museum, Ed. Profile Books Ltd. London, 1998.

Anales Nº 13. 1º Ed. Instituto Nacional Belgraniano, Buenos Aires, 2009.

Arasse, Daniel, *Leonardo da Vinci*, Konecky and Konecky, New York, 1998.

Asimov, Isaac, *Los Egipcios*, Alianza Editorial, 2011.

Atkins, Hadley, *Down: The Home of the Darwins,* Royal College of Surgeons of England, London, 1974.

Babini, José, *Historias de la Medicina*, Gedisa, Barcelona 2000.

Barloon, Thomas J. y Russell Noyes, Jr., *Charles Darwin and Panic Disorden,* Journal of the American Medical Association, EE.UU.,1997.

Barlow, Nora, *Charles Darwin and the Voyage of the Beagle*, Philosophical Library, New York, 1946.

Barry, Mary, *Gods and Myths of the Ancient World*, Grange Books, London, 1997.

Basch, Adela, *Abran Cancha, que aquí viene Don Quijote de la Mancha*, Ediciones Colihue, Buenos Aires, 2008.

Belgrano, Compilado Mario Carlos Belgrano. 1ª ed. 3º reimp. Instituto Nacional Belgraniano, Buenos Aires, 2006.

Belgrano, Manuel, *Autobiografía y Escritos Económicos*, Pigna, Felipe, Ed. Emecé, Buenos Aires, 2009.

Belgrano, Manuel, *Autobiografía y otras páginas*, Editorial Universitaria de Buenos Aires, Buenos Aires, 1966.

Belgrano, Mario, *Historia de Belgrano*, Ed. Instituto Nacional Belgraniano, Buenos Aires, 1996.

Bellota, Araceli, *Aurelia Vélez: La Mujer que Amó a Sarmiento*, Editorial Sudamericana, Buenos Aires, 2001.

Bellotta, Araceli - Fusillo, Nora, *Sarmiento, Maestro Del Éxito*, Editorial Norma, 2000.

Benencia, Julio Arturo, *Cómo San Martín y Belgrano se conocieron en Yatasto*, Anales del Instituto Belgraniano Central Nº1, Buenos Aires, 1981.

Bently, Peter, *World Mythology*, Versión Castellana, Editorial Cebate, Madrid 1993.

Berra, Héctor, "La Medicina Rioplatense" en 1810. Facultad de Ciencia Médicas. Universidad Nacional de Rosario, Argentina. *Rev. Med. Rosario* 76, 2010.

Berra, Tim M., *Darwin, La Historia de un hombre extraordinario*, Tusquets Editores, Buenos Aires, 2009.

Bidondo, Emilio Ángel, *El Tiempo del Éxodo Jujeño*, Anales del Instituto Belgraniano Central Nº4, Buenos Aires, 1981.

Blaquier, Carlos Pedro, *Domingo Faustino Sarmiento*, Editorial Dunken, Buenos Aires, 2009.

Bombini, Gustavo, *El Gran Sarmiento. Las Cartas Que Develan al Hombre,* Editorial El Ateneo, 2001.

Bonro, Martín Francisco, *Las Banderas de Belgrano*, Ed. Lefemedia, Buenos Aires, 2012.

Bordelois, Ivonne, *A la escucha del cuerpo: puentes entre la salud y las palabras*, Libros del Zorzal, Buenos Aires, 2009.

Borrás, P. Enrique, *El Amor de Don Quijote y el porqué de su locura*, Editorial El Ateneo, Buenos Aires, 1975.

Bowlby, John, *Charles Darwin: a New Life*, Hutchinam, London, 1996.

Bowler, Peter, *Evolution: The History of an Idea*, University of California Press, Berkeley, 1984.

Brion, Marcel, *Leonardo da Vinci, la encarnación del genio*, Javier Vergara Editor, Buenos Aires, 2002.

Campobassi, José S., *Gloriosa Ancianidad, últimos años, muerte y homenajes en Sarmiento y su época*. Tomo II, Editorial Losada, Buenos Aires, 1975.

Casas, J.C., *La Ingratitud de Sarmiento*, Editorial Atlántida.

Castro, Antonio P., *Diario de Gastos, Libreta llevada por Sarmiento en sus viajes-1845,1847-*, Museo Histórico Sarmiento, Reproducción Facsímil, Buenos Aires, 1950.

Cervantes de Saavedra, Miguel de, *Las Aventuras de Don Quijote de la Mancha y de su Escudero Sancho Panza*, Editorial Aguilar, 2009.

Cervantes Saavedra, Miguel de, *Don Quijote de la Mancha*, Ed. Guanajuato, México, 2006.

Cervantes Saavedra, Miguel de, *Don Quijote de la Mancha*, Ed. Kapelusz, Buenos Aires, 1954.

Cervantes Saavedra, Miguel de, *Don Quijote de la Mancha*, Ed. Planeta, Buenos Aires, 2004.

Cervantes Saavedra, Miguel de, *El Ingenioso Hidalgo Don Quijote*, Editorial Emecé, Buenos Aires, 2005.

Cervantes Saavedra, Miguel de, *Las Aventuras de Don Quijote*, Ediciones Aquila-Alba-Taurus-Alfaguara, Buenos Aires, 2007.

Clark, Ronald, *Freud: The Man and the Cause*, Ed. Granada, London, 1998.

Clark, Ronald, *The Survival of Charles Darwin: A Biography of a Man and an Idea*, Random House, New York, 1984.

Colp, Ralph Jr., *Darwin's Illness*, University Press of Florida, 2008.

Colp, Ralph, *To be an Invalid: The Illness of Charles Darwin*, University of Chicago Press, 1977.

Crespo, Julio, *Las maestras de Sarmiento*, Grupo Abierto Comunicaciones, 2007.

Crosa, Alicia Antonia, *Enrique Santos Discépolo o qué se puede hacer con la Tristeza*, Editorial de los Cuatro Vientos, Buenos Aires, 2011.

Cuadrado, Sara, *Leonardo da Vinci*, Edimat Libros, Madrid, 2002.

De Cúneo, Dardo, *Sarmiento y Unamuno*, Editorial Pleamar, 1963

Da Vinci, Leonardo, *Cuadernos de Notas, El Tratado de la Pintura*, Edimat Libros, Madrid, 2004.

Darwin, Charles, *Autobiografía*, Ed. Continente, Buenos Aires, 2008.

Darwin, Charles, *El Origen de las Especies por medio de la Selección Natural*, Ed. Sarpe, Madrid, 1983.

Darwin, Charles, *The Expression of the Emotions in Man and Animals*, Harper Perennial, London, 2009.

Darwin, Charles, *The Origin of Species*, Gramercy Books, New York, 1979.

Darwin, F., *The Autobiography of Charles Darwin and Selected Letters*, Ed. J. Murray, London, 1997.

De Rivera, Jorge, "Discépolo", *Cuadernos Crisis Nº 33*, Ed. Del Noroeste, Buenos Aires, 1973.

De Titto, Ricardo, *Yo, Sarmiento*, Editorial El Ateneo,2011

Dei, Daniel H., *Discépolo, Todavía la Esperanza. Esbozo de una Filosofía en Zapatillas*, Editorial Alloni/Proa: Colección Humanidades y Artes Populares Argentinas, Buenos Aires, 2013.

Dei, Daniel, *Discépolo: Todavía la Esperanza*, Editorial Rundinuskin, Buenos Aires, 1990.

Diaz de León, Raquel, *Uno, Biografía Enrique Santos Discépolo*, Editorial Corregidor, Buenos Aires.

Díaz de León, Raquel, *Uno, Biografía Íntima de Enrique Santos Discépolo*, Editorial Corregidor, Buenos Aires, 1999.

Discépolo, Enrique Santos, *¿A mí me vas a contar?*, Ediciones Terramar, Buenos Aires, 2009.

Discépolo, Enrique Santos, Discépolo- Mordisquito, *A mí no me las vas a contar*. Ediciones Realidad Política. Buenos Aires, 1986.

Discépolo, Enrique Santos, Mordisquito *¡A mí no me la vas a contar!*, 1º edición, Editorial Pueblos del Sur, Rosario, Santa Fe, 2006.

Domina, Esteban, *Morir en Grande*, Editorial del Boulevard, Rosario Santa Fe, 2006.

Dosisto, Eduardo, *Memorias de un Boticario,* 1º Ed. Editorial MT. Ediciones/ Memoria y Trascendencias, Buenos Aires, 2009.

Dreyer, Mario S.; Timpanaro, Horacio E. y García Dadoni, Laureano R. A.; Belgrano. *Semblanza-Enfermedades-Obra*; Monte Grande, s.ed., 1989.

Eldredge, Niles, *Darwin: Discovering the tree of Life*, W. W. Norton, New York, 2005.

Etchemendi Garay, Luz, *Quijote en Buenos Aires: Cuentos*, Editorial Vinciguerra, Buenos Aires, 2007.

Falcón, Huarte J., *Medicina en la historia*, La Médica, Buenos Aires 1976.

Faulkner, R. D. Ed. C. Andrews, *The Ancient Egyptian Book of the Dead*, British Museum, London, 1985.

Galasso Norberto, *Discépolo y su Época*, Editorial Corregidor, Buenos Aires, 2004.

Galasso, Norberto, *Discépolo y su Época*, 1º edición, Editorial Corregidor, 2011.

Galasso, Norberto, *Escritos Inéditos de Enrique Santos Discépolo*, Ediciones del Pensamiento Nacional, Buenos Aires, 1986.

Galasso, Norberto; Dimov, Jorge, *Fratelanza: Enrique Santos Discépolo, El Reverso de una Biografía*, 1º ed. Colihue, Buenos Aires, 2004.

Gambeta, Néstor, *Los Grandes Capitanes,* Imprenta del Servicio de Prensa, Propaganda y Publicaciones Militares del Ministerio de Guerra, Lima, 1949.

García Bazán, Francisco, *La Religión Hermética*, Lumen Humanitas, Buenos Aires, 2009.

García Hamilton, José Ignacio, *Cuyano Alborotador: Vida de D. Faustino Sarmiento*, Editorial Sudamericana, Buenos Aires, 2001.

Garrison, F. H., *Introducción a la Historia de la Medicina*, Espasa Calpe, Madrid, 1922.

Gay, Peter, *Freud. Vida y Legado de un Precursor.* Título original: *Freud. A life for our time*, 1º edición, Editorial Paidós. Barcelona, 2010.

Gianello, Leoncio, *La Influencia del pensamiento de Belgrano en la gesta de Mayo*, Anales del Instituto Belgraniano Central Nº 3, Buenos Aires, 1981.

Goldstein, J. H., 1989, *Darwin, Chagas, Mind and Body*, Perspective in Biology and Medicine 32 (4): 586-601.

González, Joaquín V., *Obras Completas*, Ed. Universidad Nacional de La Plata, Buenos Aires, 1936.

Goyogana Francisco, *Sarmiento y el Laicismo*, Editorial Claridad, 2011.

Goyogana, Francisco, *Sarmiento y La Patagonia*, Lumière, 2006

Grimal, Nicolas, *Historias del Antiguo Egipto*, 2º edición, Editorial Akal, Madrid, 2011.

Gruber, H., *Darwin sobre el Hombre. Un Estudio Psicológico de la Creatividad*, Madrid, 1984.

Hamiltor, R., *Antiguo Egipto*, Edición Española: Parragón Books Ltd., Equipo de Edición, Barcelona, 2006.

Hull, David L., *Darwin and his Crities: The Reception of Darwin's Theory of Evolution by the Scientific Community*, University of Chicago Press, Chicago, 1973.

Huxley, J. y Kettlewel, H., *Darwin and his World*, versión en español, Ed. Salvat, Barcelona, 1984.

Instituto Nacional Belgraniano, *Vida del Creador de la Bandera Argentina*, Ed. Gráfica Gral. Belgrano, Buenos Aires, 1995.

Jacq, Christian, *El Antiguo Egipto día a día*, Planeta 2000.

Jones, Ernest, *Vida y Obra de Sigmund Freud*, Ed. Anagrama S.A., Barcelona, España, 2003.

Jones, Ernest, *Vida y Obra de Sigmund Freud*, Tomo II. Ed. Lumen-Hormé, Buenos Aires, 1997.

Karp, Walter, *Charles Darwin and the Origin of Species*, American Heritage Publishing, New York, 1968.

Kazimiera, Michalowski, *Antiguo Egipto*, Ed. Akal, Madrid, España, 1991.

Kemp, Barry J., *El Antiguo Egipto: historia de una civilización*, Editorial Crítica, 2004.

Kostzer, Mario Rubén, *Domingo Faustino Sarmiento*, Editorial Longseller, 2010.

Laín Entralgo, Pedro, *Historia Universal de la Medicina* (6 volúmenes), Salvat, Barcelona, 1984.

Larrau de Vere, A., *Belgrano*, Editorial Atlántida, Buenos Aires, 1956.

Lebedinsky, Mauricio, *Sarmiento, Más Allá de la Educación*, CI Capital Intelectual, 2009.

Levene, Ricardo, *Historia de la Nación Argentina: desde los orígenes hasta la organización definitiva en 1862*, Editorial El Ateneo, Buenos Aires, 1941.

López Rosetti, Daniel, *El Cerebro de Leonardo*, Lumen, Buenos Aires, 2006.

López Rosetti, Daniel, *El Estrés de Jesús*, Editorial San Pablo, Buenos Aires, 2007.

López Rosetti, Daniel, *Estrés, Epidemia del Siglo XXI, Cómo Entenderlo, Entenderse y Vencerlo*, Lumen, Buenos Aires, 2005.

López Rosetti, Daniel, *Historia Clínica*, 7º ed. Planeta, Buenos Aires, 2013.

Luzuriaga, Aníbal Jorge; Benecia, Julio Arturo, *Formación castrense de los Hombres de Armas de Belgrano*, Instituto Central Belgraniano, Buenos Aires, 1980.

Luzuriaga, Aníbal Jorge, *Manuel Belgrano Estadista y Prócer de la Independencia Hispanoamericana*, Talleres Gráficos Universitarios de Morón, Buenos Aires, 2004.

Luzuriaga, Aníbal Jorge, *Prolegómenos y Clima en que nace la Bandera de la Patria*, Anales del Instituto Belgraniano Central Nº 1, Buenos Aires, 1979.

Mackowiak, Philip A., *Post Morten, American College of Physicians*, Printed in the United States of America by R. R. Donnelley, 2007.

Maeztu, Ramiro, "Don Quijote y el Amor"; En *Don Quijote, Don Juan y la Celestina*, Ed. Espasa-Calpe, Madrid, 1972.

March, Raúl Alberto, *Enrique Santos Discépolo: Sus Tangos y su Filosofía*, Editorial Corregidor, Buenos Aires, 1997.

Martínez Estrada, Ezequiel, *Sarmiento. Meditaciones Sarmientistas*, Editorial Beatriz Viterbo, 2002.

Martínez Frontera, Laura C., *Sigmund Freud, el hombre y la magnitud de su obra: una herramienta para abordar el pensamiento psicoanalítico*, Ed. Letra Viva, 1º ed. Buenos Aires, 2009.

Mc Cabe B.F., *Beethoven's deafness*, Ann Otol Rinol Laryngol, 1958;76: 192-206.

Menéndez Pidal, Ramón, "Un Aspecto en la elaboración del Quijote", en *De Cervantes y Lope de Vega*, Ed. Espasa-Calpe, Madrid, 1973.

Merello, Laura Ana, *La Calle y Yo*, Editorial Kier, Buenos Aires, 1972.

Miller, Jonathan y Boris van Loon, *Darwin for Beginners*, Pantheon Books, New York, 1992.

Mitre, Bartolomé, *Historia de Belgrano y de la Independencia Argentina*, Editorial Juventud Argentina, Buenos Aires, 1887.

Molinari, José Luis; *Manuel Belgrano: sus enfermedades y sus médicos en Historia*. Colección Mayo. Comisión Nacional de Homenaje al 150º Aniversario de la Revolución de Mayo, 1810-1960, III, Belgrano, año V, junio-septiembre de 1960, nº 20, Buenos Aires, Academia Nacional de la Historia, 1960.

Nisenso, Ana, *Corazón en llamas,* Editorial de Dragón, Buenos Aires, 2007.

Ortega y Gasset, José, *Meditaciones del Quijote*, Editorial Espasa-Calpe, Madrid, 1976.

Palermo, Pablo Emilio, *Los Viajes de la Vejez de Sarmiento*, Editorial PROA.

Palma, Héctor A. *Darwin y el Darwinismo 150 años después*, 1º ed. Ed. Universidad Nacional de Gral. San Martín, Buenos Aires, 2011.

Palma, Héctor A., *Darwin en la Argentina*, 1º edición, Ed. Universidad Nacional de Gral. San Martín, Buenos Aires, 2009.

Papp, Desiderio, *Darwin, la Aventura del Espíritu*, Colección Austral, Espasa Calpe S.A., Madrid, 1983.

Parra, José Miguel, *El Antiguo Egipto*, 2º edición, Editorial Marcial Pons, Madrid, 2011.

Pellettieri, Osvaldo, *De Eduardo de Filippo a Tita Merello,* Editorial Galerna, Buenos Aires, 2003.

Pigna, Felipe, *1810 - La Otra Historia de Nuestra Revolución Fundadora*, Planeta, Buenos Aires, 2010.

Pigna, Felipe, *Belgrano*, Planeta, Buenos Aires, 2008.

Pigna, Felipe, *Efemérides – 11 de septiembre*, Planeta, Buenos Aires, 2009.

Pigna, Felipe, *Efemérides – 20 de junio*, Planeta, Buenos Aires, 2009.

Pigna, Felipe, *Libertadores de América*, Planeta, Buenos Aires, 2010.

Pigna, Felipe, *Los Mitos de la Historia Argentina 2*, Planeta, Buenos Aires, 2005.

Pigna, Felipe, *Los Mitos de la Historia Argentina 3*, Planeta, Buenos Aires, 2006.

Pigna, Felipe, *Los Mitos de la Historia Argentina 4*, Planeta, Buenos Aires, 2008.

Pigna, Felipe, *Sarmiento*, Editorial Planeta, Buenos Aires, 2008.

Protagonistas de la Cultura Argentina, *Tita Merello: la morocha argentina*. Editorial Aguilar y *La Nación*, Buenos Aires 2006.

Pujol, Sergio, *Discépolo, Una Biografía Argentina*, Emecé Editores, Buenos Aires, 1996.

Pujol, Sergio, *Discépolo... Una Biografía Argentina*, Editorial Emecé, Buenos Aires, 1997.

Quirke, S., *Ancient Egyptian Religion*, British Museum, London, 1992.

Raczkowski, Amalia Lucía. *Equivalentes depresivos en vida y obra de Enrique Santos Discépolo*, Tomo I, Trabajo N° 5, Instituto de Investigaciones del Tango, Buenos Aires, 1994.

Ralling, Christopher, *The Voyage of Charles Darwin*, British Broadcasting Corporation, London, 1988.

Reggini, Horacio, *Sarmiento y las Telecomunicaciones,* Editorial Galápagos, 1997.

Rieff, Philip, *Freud: The Mind of the Moralist,* University of Chicago Press, Chicago and London, 1979.

Rojas, Nerio, *Psicología de Sarmiento*, Editorial Guillermo Kraftda, Buenos Aires, 1916.

Rojas, Ricardo, *El profeta de la pampa: Vida de Sarmiento*, 2° ed. Editorial Losada, 1948.

Rojo, Roberto, *Don Quijote: Realidad y Encantamiento*, Editorial Corregidor, Buenos Aires, 1998.

Romano, Néstor, *Se dice de mí... La vida de Tita Merello*, Editorial Sudamericana, Buenos Aires, 2001.

Rundle, Clark, R. T., *Myth and Symbol in Ancient Egypt*, Thames and Hudson, London, 1959.

Sarmiento, Domingo Faustino, *Recuerdos de Provincia*, 1° ed. Editorial Agebé, Buenos Aires, 2006.

Saver, Gordon, C. 2000, "Charles Darwin Consults a Dermatologist", *International Journal of Dermatology* 474-78.

Saw, Ian, *Diccionario Akal del Antiguo Egipto*, Editorial Akal, Madrid, 2004.

Schavelzon, José, *Freud un paciente con cancer*, Ed. Paidós, Buenos Aires, 1983.

Shaw, Ian, *Historia del Antiguo Egipto*, Ed. La Esfera de los Libros, Madrid, 2010.

Silverman, David, P., *El Antiguo Egipto, Religión, Arte, Ciencia y Mitología: una recreación del mundo de los faraones*, Ed. Blume, España, 2008.

Smith, Carlos, *La Personalidad Moral de Belgrano*, Talleres Gráficos de Luis Bernard, Buenos Aires, 1928.

Smith, Fabienne, 1990, "Charles Darwin III Health", *Journal of the History of Biology*, 23: 443-59.

Solomon M., *Beethoven*, 2º Edition, Shirmer Books, New York, 1998,

Spivak, E., "El Árbol de la vida. Una Representación de la Evolución y la evolución de una representación", *Creencia Hoy Nº 91*, Buenos Aires, 2006.

Stone, Irwin, *El Origen*, 4º reed, Emecé, Buenos Aires, 2002.

Sulloway, Frank J., 1991, "Darwin Psychobiography", *New York Review of Books*, October 10, 29-32.

Sulloway, Frank J., *Freud: Biologist of the Mind,* Fontana, London, 1980.

Surra, Roberto, *Aproximaciones a Enrique Santos Discépolo*, Editorial La Alpargata, Buenos Aires, 2001.

Tajer, Carlos, *El Corazón Enfermo*, Libros del Zorzal, Buenos Aires, 2008.

Talice, Roberto, *Armando Discépolo*, A-Z Editora, Buenos Aires, 1986.

Tedin, Miguel Bravo, *Belgrano y su Sombra*, Ed. Homo Sapiens, Rosario, 2003.

Torres Roggero, Jorge. *Discépolo vivo. (Antología, Testimonios)* Fundación Ross, Rosario, Santa Fe, 1985.

Unamuno, Miguel de, *Vida de Don Quijote y Sancho según Miguel de Cervantes Saavedra*, Editorial Espasa-Calpe, Madrid, 1975.

Valenzuela – Sanguinet, *Sarmiento Periodista*, Editorial Sudamericana, 2012.

Valenzuela, Diego, *Belgrano, Artífice de la Nación, Soldado de la Libertad*, Ed. Emecé, Buenos Aires, 2012.

Viñas, David. *Grotesco, Inmigración y Fracaso: Armando Discépolo*, Editorial Corregidor, Buenos Aires, 1997.

Viñuales, Julián, Egipto, *Dioses, Templos y Faraones*, Tomo I y II, Ed. Folio, España, 1993.

Walter, Martín, *Historia del Antiguo Egipto*, Ediciones Edinet, 1995.

Ward, Henshaw, *Charles Darwin and the Theory of Evolution*, New Home Library, New York, 1937.

Weiner, Jonathan, *The Beak of the Finch*, Alfred A. Knopf, New York, 1994.

Wilson, Louse, *Down House: The Home of Charles Darwin*, English Heritage, London, 2000.

Zollner, Frank, *Leonardo da Vinci. Obra pictórica completa y obra gráfica*, Ed. Taschen, London, 2003.

Índice